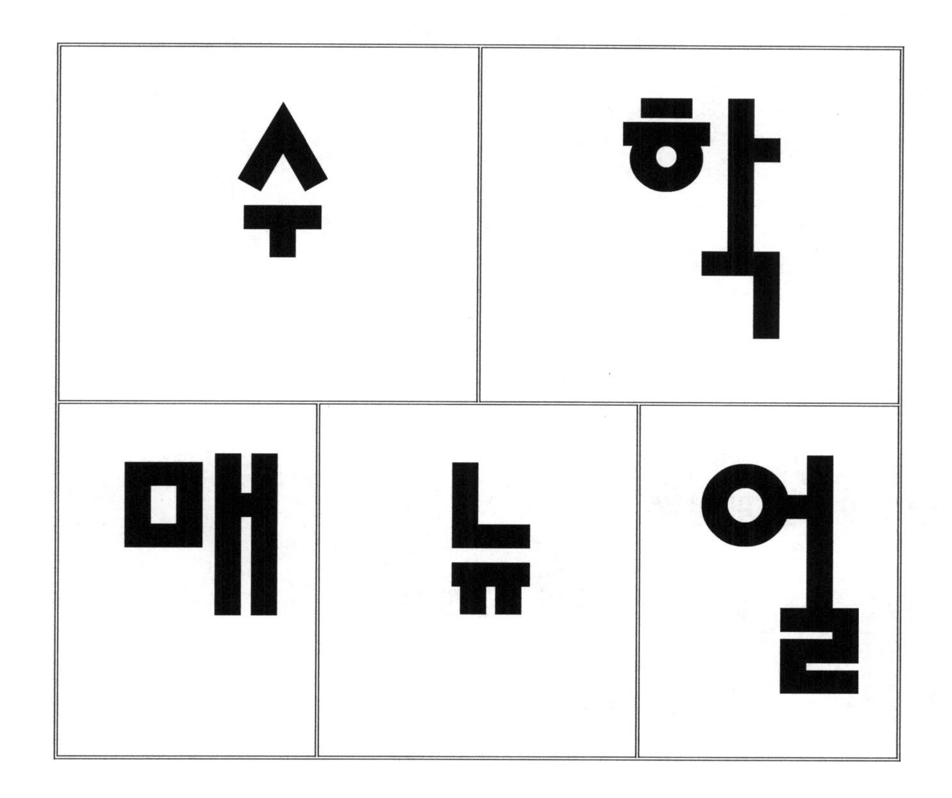

중2 일차함수

이 책의 목적

① 여러 방법을 이용하여 일차함수의 식을 구하고, 그래프를 그리는 방법을 설명합니다.

② 이를 통해 보다 빠르게 일차함수의 식을 구하고, 일차함수의 그래프를 그리는데 목적이 있습니다. 특히 고등 과정에서는 문제 풀이 시간이 부족하므로 중등 과정에서 배우는 내용에서 시간을 절약해야 합니다.

③ 이 책에서 제시하는 방법이나 팁들은 낯설고 어려울 수도 있지만 익숙해지면 일반적인 방법보다 더 빠릅니다. 이들을 절대 암기하지 말고, 그 과정을 이해하여 제대로 사용하길 바랍니다.

차 례

1]

함 수 와
일차함수

1. 함수와 일차함수

1.1 함수와 함숫값

y가 x에 대한 함수라고 하는 것은
두 변수 x, y에 대하여

'x가 갖는 모든 값'에 대해 'y의 값이 오직 한 개'로 정해지는 대응 관계

를 말한다.

→ **모든 x의 값에 대해 y의 값이 1개면 함수**다.

[예] y가 x의 함수인지 아닌지 구하시오.
(1) 자연수 x의 약수 y (2) 자연수 x의 약수의 개수 y

풀이

(1) $x=1$이면 1의 약수는 '1' 이므로 1개이지만 $x=4$이면 4의 약수는 '1, 2, 4' 이므로
$y=1,\ 2,\ 4$ 로 3개다. 따라서 y의 값이 1개가 아니므로 함수가 아니다.

(2) $x=1$이면 1의 약수는 '1' 이므로 1개가 되어 $y=1$,
$x=4$이면 4의 약수는 '1, 2, 4' 이므로 3개가 되어 $y=3$.
다른 자연수도 마찬가지로 약수의 개수는 1개로 정해지므로 함수다.

함수 $y=f(x)$에 대하여 **x의 값에 대응하는 y의 값 또는 $f(x)$의 값을 함숫값**이라고 한다.

[예] $f(x)=2x-1$에 대하여

(1) $x=-1$ (2) $x=0$ (3) $x=4$ (4) $x=a$ 에서의 함숫값을 구하시오.

풀이

(1) $x=-1$에서의 함숫값은 $f(-1)$이고 $f(-1)=2\times(-1)-1=-3$

(2) $x=0$에서의 함숫값은 $f(0)$이고 $f(0)=2\times0-1=-1$

(3) $x=4$에서의 함숫값은 $f(4)$이고 $f(4)=2\times4-1=7$

(4) $x=a$에서의 함숫값은 $f(a)$이고 $f(a)=2a-1$

1.2 함수 f(x)

'함수는 무엇인가?' 는 물음에 '$f(x)$' 라고 대답하는 경우가 있지만
함수가 $f(x)$만 있는 것도 아니고, $f(x)$가 항상 함수는 아니다.

(1) '함수 $f(x) =$ ' 이면 $f(x)$는 함수다.

(2) '다항식 $f(x)$' 이면 $f(x)$는 함수가 아니다.

※ 함수를 (1)과 (2)를 섞어 '다항식 $f(x)$에 대하여 함수 $y=f(x)$' 등으로 나타낼 수도 있다.

※ (2)에서 다항식이라 했지만 고등과정에서는 여러 다른 식들도 나온다.

$f(x)$는 식의 이름이나 역할을 나타낸다. 역할은 우변에 나타낸다.

[예] $f(x) = -2x+1$

① $-2x+1$의 이름은 $f(x)$이다.

② $f(x)$의 역할은

'$f(x)$의 괄호( )'에 들어있는 'x의 값에 -2를 곱하고 1을 더하는 것'

이다.

※ '이름' 보다는 **'역할' 의 입장에서 $f(x)$를 해석**하면 된다.

[예] $f(x) = 3x+2$

$f(x)$의 역할은 '$f(x)$의 괄호 속에 들어있는 x에 3을 곱한 다음 2를 더하는 것(값)'이다.

예를 들어 $f(5)$는 '괄호 속에 들어있는 5에 3을 곱한 다음 2를 더한 것 $(5\times3+2)$'으로 해석.
$f(5) = 3\times5+2 = 17$

[예] $f(x) = \frac{6}{x}$

$f(x)$의 역할은 '6을 괄호 속에 있는 x로 나눈 것(값)'이다.

예를 들어 $f(2)$는 '6을 괄호 속의 값 2로 나눈 것($6 \div 2$)'으로 해석한다. (또는 '분자가 6이고 분모가 괄호 속의 값인 분수')

$f(2) = \frac{6}{2} = 3$

$f(x)$ 이외에 추가로 다른 함수나 식의 이름 등이 필요할 때, $g(x)$, $h(x)$ 등이 사용된다.

※ 보통 알파벳 순서로 사용한다. $f(x) \to g(x) \to h(x) \to \cdots$

$f(x)$의 x자리에는 수 이외에 문자, 식도 들어갈(대입할) 수 있다.

예제 01 $f(x) = 2x+3$에 대하여 (1) $f(a)$, (2) $f(2x)$, (3) $f(x-3)$, (4) $f(6)$을 구하시오.

풀이

(1) $f(a)$는 $f(x)$의 x자리에 a를 대입한 것이다. 따라서 우변의 x자리에도 a를 대입한다.

$\to f(a) = 2a + 3$

(2) $f(2x)$는 $f(x)$의 x자리에 $2x$를 대입한 것이므로 우변의 x자리에도 $2x$를 대입한다.

$\to f(\underline{x}) = 2\underline{x}+3$에서 $f(\mathbf{2x}) = 2(\mathbf{2x}) + 3 = 4x+3$

(3) $f(x-3)$은 $f(x)$의 x자리에 $x-3$을 대입한 것이므로 우변의 x자리에도 $x-3$을 대입한다.

$\to f(\underline{x}) = 2\underline{x}+3$에서 $f(\mathbf{x-3}) = 2(\mathbf{x-3}) + 3 = 2x-6+3 = 2x-3$

(4) $f(x)$, $f(2x)$, $f(x-3)$에서 모두 $f(6)$의 값을 구해보면

㉮ $f(x) = 2x+3$, $f(x)$의 x에 6을 대입한 것이므로 우변의 x에도 6을 대입한다.

$f(\underline{x}) = 2\underline{x}+3 \to f(\underline{6}) = 2 \times \underline{6} + 3 = 15$

㉯ $f(2x)=4x+3$, 좌변에서 $f(2x)=f(6)$이 되려면 $x=3$을 대입하면 된다.

양변의 x는 같은 값이므로 우변의 $4x+3$ 에도 $x=3$을 대입한다.

$f(2\underline{x})=4\underline{x}+3 \rightarrow f(2\times\underline{3})=4\times\underline{3}+3,\quad \therefore f(6)=15$

㉰ $f(x-3)=2x-3$, 좌변에서 $f(x-3)=f(6)$이 되어야 하므로 $x-3=6$에서 $x=9$.

양변의 x는 같은 값을 가지므로 우변의 $2x-3$에도 $x=9$를 대입한다.

$f(\underline{x}-3)=2\underline{x}-3 \rightarrow f(\underline{9}-3)=2\times\underline{9}-3=15,\quad \therefore f(6)=15$

※ ㉮, ㉯, ㉰ 세 경우 모두 $f(6)$의 값은 (당연히) 같다.

예제 02 $f(2x-1)=3x+2$ 일 때, $f(3)$의 값을 구하시오.

※ 예제 01 에서 $f(2x)$, $f(x-3)$ 과 같이 괄호 속에 x가 아닌 다른 수식이 있는 경우, 즉 '$f(x)$' 의 모양이 아니면 '$f(3)$을 구하라.' 고 해서 무조건 $x=3$을 대입하는 것이 아니다.

$f(3)$은 $f(2x-1)$의 '괄호 속의 값 $2x-1$ 이 3' 이라는 것이지 x가 3은 아니다.

풀이

좌변 $f(2x-1)=f(3)$이어야 하므로 $2x-1=3,\quad \therefore x=2$

따라서 $f(2x-1)=3x+2$의 양변에 $x=2$를 대입하면 $f(2\times\underline{2}-1)=3\times\underline{2}+2$ 이므로

$\therefore f(3)=8$

$f(2x-1)$과 같이 $f(x)$ 모양이 아닌 식의 값을 구할 때의 생각과 과정을 정리하면

㉮ '$f(3)$을 구하라.'고 해서 무조건 $x=3$ 을 대입하는 것이 아니다.

㉯ 좌변 $f(\ )$의 괄호 속의 값(식)인 $2x-1$이 3이 되는 것이다.

㉰ 좌변 $f(\ )$의 괄호 속 x와 우변의 x는 같은 값이다.

㉱ 좌변의 괄호 속 $2x-1$의 값이 $2x-1=3$인 x를 구한 다음 우변의 x에도 같은 값을 대입하여 값을 구한다.

예제 01 에서 $f(x)$가 $f(2x)$, $f(x-3)$과 같이 변형이 가능하듯 $f(2x-1)$을 $f(x)$모양으로 변형이 가능하고, 변형 후 $f(3)$을 구할 수도 있다. 하지만 앞에서 구하는 방법에 비해 시간이 더 필요하다.

$f(2x)=3x+1$일 때, $f(8)$의 값을 구하시오.

유제 02 $f(-x+3)=-2x+3$일 때, $f(2)$의 값을 구하시오.

1.3 일차함수

$y = ax + b$ (a, b는 상수, $a \neq 0$)의 꼴로 y가 x에 대한 일차식이면 x에 대한 일차함수다.

※ 일차함수 $y = ax + b$ (a, b는 상수, $a \neq 0$)에서 $b = 0$이면
$y = ax$가 되어 정비례 관계이므로 정비례 관계도 일차함수다.

※ $y = \frac{2}{x}$, $y = -\frac{1}{x} + 3$과 같이 분모에 x에 대한 일차식이 있으면 일차함수가 아니다.

[예] $y = 3x + 5 - ax$ 가 일차함수가 되기 위한 상수 a의 조건을 구하시오.

풀이

[(일차항의 계수) $\neq 0$ 이므로 $y = (3-a)x + 5$에서 $3-a \neq 0$, $\therefore\ a \neq 3$]

[예] $y = (a-3)x^2 + (2-b)x - 3$이 일차함수가 되기 위한 상수 a, b의 조건을 구하시오.

풀이

[최고차항이 일차가 되어야 하므로 이차항이 없어야 한다. 따라서
$a - 3 = 0$, $2 - b \neq 0$ 이므로 $a = 3$, $b \neq 2$]

※ 함수의
그래프를 지나는 점의 좌표가 주어지면 → 좌표가 문자로 되어 있어도 식에 대입하여 조건을 만든다.

[예] 일차함수 $y = 2x - 5$의 그래프가 점 $(-a, 3)$을 지날 때, 상수 a의 값을 구하시오.

풀이

[점 $(-a, 3)$을 $y = 2x - 5$ 에 대입하면 $3 = -2a - 5$, $2a = -8$, $\therefore\ a = -4$]

연 습 문 제

해설과 풀이 $p.161$

01 $f(x)=3x-5$에 대하여 $f(3)+f(-1)$의 값을 구하시오.

02 $f(x)=-2x+1$, $g(x)=\dfrac{12}{x}$에 대하여 $f(-3)+g(4)$의 값을 구하시오.

03 $2x+y=ax-3$이 x에 대한 일차함수가 되도록 하는 상수 a의 조건을 구하시오.

04 $f(x)=ax-3$ 에 대하여 $f(3)=9$일 때, $f(2)$의 값을 구하시오.

05 $f(x)=-\dfrac{2}{3}x+3$에 대하여 $f(3)+f(-6)$의 값을 구하시오.

06 $f(x)=x+3$에 대하여 $f(a)=-2$일 때, 상수 a의 값을 구하시오.

07 다음의 함수가 일차함수면 괄호 속에 ○, 아니면 × 표시하시오.

(1) $y=3x+1$ ( )

(2) $y=-x^2+2$ ( )

(3) $y=\dfrac{1}{x-1}$ ( )

(4) $y=-2x$ ( )

(5) $y=x(x+3)-x^2$ ( )

(6) $y=5$ ( )

08 함수 $f(x)=ax+2a$ 에 대하여 $f(3)=-a+6$ 일 때, 상수 a의 값을 구하시오.

09 일차함수 $f(x)=-2x+5$ 에 대하여 $f(3m)=-7$일 때, 상수 m의 값을 구하시오.

10 일차함수 $f(x)=5x-2$에 대하여 $f(3)-2f(1)$의 값을 구하시오.

11 일차함수 $f(x)=4x+3$ 에 대하여 $f(2a)=f(3)+12$일 때, 상수 a의 값을 구하시오.

12 일차함수 $f(x)=-3x+4$에 대하여 $f\left(\frac{a}{6}\right)=2a-1$ 일 때, 상수 a의 값을 구하시오.

13 일차함수 $y=ax-2$의 그래프가 두 점 $(3,\ a)$, $(3b,\ b+2)$를 지날 때, $2a+b$의 값을 구하시오.

14 일차함수 $f(x)=-3x-1$의 그래프가 두 점 $(2m,\ 11)$, $(n+2,\ -m)$을 지날 때, 상수 m, n의 값을 구하시오.

15 함수 $f(x)=$(자연수 x이하의 소수의 개수)에 대하여 $f(9)+f(17)$의 값을 구하시오.

16 $y=6x+a(2x-3)$이 일차함수가 되기 위한 상수 a의 조건을 구하시오.

17 다음 중 일차함수 $y=2x-3$ 위의 점이 아닌 것은?

① $(-2,\ -7)$ ② $\left(\frac{1}{2},\ -2\right)$ ③ $\left(-\frac{1}{4},\ -\frac{5}{2}\right)$

④ $(3,\ 3)$ ⑤ $\left(\frac{5}{2},\ 2\right)$

18 일차함수 $y=\frac{2}{3}x+5$의 그래프가 두 점 $(p,\ 2)$, $(-2,\ q)$를 지날 때, $2p+3q$의 값을 구하시오.

19 일차함수 $y=2ax-3$의 그래프가 두 점 $(3,\ 9)$, $(b,\ -7)$을 지날 때, 상수 a, b의 값을 구하시오.

20 점 $(a,\ 5)$가 일차함수 $y=3x-4$의 그래프 위의 점을 때, 상수 a의 값을 구하시오.

21 일차함수 $y=2x+1$의 그래프가 점 $(3,\ 2a-3)$을 지날 때, 상수 a의 값을 구하시오.

22 일차함수 $y=\frac{3}{2}x-b$의 그래프가 두 점 $(2a,\ 4)$, $(4,\ 2)$를 지날 때, $3a-b$의 값을 구하시오.

23 두 일차함수 $f(x)=2x-3$, $g(x)=-x+b$에 대하여 $f(4)=g(4)=n$을 만족할 때, 상수 b, n의 값을 구하시오.

2]

일 차 함 수 (y = ax + b) 의 그래프

2. 일차함수 (y = ax + b)의 그래프

2.1 일차함수의 그래프와 평행이동

※ 일차함수의 그래프를 그리는 것은 중1에서 배운 정비례 관계에서 시작한다.

$y=2x$의 그래프와 $y=2x+1$의 그래프의 관계를 알아보기 위해 같은 x에 대하여

정비례 관계 $y=2x$가 지나는 점과 $y=2x+1$이 지나는 점의 좌표를 몇 개 정하여 표를 만들고 $y=2x$의 그래프와 $y=2x+1$의 그래프를 같은 좌표평면에 그린다. x는 모든 수이다.

x	$\cdots$	-2	-1	0	1	2	$\cdots$
$y(=2x)$	$\cdots$	-4	-2	0	2	4	$\cdots$
$y(=2x+1)$	$\cdots$	-3	-1	1	3	5	$\cdots$

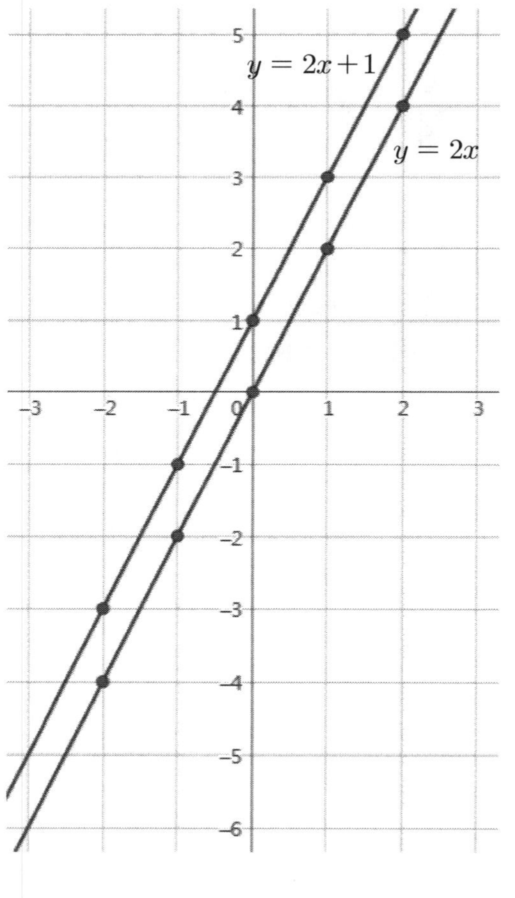

[그림 1]

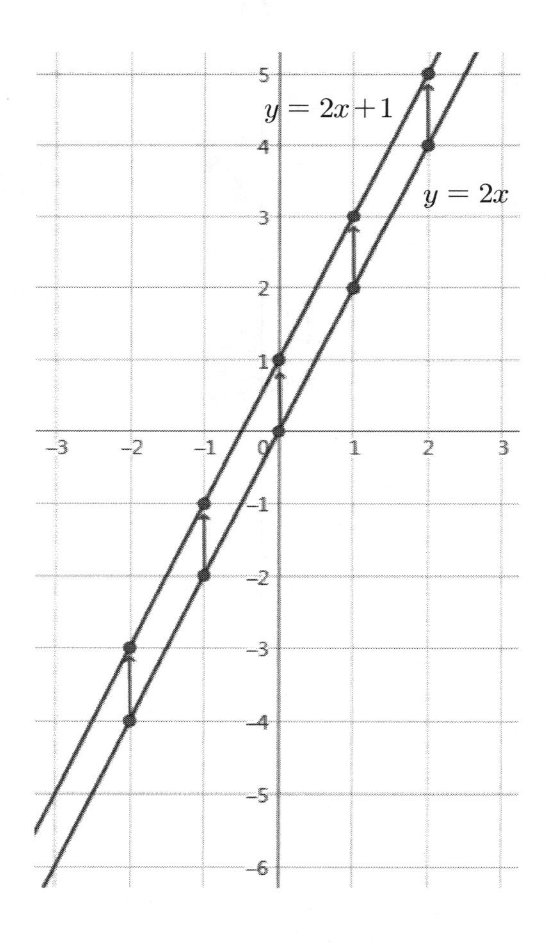

[그림 2]

[그림 1]은 좌표평면에 표에서의 좌표를 찍고 $y=2x$와 $y=2x+1$의 그래프를 그린 것이고 [그림 2]는 $x=-2$, $x=-1$, $x=0$, $x=1$, $x=2$에서의 점들이 $y=2x$에서 $y=2x+1$로 움직인 것을 나타낸 것으로 모두 '**y축의 방향으로 1만큼 이동**'했다.

정비례 관계 $y=2x$를 기준으로 $y=2x+1$의 모든 점들은 y축의 방향으로 '상수항 1'만큼 이동하게 되고 이를

'**y축의 방향으로의 평행이동**'

이라고 한다. 그리고 이를

'$y=2x$를 y축의 방향으로 1만큼 평행이동하면 $y=2x+1$ 이다.'

또는

'$y=2x+1$은 $y=2x$를 y축의 방향으로 1만큼 평행이동한 것이다.'

라고 한다.

$y=2x$의 그래프와 $y=2x-3$의 그래프의 관계를 알아보기 위해 같은 x에 대하여

정비례 관계 $y=2x$가 지나는 점과 $y=2x-3$이 지나는 점의 좌표를 몇 개 정하여 다음과 같이 표를 만들고 $y=2x$의 그래프와 $y=2x-3$의 그래프를 같은 좌표평면에 그린다. x는 모든 수이다.

x	$\cdots$	-2	-1	0	1	2	$\cdots$
$y(=2x)$	$\cdots$	-4	-2	0	2	4	$\cdots$
$y(=2x-3)$	$\cdots$	-7	-5	-3	-1	1	$\cdots$

두 일차함수 $y=2x$와 $y=2x-3$의 그래프를 같은 좌표평면에 그리면 다음 그림과 같다.

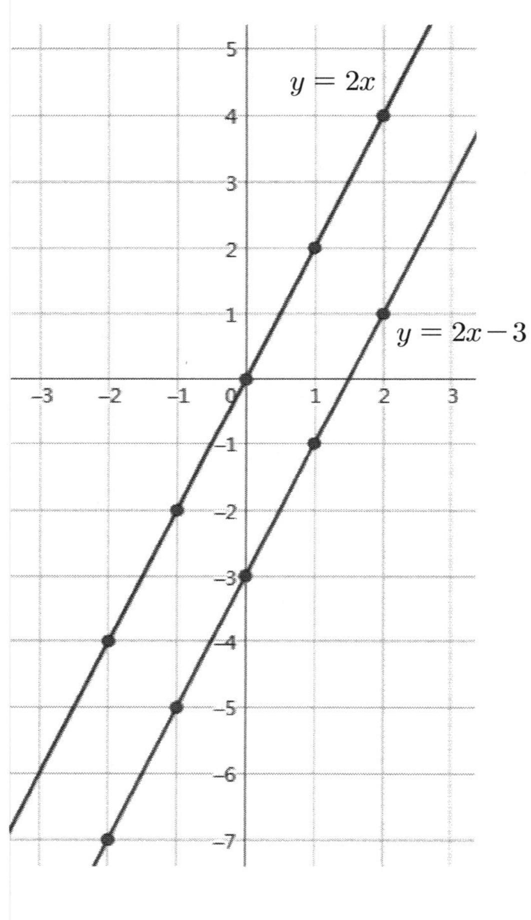

[그림 3]

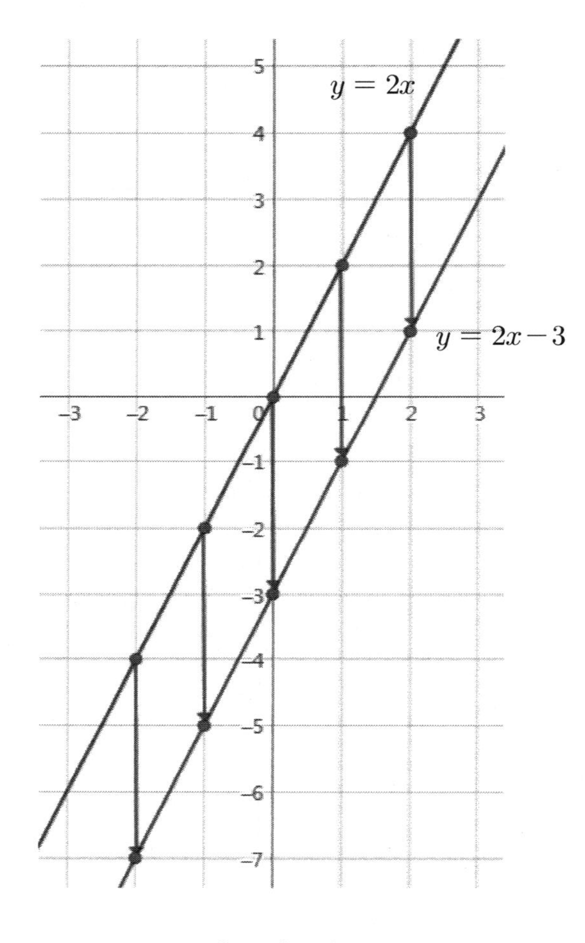

[그림 4]

[그림 3]은 좌표평면에 표에서의 좌표를 찍고 $y=2x$와 $y=2x-3$의 그래프를 그린 것이고
[그림 4]는 $x=-2$, $x=-1$, $x=0$, $x=1$, $x=2$에서의 점들이 $y=2x$에서 $y=2x-3$으로
움직인 것을 나타낸 것으로 모두 '**y축의 방향으로 -3만큼 이동**'했다.

※ $y=2x$를 y축의 방향으로 -3만큼 평행이동하면 $y=2x-3$ 이다.
또는 $y=2x-3$은 $y=2x$를 y축의 방향으로 -3만큼 평행이동한 것이다.

※ $y=2x$가 $y=2x+1$로 평행이동할 때 모든 점들이 같은 방향(y축의 방향)으로,
같은 양만큼 이동했기 때문에 두 그래프는 평행하다.
마찬가지로 $y=2x$가 $y=2x-3$으로 평행이동할 때도 두 그래프는 평행하다.

→ **평행이동에 의한 두 일차함수의 그래프는 항상 평행**하고, 특히
정비례 관계에서 y축의 방향으로 평행이동한 값은 일차함수의 y절편인 상수항과 같다.

2.2 y 절편의 부호에 따른 그래프의 이동 방향

일차함수 $y = ax+b$에서

① $b > 0$이면 $y = ax$의 그래프를 y축의 양의 방향으로 (위로) b만큼

② $b < 0$이면 $y = ax$의 그래프를 y축의 음의 방향으로 (아래로) $|b|$만큼

평행이동한다. (앞의 [그림 1] ~ [그림 4])

※ 중2에서 일차함수는 y축의 방향으로 평행이동하는 경우만 배운다.

평행이동은 $y = ax$ 뿐만 아니라 $y = ax+m\,(m \neq 0)$ 에서도 할 수 있다.
y축 방향으로의 평행이동은 y의 값이 평행이동한 값만큼 증가 또는 감소하는 것이므로
평행이동한 값을 더하면 된다. 즉

$y = ax + m$ 을 y축의 방향으로 b 만큼 평행이동하면 $y = ax + m + b$ 이다.

이는 $y = ax + m$ 에 대해
$b > 0$이면 y축의 방향으로 $|b|$만큼 올라가고, $b < 0$이면 y축 방향으로 $|b|$만큼 내려간다.

일차함수 $y = ax$를 y축의 방향으로 b 만큼 평행이동하면 $y = ax + b$
일차함수 $y = ax + m$을 y축의 방향으로 b 만큼 평행이동하면 $y = ax + m + b$

[예] 일차함수 $y = -2x$의 그래프를 y축의 방향으로
① 3만큼 평행이동하면 $y = -2x+3$
② -1만큼 평행이동하면 $y = -2x-1$

[예] 일차함수 $y=\frac{3}{4}x-2$의 그래프를 y축의 방향으로

① 2만큼 평행이동하면 $y=\frac{3}{4}x-2+2$ 이므로 $y=\frac{3}{4}x$

② -3만큼 평행이동하면 $y=\frac{3}{4}x-2-3$ 이므로 $y=\frac{3}{4}x-5$

유제 01 일차함수 $y=\frac{1}{3}x$의 그래프를 y축의 방향으로 2만큼 평행이동한 일차함수의 식을 $y=ax+b$ 라고 할 때, 상수 a, b에 대하여 $3ab$의 값을 구하시오.

유제 02 일차함수 $y=-3x+2$의 그래프를 y축의 방향으로 -4만큼 평행이동한 일차함수의 식을 $y=ax+b$ 라고 할 때, 상수 a, b에 대하여 $a+b$의 값을 구하시오.

2.3 x절편과 y절편

(1) **x절편 : 그래프가 x축과 만나는 점의 'x좌표'**

x축 위의 모든 점들은 y좌표가 0이므로 **x절편을 구하기 위해서는 $y=0$을 대입**하면 된다.

(2) **y절편 : 그래프가 y축과 만나는 점의 'y좌표'**

y축 위의 모든 점들은 x좌표가 0이므로 **y절편을 구하기 위해서는 $x=0$을 대입**하면 된다.

특히 일차함수 $y=ax+b$ 에 $x=0$을 대입하면 $y=b$이므로 **상수항 b가 y절편**이다.

※ x절편, y절편은 좌표의 순서쌍이 아니고 수이다.

[예] 다음에서 좌표는 x절편 또는 y절편으로, x절편 또는 y절편은 좌표로 바꾸시오.

(1) $(3,\ 0)$ (2) $(-2,\ 0)$ (3) $(a,\ 0)$ (4) $(0,\ 2)$

(5) $(0,\ -5)$ (6) $(0,\ 4.7)$ (7) x 절편 $a+2b$ (8) x절편 -3.1

(9) y절편 b (10) x절편 4 (11) y절편 $\frac{2}{5}$ (12) y절편 $2n+3$

풀이

(1) x절편 3 (2) x절편 -2 (3) x절편 a (4) y절편 2

(5) y절편 -5 (6) y절편 4.7 (7) $(a+2b,\ 0)$ (8) $(-3.1,\ 0)$

(9) $(0,\ b)$ (10) $(4,\ 0)$ (11) $\left(0,\ \frac{2}{5}\right)$ (12) $(0,\ 2n+3)$

[예] 일차함수 $y=2x-6$ 의 x절편을 구하시오.

풀이

$y=0$을 대입하면, $0=2x-6$, $2x=6$, $\therefore\ x=3$

따라서 x절편은 3이다.

 일차함수 $y = -2x + b$의 x절편이 -1일 때, 상수 b의 값을 구하시오.

풀이

x절편이 -1이므로 일차함수는 점 $(-1,\ 0)$을 지난다. 이 점을 일차함수에 대입하면
(※ x절편이므로 y의 좌표는 0이다.)
$0 = -2\times(-1) + b, \quad \therefore\ b = -2$

(1) **두 일차함수의 그래프가 x축에서 만난다는 것은 x절편이 같다**는 것이다. 따라서 각각 x절편을 구한 다음 두 값을 같다고 놓고 방정식을 풀면 된다.

(2) **두 일차함수의 그래프가 y축에서 만난다는 것은 y절편이 같다**는 것이다. 따라서 각각 y절편을 구한 다음 두 값을 같다고 놓고 방정식을 풀면 된다.

예제 02 두 일차함수 $y = 2x - 4$와 $y = -3x + b$가 x축에서 만날 때, 상수 b의 값을 구하시오.

풀이 01 **[일반적인 풀이]**

두 일차함수는 x축 위에서 만나므로 x절편이 같다. 두 일차함수 모두 $y = 0$을 대입하여 x절편을 구한다.
$0 = 2x - 4, \ \therefore\ x = 2$
$0 = -3x + b, \ \therefore\ x = \dfrac{b}{3}$
따라서 $2 = \dfrac{b}{3}, \ \therefore\ b = 6$

풀이 02

x축에서 만나는 점을 $(a,\ 0)$으로 두고 두 일차함수에 모두 대입한다.
$0 = 2a - 4$에서 $a = 2 \ \cdots$ ①
$0 = -3a + b$에서 $b = 3a \ \cdots$ ②
①을 ②에 대입하면 $b = 6$

예제 03 점 (3, 5)를 지나는 일차함수 $y=\frac{2}{3}x+a$가 일차함수 $y=-2x+b-3$과 y축에서 만날 때, 상수 a, b에 대하여 $2a+b$의 값을 구하시오.

풀이

일차함수 $y=\frac{2}{3}x+a$가 점 (3, 5)를 지나므로 $5=\frac{2}{3}\times3+a$

$\therefore\ a=3$

따라서 $y=\frac{2}{3}x+3$

두 일차함수가 y축 위에서 만나므로 y절편이 같다.

일차함수의 상수항이 y절편이므로 $3=b-3$

$\therefore\ b=6$

$\therefore\ 2a+b=12$

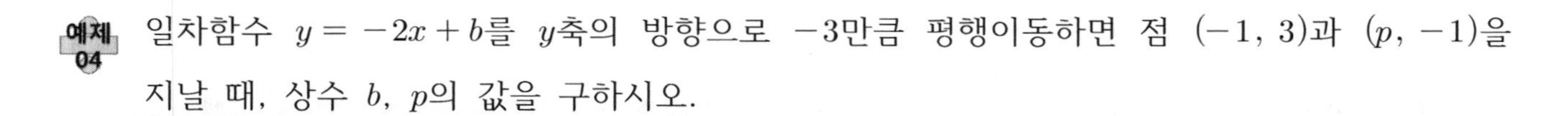

예제 04 일차함수 $y=-2x+b$를 y축의 방향으로 -3만큼 평행이동하면 점 $(-1,\ 3)$과 $(p,\ -1)$을 지날 때, 상수 b, p의 값을 구하시오.

풀이 01 [일반적인 풀이]

※ (1) 일차함수 $y=-2x+b$를 y축의 방향으로 -3만큼 평행이동한 함수의 식을 구한다.

(2) (1)에서 구한 함수의 식에 점 $(-1,\ 3)$을 대입하여 b의 값을 구하고 함수의 식을 완성한다.

(3) (2)의 식에 점 $(p,\ -1)$을 대입하여 p의 값을 구한다.

일차함수 $y=-2x+b$를 y축의 방향으로 -3만큼 평행이동하면 $y=-2x+b-3$ ⋯ ①

①에 점 $(-1,\ 3)$을 대입하면 $3=2+b-3$, $\therefore\ b=4$

따라서 평행이동한 함수식은 ①에서 $y=-2x+1$ ⋯ ②

②에 점 $(p,\ -1)$을 대입하면 $-1=-2p+1$, $\therefore\ p=1$

풀이 02 ※ 기울기를 이용하여 p의 값을 먼저 구할 수도 있다.

점 $(-1,\ 3)$과 $(p,\ -1)$을 지나는 직선의 기울기가 -2이므로

$\frac{-1-3}{p-(-1)}=-\frac{4}{p+1}=-2$, $p+1=2$, $\therefore\ p=1$

연 습 문 제

해설과 풀이 $p.163$

A. 다음 일차함수의 x절편, y절편의 값을 구하시오.

01 $y=2x-4$

02 $y=x+2$

03 $y=\frac{2}{5}x+3$

04 $y=\frac{5}{3}x-1$

05 $y=-\frac{1}{5}x+\frac{3}{5}$

06 $y=-\frac{3}{5}x-6$

07 $y=-3x-2$

08 $y=-2x+\frac{3}{2}$

09 $y=\frac{2}{3}x-\frac{1}{2}$

10 $y=\frac{4}{7}x+\frac{3}{7}$

B. 다음 물음에 답하시오.

01 일차함수 $y=-\frac{4}{3}x-2$를 y축의 방향으로 3만큼 평행이동하면 점 $(2,\ p)$를 지날 때, 상수 p의 값을 구하시오.

02 일차함수 $y=\frac{1}{5}x+3$의 그래프는 일차함수 $y=ax-2$의 그래프를 y축의 방향으로 q만큼 평행이동한 것이다. 상수 a, q의 값을 구하시오.

03 일차함수 $y=\frac{3}{5}x+b$의 그래프의 x절편이 10일 때, 상수 b의 값을 구하시오.

04 일차함수 $y=2x$를 y축의 방향으로 -3만큼 평행이동한 그래프의 식을 구하시오.

05 일차함수 $y=-3x-2$의 그래프를 y축의 방향으로 4만큼 평행이동한 그래프의 식을 구하시오.

06 일차함수 $y=3x-5$의 그래프를 y축의 방향으로 3만큼 평행이동한 그래프가 점 $(3, b)$를 지날 때, b의 값을 구하시오.

07 일차함수 $y=ax+2$의 그래프를 y축의 방향으로 -5만큼 평행이동한 그래프가 점 $(2, -1)$을 지날 때, a의 값을 구하시오.

08 일차함수 $y=-2x+3$의 그래프를 y축의 방향으로 k만큼 평행이동한 그래프가 점 $(-3, 2)$를 지날 때, k의 값을 구하시오.

09 일차함수 $y=ax+1$의 그래프를 y축의 방향으로 b만큼 평행이동한 그래프가 두 점 $(2, -3)$, $(5, 3)$을 지날 때, $3a+b$의 값을 구하시오.

10 두 일차함수 $y = -3x + b$, $y = 2x - 3$의 그래프가 x축 위에서 만날 때, 상수 b의 값을 구하시오.

11 일차함수 $y = -2x - 3$의 그래프를 y축의 방향으로 m만큼 평행이동한 그래프의 x절편이 1일 때, 상수 m의 값을 구하시오.

12 일차함수 $y = \frac{2}{5}x + 1$의 그래프를 y축의 방향으로 3만큼 평행이동한 그래프의 x절편을 p, y절편을 q라고 할 때, $-\frac{5q}{2p}$의 값을 구하시오.

13 두 일차함수 $y = 3x - 6$, $y = -2x + b$의 그래프가 x축과 만나는 점을 각각 A, B라고 할 때, $\overline{AB} = 6$이다. 상수 b의 값을 모두 구하시오.

14 일차함수 $y = 2(3a - 2)x - 5$의 x절편이 $\frac{1}{4}$일 때, 상수 a의 값을 구하시오.

3]

일차함수 그래프의 기울기

3. 일차함수 그래프의 기울기

3.1 기울기의 정의

<u>'기울기는 직선의 기울어진 정도를 수로 나타낸 것'</u>으로 다음과 같이 정의한다.

$$\text{기울기} = \frac{y\text{의 값의 증가량}}{x\text{의 값의 증가량}}$$

두 점 $A(x_1,\ y_1)$, $B(x_2,\ y_2)$를 지나는 직선의 기울기는

$$\text{기울기} = \frac{y\text{의 값의 증가량}}{x\text{의 값의 증가량}} = \frac{y_2 - y_1}{x_2 - x_1} = \frac{y_1 - y_2}{x_1 - x_2}$$

(단, $x_1 \neq x_2$)

※ 이후 기울기에서 특별한 언급이 없으면 $x_1 \neq x_2$ 이다.

[예] 다음 두 점을 지나는 직선의 기울기를 구하시오.

(1) (2, 1), (5, 4) (2) (1, 3), (4, 1) (3) (0, 2), (6, −2)

풀이

(1) ① $\frac{4-1}{5-2} = \frac{3}{3} = 1$ ② $\frac{1-4}{2-5} = \frac{-3}{-3} = 1$

(2) ① $\frac{1-3}{4-1} = \frac{-2}{3} = -\frac{2}{3}$ ② $\frac{3-1}{1-4} = \frac{2}{-3} = -\frac{2}{3}$

(3) ① $\frac{-2-2}{6-0} = \frac{-4}{6} = -\frac{2}{3}$ ② $\frac{2-(-2)}{0-6} = \frac{4}{-6} = -\frac{2}{3}$

※ (2)의 직선과 (3)의 직선은 기울기가 $-\frac{2}{3}$로 같다. <u>**기울기가 같은 직선은 서로 평행**</u>하다. 경우에 따라 일치할 수도 있다.

유제 다음 두 점을 지나는 직선의 기울기를 구하시오.

(1) $(-1,\ -1)$, $(2,\ 3)$ (2) $(-2,\ 1)$, $(1,\ -4)$ (3) $(0,\ 0)$, $(3,\ -2)$

(4) $(-2,\ 0)$, $(0,\ 3)$ (5) $(-2,\ 3)$, $(1,\ 2)$ (6) $\left(-\frac{1}{2},\ 1\right)$, $\left(\frac{5}{2},\ 3\right)$

※ 주어진 두 점 중 어떤 것이 $(x_1,\ y_1)$, $(x_2,\ y_2)$가 되어도 관계없다.

일차함수 $y=f(x)$에 대해

$x=a$이면 $y=f(a)$, $x=b$이면 $y=f(b)$이므로

두 점 $(a,\ f(a))$, $(b,\ f(b))$를 이용하여 일차함수 $y=f(x)$의 기울기를 구하면

$$\text{기울기} = \frac{y\text{의 값의 증가량}}{x\text{의 값의 증가량}} = \frac{f(b)-f(a)}{b-a} = \frac{f(a)-f(b)}{a-b}$$

※ 어느 경우든 기울기는 같다.

보통 분모(x의 값의 증가량)가 양수가 되도록 하는 것이 좋다.

3.2 일차함수 $y = ax+b$ 의 기울기는 일차항의 계수 a

일차함수 $y = ax+b$가 두 점 $(x_1,\ y_1)$, $(x_2,\ y_2)$를 지날 때, 두 점을 $y = ax+b$에 대입하면 만족하므로

$y_1 = ax_1+b,\ y_2 = ax_2+b$

기울기의 정의에 의해

$$\text{기울기} = \frac{y_2-y_1}{x_2-x_1} = \frac{(ax_2+b)-(ax_1+b)}{x_2-x_1} = \frac{ax_2-ax_1}{x_2-x_1} = \frac{a(x_2-x_1)}{x_2-x_1} = a$$

이므로 **일차함수 $y = ax+b$ 의 기울기는 일차항의 계수 a**이다.

[예] 일차함수 $f(x) = \frac{2}{3}x+b$ 에 대하여 $\frac{f(3)-f(1)}{3-1}$ 의 값을 구하시오.

풀이

$\frac{f(3)-f(1)}{3-1}$는 $(1,\ f(1))$과 $(3,\ f(3))$을 지나는 일차함수의 기울기를 나타내므로

일차항의 계수 $\frac{2}{3}$ 이다.

예제 01 일차함수 $f(x) = -3x+2$ 에 대하여 $\frac{f(99)-f(96)}{15}$ 의 값을 구하시오.

풀이

$\frac{f(99)-f(96)}{15} = \frac{f(99)-f(96)}{3\times 5} = \frac{f(99)-f(96)}{99-96}\times\frac{1}{5}$ ⋯ ①

$\frac{f(99)-f(96)}{99-96} = -3$ (기울기)이므로 ①은 $-3\times\frac{1}{5} = -\frac{3}{5}$

※ $f(99)$, $f(96)$의 값을 구해 계산해도 된다.

유제 일차함수 $f(x) = -\frac{4}{5}x+3$ 에 대하여 $\frac{f(5)-f(2)}{2-5}$ 의 값을 구하시오.

3.3 기울기의 부호

$$\text{기울기} = \frac{y\text{의 값의 증가량}}{x\text{의 값의 증가량}}$$ 은 분자, 분모의 부호에 따라 부호를 갖는다.

① 분자, 분모의 부호가 '양수와 양수' 또는 '음수와 음수'로 같으면 기울기는 양수

② 분자, 분모의 부호가 '양수와 음수' 또는 '음수와 양수'로 다르면 기울기는 음수

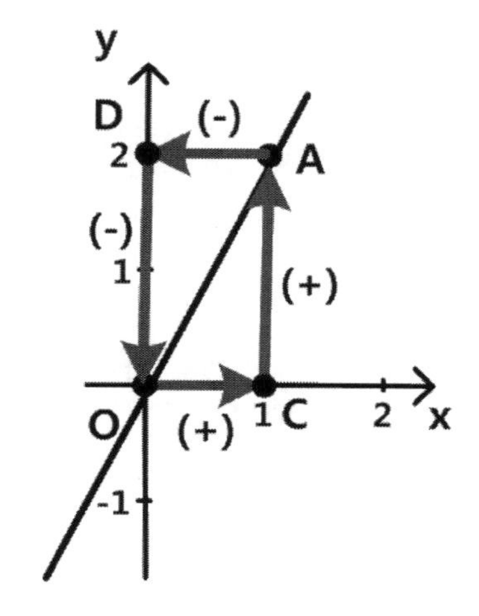

[그림 1] **'오른쪽 위(또는 왼쪽 아래)로 향하는 직선의 기울기 부호는 양수'**

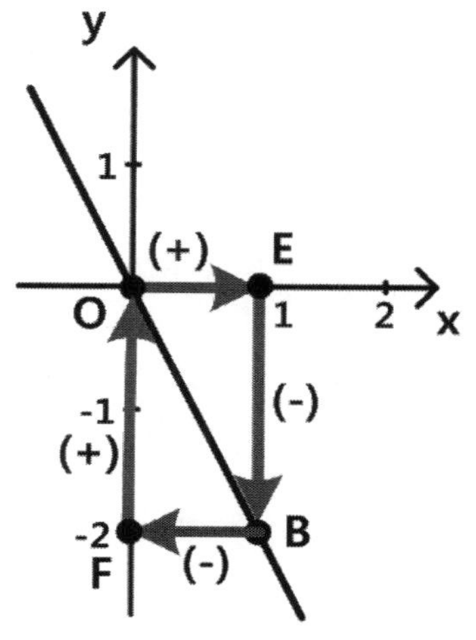

[그림 2] **'오른쪽 아래(또는 왼쪽 위)로 향하는 직선의 기울기 부호는 음수'**

[그림 1] 직선 위의 점 O와 직선 위의 다른 점 A에 대하여

(1) 점 O에서 점 C를 거쳐 점 A로 갈 때 (x축 방향의) 오른쪽(+), (y축 방향의) 위쪽(+)으로 이동하므로 **기울기의 부호는 양수.** $\frac{(+)}{(+)} = (+)$

(2) 점 A에서 점 D를 거쳐 점 O로 갈 때 (x축 방향의) 왼쪽(−), (y축 방향의) 아래쪽(−)으로 이동하므로 **기울기의 부호는 양수.** $\frac{(-)}{(-)} = (+)$

[그림 2] 직선 위의 점 O와 직선 위의 다른 점 B에 대하여

(1) 점 O에서 점 E를 거쳐 점 B로 갈 때 (x축 방향의) 오른쪽(+), (y축 방향의) 아래쪽(−)으로 이동하므로 **기울기의 부호는 음수.** $\frac{(-)}{(+)} = (-)$

(2) 점 B에서 점 F를 거쳐 점 O로 갈 때 (x축 방향의) 왼쪽(−), (y축 방향의) 위쪽(+)으로 이동하므로 **기울기의 부호는 음수.** $\frac{(+)}{(-)} = (-)$

※ 오른쪽은 x의 값의 증가량이 양, 왼쪽은 음. 위쪽은 y의 값의 증가량이 양, 아래쪽은 음.

3.4 기울기의 부호와 y절편의 부호에 따른 일차함수 그래프의 개형

일차함수 $y=ax+b$의 기울기 a의 부호와 y절편 b의 부호에 따른 그래프 개형, 지나는 사분면과 지나지 않는 사분면은 다음과 같다. (**암기 ×, 이해 ○**)

	기울기 $a>0$ (오른쪽 위로 향하는 직선)			기울기 $a<0$ (오른쪽 아래로 향하는 직선)		
	개형	지나는 사분면	지나지 않는 사분면	개형	지나는 사분면	지나지 않는 사분면
y절편 $b>0$	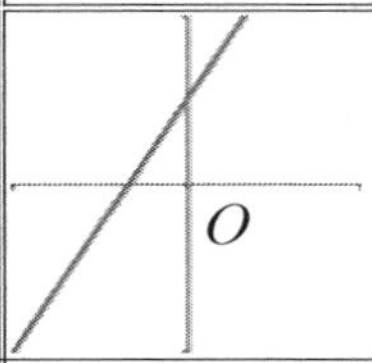 O	제 1사분면 제 2사분면 제 3사분면	제 4사분면	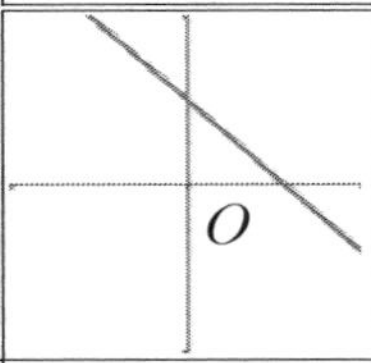 O	제 1사분면 제 2사분면 제 4사분면	제 3사분면
y절편 $b=0$	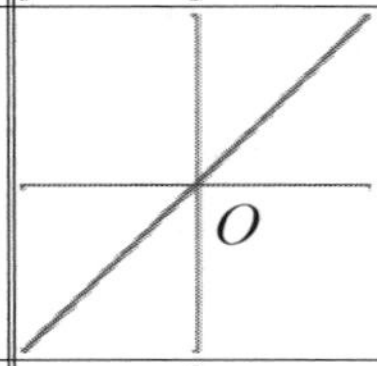 O	제 1사분면 제 3사분면	제 2사분면 제 4사분면	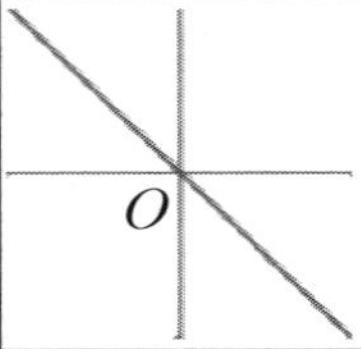 O	제 2사분면 제 4사분면	제 1사분면 제 3사분면
y절편 $b<0$	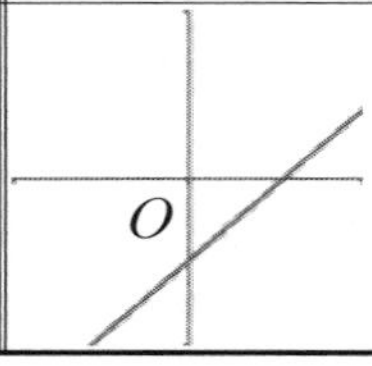 O	제 1사분면 제 3사분면 제 4사분면	제 2사분면	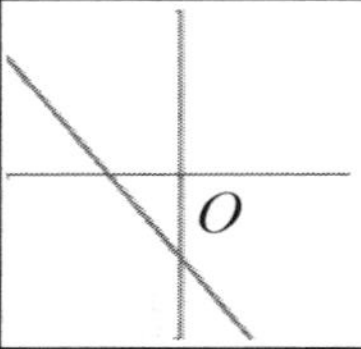 O	제 2사분면 제 3사분면 제 4사분면	제 1사분면

※ 일차함수의 기울기와 y절편의 값 또는 부호를 모두 알고 그래프를 그릴 때는 먼저 y절편을 표시하고 기울기에 맞게 직선을 긋는다.

[예] 일차함수 $y=ax+b$ 에서 $a>0$, $b<0$일 때 그래프의 개형을 그리시오.

풀이

(1) 좌표평면에 먼저 y절편을 표시한다.
$b<0$이므로 x축 아래, y축 아무 곳에 표시하면 된다. 그래프의 개형을 그리므로 축에 눈금, 숫자를 표시할 필요 없다.

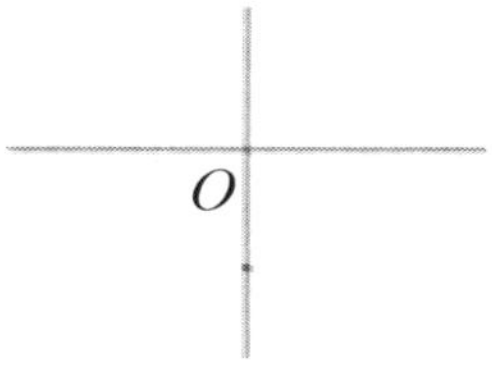

O

(2) y절편을 지나고 기울기의 부호에 맞게 직선을 긋는다. $a>0$ 이므로 오른쪽 위로 향하는 직선이다. 그래프의 개형을 그리므로 기울어진 정도는 관계없다.

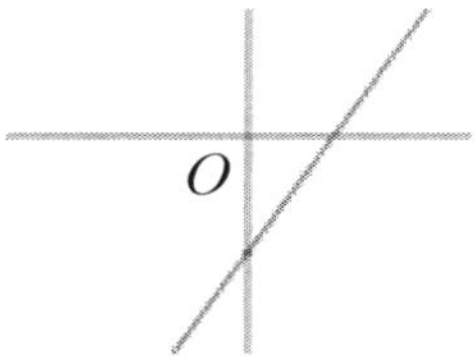

O

※ 좌표평면에 일차함수의 그래프를 그릴 때, 원점을 좌표평면의 정중앙에 놓을 필요 없다.
그래프가 지나지 않는 사분면은 좁게, 지나는 사분면은 넓게 되도록 좌표평면을 그리는 것이 주요 부분을 크게 그리고 필요 없는 부분을 최소화할 수 있으므로 문제를 이해하고 푸는데 유리하다. 앞의 표에서

① $a > 0$, $b > 0$이면 x축의 음의 부분과 y축의 양의 부분을 길게 그린다(반대 부분은 짧게).
② $a > 0$, $b < 0$이면 x축의 양의 부분과 y축의 음의 부분을 길게 그린다(반대 부분은 짧게).
③ $a < 0$, $b > 0$이면 x축의 양의 부분과 y축의 양의 부분을 길게 그린다(반대 부분은 짧게).
④ $a < 0$, $b < 0$이면 x축의 음의 부분과 y축의 음의 부분을 길게 그린다(반대 부분은 짧게).
⑤ $b = 0$ ($a > 0$ 또는 $a < 0$)일 때, 특별한 경우가 아니면 원점을 중앙에 놓는다.

[예] 기울기와 y절편의 부호에 따른 좌표축 그리기

① $y = \frac{3}{2}x + 3$	② $y = x - 2$	③ $y = -\frac{1}{2}x + 1$	④ $y = -\frac{1}{3}x - 2$	⑤ $y = 2x$
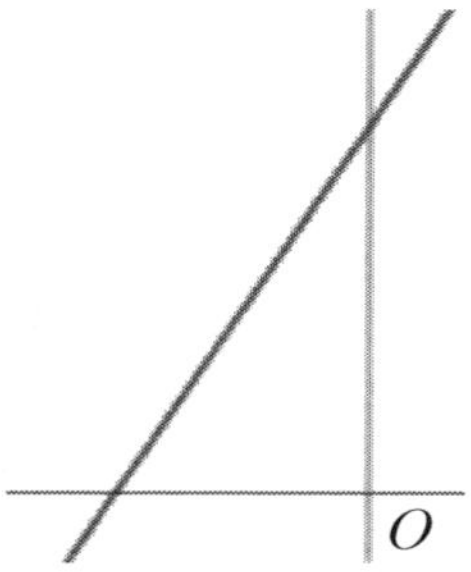 O	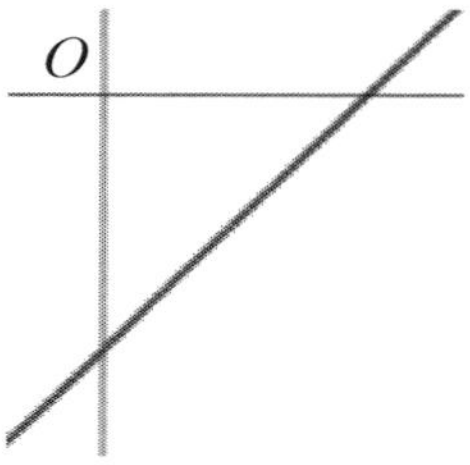 O	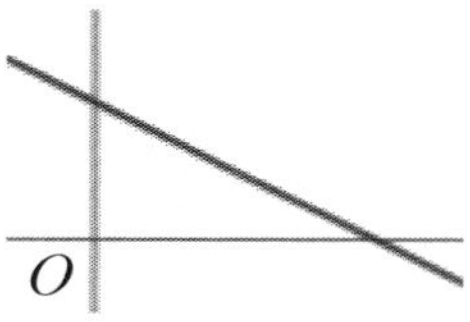 O	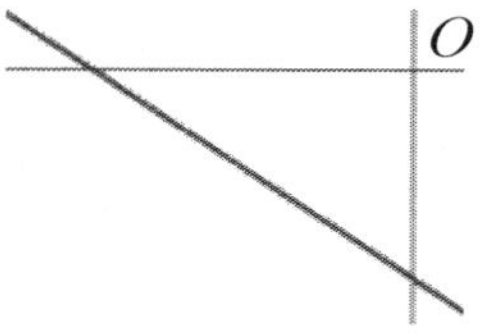 O	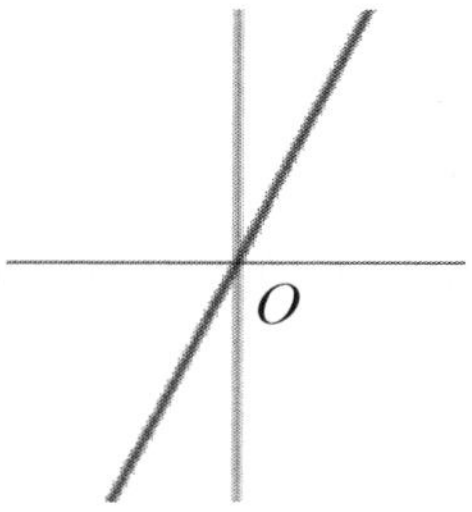 O
기울기 > 0 y절편 > 0 제2사분면 부각	기울기 > 0 y절편 < 0 제4사분면 부각	기울기 < 0 y절편 > 0 제1사분면 부각	기울기 < 0 y절편 < 0 제3사분면 부각	y절편 $= 0$ 모든 사분면 부각

※ 위에서 부각되는 사분면은 일반적인 것으로 문제의 조건에 따라 달라질 수 있다.

※ '제1사분면을 지나지 않는다.'와 '제1사분면만 지나지 않는다.'는 다르다.

① '제1사분면을 지나지 않는다.'는 나머지 3개의 사분면 중에서도 지나지 않는 사분면이 있을 수 있다는 것이다.
② '제1사분면만 지나지 않는다.'는 나머지 3개 사분면은 반드시 지난다는 것이다.

3.5 증가량을 이용한 기울기 구하기

기울기의 정의에 따르면 x의 값의 증가량 또는 y의 값의 증가량은 x좌표 또는 y좌표끼리의 '뺄셈'을 통해 구하지만 덧셈을 통한 증가량을 구할 수도 있다. 즉 직선을 지나는 서로 다른 두 점의 좌표가 주어졌을 때, 한 점에서 다른 점으로 이동할 때의 x의 값의 증가(감소)량과 y의 값의 증가(감소)량을 공식처럼 뺄셈을 이용하여 않고 기울기를 구하는 것이다.

[예] 다음 두 점을 지나는 직선의 기울기를 구하시오. (풀이의 비교를 위해 **3.1**의 예와 같음)

(1) (2, 1), (5, 4)

풀이

① (2, 1)**에서** (5, 4)**로 이동하면서 기울기 구하기**

x좌표 : 2에서 5로 3증가 (+3), y좌표 : 1에서 4로 3증가 (+3). 기울기는 $\frac{3}{3}=1$

② (5, 4)**에서** (2, 1)**로 이동하면서 기울기 구하기**

x좌표 : 5에서 2로 3감소 (−3), y좌표 : 4에서 1로 3감소 (−3). 기울기는 $\frac{-3}{-3}=1$

(2) (1, 3), (4, 1)

풀이

① (1, 3)**에서** (4, 1)**로 이동하면서 기울기 구하기**

x좌표 : 1에서 4로 3증가 (+3), y좌표 : 3에서 1로 2감소 (−2). 기울기는 $-\frac{2}{3}$

② (4, 1)**에서** (1, 3)**로 이동하면서 기울기 구하기**

x좌표 : 4에서 1로 3감소 (−3), y좌표 : 1에서 3으로 2증가 (+2). 기울기는 $-\frac{2}{3}$

(3) (0, 2), (6, −2)

풀이

① (0, 2)**에서** (6, −2)**로 이동하면서 기울기 구하기**

x좌표 : 0에서 6으로 6증가 (+6), y좌표 : 2에서 −2로 4감소 (−4).

기울기는 $\frac{-4}{6} = -\frac{2}{3}$

② (6, −2)**에서** (0, 2)**로 이동하면서 기울기 구하기**

x좌표 : 6에서 0으로 6감소 (−6), y좌표 : −2에서 2로 4증가 (+4).

기울기는 $\frac{4}{-6} = -\frac{2}{3}$

유제 두 점 (1, 2)와 (4, 6)을 지나는 직선의 기울기를 구하시오.

※ '덧셈을 통한 증가량을 이용한 기울기 구하기'는 이어서 나오는 '직각삼각형을 이용한 기울기 구하기'에서도 사용되며 **'기울기의 정의' 공식을 사용하는 것보다 빠르고 직관적**이다.

특히 두 점의 x좌표와 y좌표가 모두 정수일 경우 기울기 구하는 공식을 사용하는 것보다 빠르게 구할 수 있다.

※ '덧셈을 통한 증가량을 이용'하여 기울기를 구할 때

① 분모인 x의 값의 증가(감소)값을 먼저 구하고 이어서

② 분자인 y의 값의 증가(감소)값을 구하면 된다.

※ 일차함수 그래프를 지나는 두 점의 좌표가 주어졌을 때, 주어진 두 점의 좌표를 $y=ax+b$에 대입하여 a와 b에 대한 연립방정식을 풀어 기울기 a의 값을 구할 수도 있다.

이에 대한 내용은 '5. 일차함수의 식 구하기'에서 다룬다.

3.6 그래프를 지나는 2개의 점이 주어졌을 때 직각삼각형을 이용한 기울기 구하기

좌표평면에 그려진 직선에 서로 다른 두 점의 좌표가 주어졌을 때는 **'가상의 직각삼각형을 그려 밑변의 길이와 높이를 이용하여 기울기를 구할 수 있다.'** 이는 덧셈을 통한 증가량을 이용하여 기울기를 구하는 것과 유사하다. ($p.33$ [그림 1], [그림 2] 참조)

① 일차함수의 그래프를 지나는 서로 다른 두 점을 이은 선분을 빗변으로 하고,

② 빗변의 양 끝점에서 각각 x축에 평행한 선분과 y축에 평행한 선분을 그어 직각삼각형을 그린다.

직각삼각형은 2가지가 나오며 어떤 것을 선택해서 기울기를 구해도 된다.

두 점 중 어느 점에서 출발(시작)해도 좋으나 x축 방향의 증가량을 먼저 구하는 것이 좋으므로

(1) ①번 점에서 x축에 평행한 방향으로 먼저 움직인 후

(2) 직각삼각형의 직각(③번 위치)에서

(3) ②번 점까지 y축에 평행한 방향으로 움직이면서 각각의 증가(감소)값을 구하여 기울기를 구하는 것이 좋다.

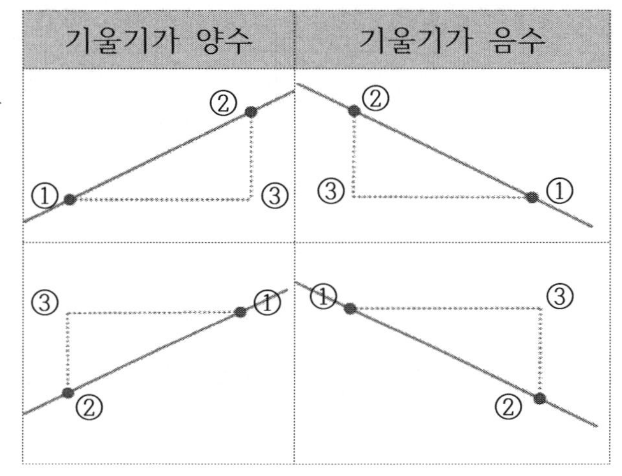

※ y축의 방향으로의 증가량을 먼저 구해도 되지만 x축의 방향을 먼저 구하는 게 좋다. 왜냐하면 기울기의 정의는 분수 모양으로, 분수를 읽을 때 분모(x의 값의 증가량)를 먼저 읽기 때문이다.

※ 이 방법을 이용하여 **기울기를 구할 때는 직선 위의 한 점에서 시작해서 (직각을 경유하여) 직선 위의 다른 점으로 움직이면서 x의 값의 증가량과 y의 값의 증가량을 구한다.**

[예] 다음 일차함수의 기울기를 구하시오.

(1)

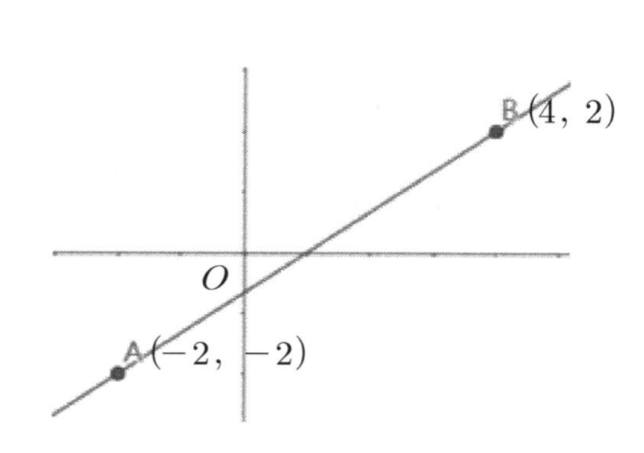

(2)

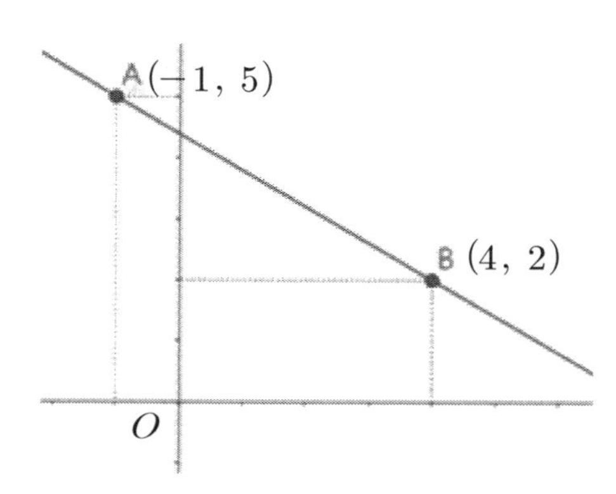

풀이

(1)

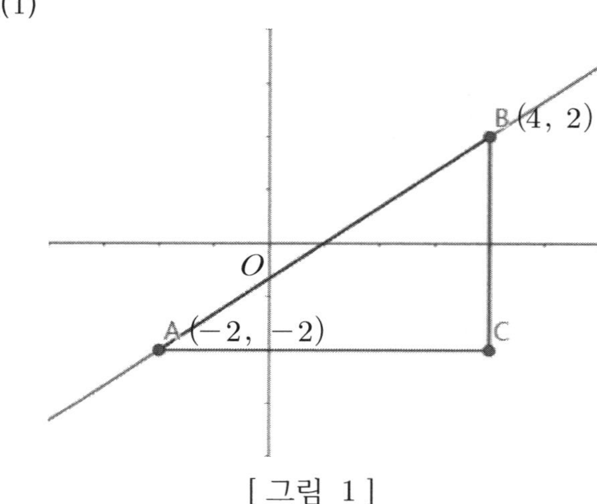

[그림 1]

[그림 2]

[그림 1] (※ 점 $C(4,\ -2)$)

x축에 평행한 방향으로 먼저 움직이기 위해 점 $A \rightarrow C \rightarrow B$ 순으로 움직이며 기울기를 구한다.

① $A \rightarrow C$(x축에 평행, x의 값의 증가/감소량) : $-2 \rightarrow 4$ 이므로 6증가 $(+6)$

② $C \rightarrow B$(y축에 평행, y의 값의 증가/감소량) : $-2 \rightarrow 2$ 이므로 4증가 $(+4)$

따라서 기울기는 $\frac{4}{6} = \frac{2}{3}$

[그림 2] (※ 점 $D(-2,\ 2)$)

x축에 평행한 방향으로 먼저 움직이기 위해 점 $B \rightarrow D \rightarrow A$ 순으로 움직이며 기울기를 구한다.

① $B \rightarrow D$(x축에 평행, x의 값의 증가/감소량) : $4 \rightarrow -2$ 이므로 6감소 (-6)

② $D \rightarrow A$ (y축에 평행, y의 값의 증가/감소량) : $2 \rightarrow -2$ 이므로 4감소 (-4)

따라서 기울기는 $\frac{-4}{-6} = \frac{2}{3}$

(2)

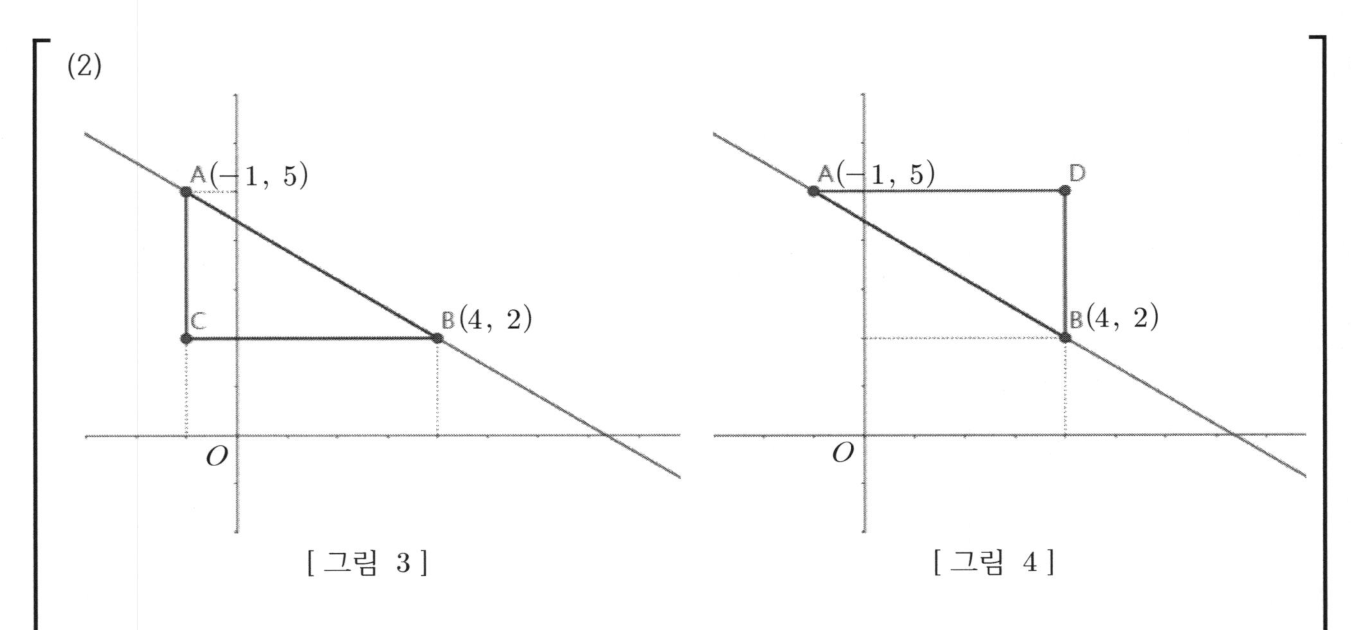

[그림 3]　　　　　　　　　　[그림 4]

[그림 3] (※ 점 $C(-1,\ 2)$)

x축에 평행한 방향으로 먼저 움직이기 위해 점 $B \rightarrow C \rightarrow A$ 순으로 움직이며 기울기를 구한다.

① $B \rightarrow C$(x축에 평행, x의 값의 증가/감소량) : $4 \rightarrow -1$ 이므로 5감소 (-5)

② $C \rightarrow A$ (y축에 평행, y의 값의 증가/감소량) : $2 \rightarrow 5$ 이므로 3증가 $(+3)$

따라서 기울기는 $-\frac{3}{5}$

[그림 4] (※ 점 $D(4,\ 5)$)

x축에 평행한 방향으로 먼저 움직이기 위해 점 $A \rightarrow D \rightarrow B$ 순으로 움직이며 기울기를 구한다.

① $A \rightarrow D$(x축에 평행, x의 값의 증가/감소량) : $-1 \rightarrow 4$ 이므로 5증가 $(+5)$

② $D \rightarrow B$(y축에 평행, y의 값의 증가/감소량) : $5 \rightarrow 2$ 이므로 3감소 (-3)

따라서 기울기는 $-\frac{3}{5}$

다음 일차함수의 기울기를 구하시오.

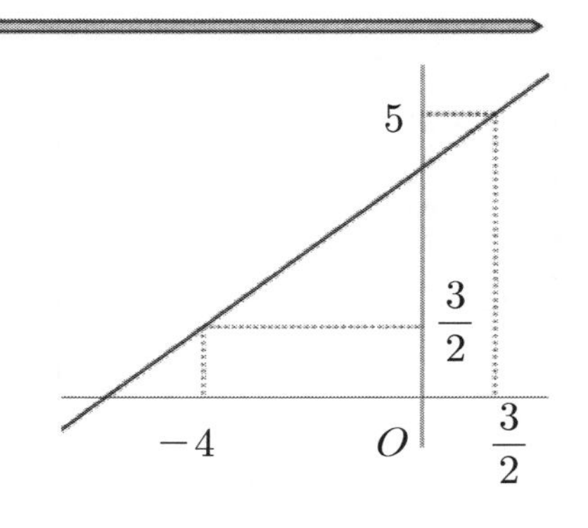

♣ 참 고 ♣

기울기의 절댓값은 직선 위의 두 점을 이용하여 직각삼각형을 만들 때,

<u>'밑변의 길이에 대한 높이의 비'</u>

의 값이고, **<u>부호</u>**를 갖는다.

오른쪽 그림의 직선 AJ에서

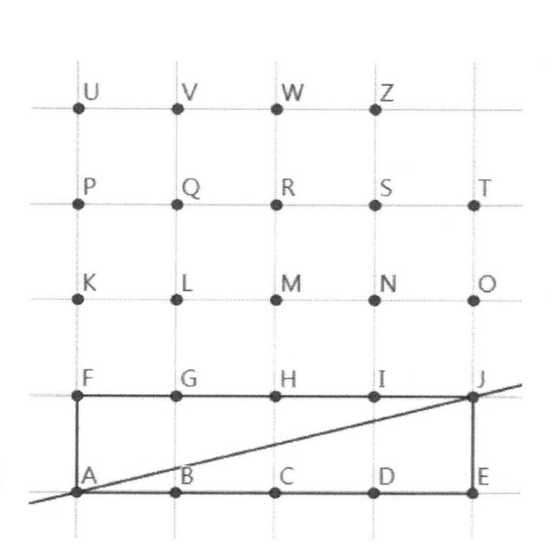

① $\overline{AJ}$를 포함하는 직각삼각형 JAE를 만든다.
($\overline{AE}$는 x축, $\overline{JE}$는 y축에 평행)

점 A에서 **<u>오른쪽</u>**으로 점 E까지 $+4$,
점 E에서 **<u>위쪽</u>**으로 점 J까지 $+1$
이므로 기울기는 $\frac{1}{4}$. 이는 직각삼각형 AJE의 밑변의 길이 4에 대한 높이 1의 비율과 같다.

② $\overline{AJ}$를 포함하는 직각삼각형 JAF를 만든다.
($\overline{FJ}$는 x축, $\overline{AF}$는 y축에 평행)

점 J에서 **<u>왼쪽</u>**으로 점 F까지 -4, 점 F에서 **<u>아래쪽</u>**으로 점 A까지 -1이므로
기울기는 $\frac{-1}{-4}=\frac{1}{4}$. 이는 직각삼각형 JAF의 밑변의 길이 4에 대한 높이 1의 비율과 같다.

오른쪽 그림의 직선 AO에서

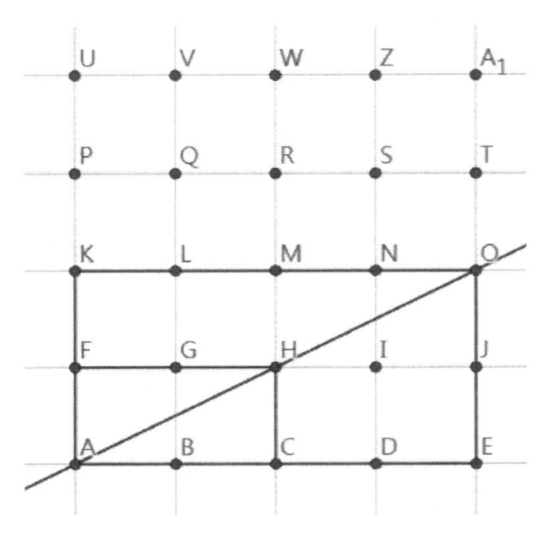

① $\overline{AO}$를 포함하는 직각삼각형 AOE를 만든다.
($\overline{AE}$는 x축, $\overline{OE}$는 y축에 평행)

점 A에서 **오른쪽**으로 점 E까지 $+4$,
점 E에서 **위쪽**으로 점 O까지 $+2$이므로
기울기는 $\frac{2}{4}=\frac{1}{2}$. 이는 직각삼각형 AOE의 밑변의 길이 4에 대한 높이 2의 비율과 같다.

※ 직선 위의 두 점 A, H를 이용하여 직각삼각형 AHC를 만들어도 결과는 같다.

② $\overline{AO}$를 포함하는 직각삼각형 OAK를 만든다.
($\overline{OK}$는 x축, $\overline{KA}$는 y축에 평행)

점 O에서 **왼쪽**으로 점 K까지 -4, 점 K에서 **아래쪽**으로 점 A까지 -2이므로
기울기는 $\frac{-2}{-4}=\frac{1}{2}$. 이는 직각삼각형 OAK의 밑변의 길이 4에 대한 높이 2의 비율과 같다.

※ 직선 위의 두 점 A, H를 이용하여 직각삼각형 AHF를 만들어도 결과는 같다.

오른쪽 그림의 직선 UO에서

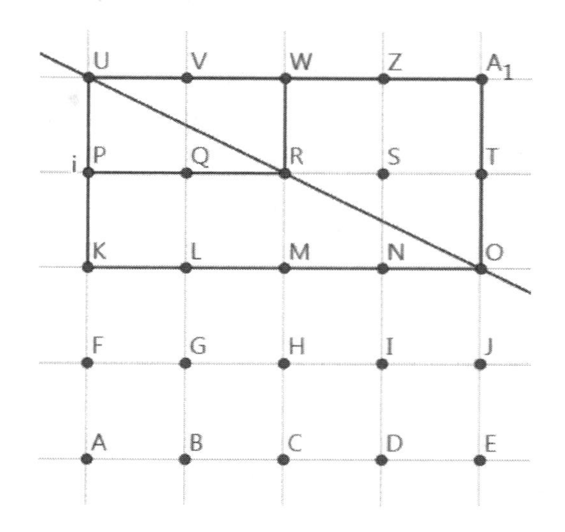

① $\overline{UO}$를 포함하는 직각삼각형 OUK를 만든다.
($\overline{OK}$는 x축, $\overline{KU}$는 y축에 평행)

점 O에서 **<u>왼쪽</u>**으로 점 K까지 -4,
점 K에서 **<u>위쪽</u>**으로 점 U까지 $+2$이므로
기울기는 $\frac{2}{-4}=-\frac{1}{2}$. 기울기의 절댓값 $\frac{1}{2}$은
직각삼각형 OUK의 밑변의 길이 4에 대한
높이 2의 비율과 같다.

※ 직선 위의 두 점 U, R을 이용하여 직각삼각형 RUP를 만들어도 결과는 같다.

② $\overline{UO}$를 포함하는 직각삼각형 OUA_1을 만든다.
($\overline{UA_1}$은 x축, $\overline{OA_1}$은 y축에 평행)

점 U에서 출발하여 **<u>오른쪽</u>**으로 점 A_1까지 $+4$, 점 A_1에서 **<u>아래쪽</u>**으로 점 O까지 -2이므로
기울기는 $\frac{-2}{4}=-\frac{1}{2}$. 기울기의 절댓값 $\frac{1}{2}$은 직각삼각형 OUA_1의 밑변의 길이 4에 대한 높이 2의 비율과 같다.

※ 직선 위의 두 점 U, R을 이용하여 직각삼각형 RUW를 만들어도 결과는 같다.

앞의 그림들 모두 2가지의 직각삼각형을 이용하여 기울기를 구했는데 먼저 **<u>오른쪽으로 움직이는 것을 선택하는 것</u>**이 **<u>기울기의 분모가 양수</u>**가 되므로 좋다.

<u>'오른쪽 위로 향하는 직선(↗)의 기울기는 양수'</u>이고,
<u>'오른쪽 아래로 향하는 직선(↘)의 기울기는 음수'</u>

이므로 직각삼각형의 밑변의 길이에 대한 높이의 비율(기울기의 절댓값)을 구하고 나중에 기울기의 부호를 붙여도 된다.

3.7 기울기를 이용한 x의 값의 증가량과 y의 값의 증가량 구하기

기울기는 '**x의 값의 증가량에 대한 y의 값의 증가량의 비**' 값으로,

① 기울기와 x의 값의 증가량을 알면 y의 값의 증가량을 구할 수 있고,

② 기울기와 y의 값의 증가량을 알면 x의 값의 증가량을 구할 수 있다.

[예] 기울기가 3인 일차함수의 x의 값의 증가량이 2일 때, y의 값의 증가량을 구하시오.

풀이

$3 = \dfrac{y\text{의 값의 증가량}}{2}$ 이므로 (y의 값의 증가량) $= 2\times3 = 6$ 이다.

※ 비례식으로 풀면, 기울기 3은 $3 = \dfrac{3}{1}$이고, y의 값의 증가량을 b라고 하면

(x의 값의 증가량) : (y의 값의 증가량) $= 1 : 3 = 2 : b \quad \therefore\ b = 6$

유제 01 기울기가 2인 일차함수의 y의 값의 증가량이 -6일 때, x의 값의 증가량을 구하시오.

유제 02 기울기가 $-\dfrac{3}{5}$인 일차함수에서 x가 -2에서 3까지 증가할 때, y의 값의 증가량을 구하시오.

※ 기울기가

① 정수면 분모(x의 값의 증가량)를 1이라고 할 때, y의 값의 증가량이 기울기이고,

② 분수면 기울기의 분모를 x의 값의 증가량, 분자를 y의 값의 증가량으로 볼 수 있다.

하지만 약분한 값일 수도 있으므로 다른 조건이 주어지지 않으면 정확한 값의 증가량을 알 수는 없다.

[예]

① 기울기가 2 (정수)인 직선의 x의 값의 증가량은 1, y의 값의 증가량은 2로 볼 수 있고,

기울기가 $\frac{3}{4}$ (분수)인 직선의 x의 값의 증가량은 4, y의 값의 증가량은 3이라고 볼 수 있지만 이들 증가량은 정확하지 않다.

② 기울기가 2인 직선의 x의 값의 증가량이 4이면 y의 값의 증가량은 8이고,

기울기가 $\frac{3}{4}$인 직선의 y의 값의 증가량이 6이면 x의 값의 증가량은 8이다.

이 경우는 기울기에 x 또는 y의 값의 증가량 중 하나의 값이 주어졌으므로 다른 값의 증가량을 정확히 알 수 있다.

예제 01 일차함수 $y=3x-1$에서 x의 값이 -3에서 1까지 증가할 때, y의 값의 증가량을 구하시오.

풀이 01 [기울기의 정의 이용]

y의 값의 증가량을 a라고 하면

$3=\frac{a}{1-(-3)}=\frac{a}{4}$

$\therefore\ a=12$

풀이 02 [비례식 이용]

'x의 값의 증가량 : y의 값의 증가량 $=1:3$' 이고

x의 값의 증가량이 $4\,(=1-(-3))$ 이므로

y의 값의 증가량을 b라고 하면

$1:3=4:b,\ \therefore\ b=12$

유제 일차함수 $y=-\frac{2}{5}x+3$의 y의 값이 2에서 6까지 증가할 때, x의 값의 증가량을 구하시오.

3.8 기울기를 잘못 이해하는 경우

그래프에 x절편과 y절편이 주어져 있을 때

(1) 절편의 비율로 기울기를 구하는 경우

[예] x절편이 -3이고 y절편이 2이므로 기울기는 $\frac{2}{-3}=-\frac{2}{3}$ (×)

(2) 원점을 지나지 않는 직선에서 x의 값의 증가량과 y의 값의 증가량을 원점에서부터 구하는 경우

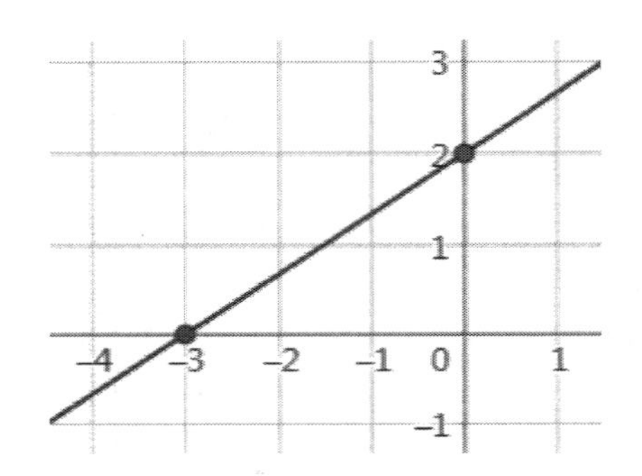

[예] x의 값의 증가량 : 원점에서 $(-3,\ 0)$까지 3감소(-3)

y의 값의 증가량 : 원점에서 $(0,\ 2)$까지 2증가$(+2)$

따라서 기울기는 $\frac{2}{-3}=-\frac{2}{3}$ (×)

※ **그래프가 오른쪽 위로 향하고 있으므로 기울기는 양수인데 구한 값이 음수면 잘못 구한 것임을 알고 다시 구해야 한다.**

※ 기울기 공식에 나오는 각각의 값의 증가량을 원점에서부터 각 절편까지의 증가량이라고 생각하기 때문에 틀림

※ 기울기를 구할 때는 **항상 직선 위의 서로 다른 두 점을 이용**한다.

원점을 지나지 않는 직선의 기울기를 구할 때, 원점은 기울기와 아무 관계가 없다.

앞의 경우 기울기를 구하면 다음과 같다.

① 기울기 정의를 이용 : 직선은 두 점 $(-3,\ 0)$, $(0,\ 2)$를 지나므로 기울기는

$\frac{2-0}{0-(-3)}=\frac{2}{3}$ 또는 $\frac{0-2}{-3-0}=\frac{2}{3}$

② 직각삼각형(또는 증가량) 이용 : 점 $(-3,\ 0)$에서 $(0,\ 2)$로 이동.

x축에 평행한 방향 $+3$, y축에 평행한 방향 $+2$. 따라서 기울기는 $\frac{2}{3}$

원점을 지나지 않는 일차함수에 대하여 x절편과 y절편이 주어졌을 때, 다음의 방법으로도 기울기를 구할 수 있다.

'x절편에 대한 y절편의 비'의 절댓값은 기울기의 절댓값과 같다.

<u>기울기는 x절편에 대한 y절편의 비에 음의 부호를 붙인 값</u>

이다.

$$|\text{기울기}|=\left|\frac{y\text{절편}}{x\text{절편}}\right|,\quad \text{기울기}=-\frac{y\text{절편}}{x\text{절편}}$$

앞의 문제에서 기울기는 $-\frac{2}{-3}=\frac{2}{3}$

연 습 문 제

해설과 풀이
p. 166

A. 다음 조건을 만족하는 기울기를 구하시오.

01 x의 값이 1에서 4까지 증가할 때, y의 값은 5증가한다.

02 x의 값이 3만큼 증가할 때 y의 값은 4만큼 감소한다.

03 x의 값이 2만큼 증가할 때 y의 값은 -3 증가한다.

04 x의 값이 7만큼 증가할 때 y의 값은 -2에서 3까지 증가한다.

05 x의 값이 -3만큼 증가할 때 y의 값은 -3에서 1까지 증가한다.

06 x의 값이 3만큼 감소할 때 y의 값은 2만큼 증가한다.

07 x의 값이 2에서 -3까지 감소할 때, y의 값은 2에서 4까지 증가한다.

08 x의 값이 4만큼 증가할 때, y의 값은 2에서 5까지 증가한다.

09 x의 값이 3만큼 감소할 때, y의 값은 6만큼 증가한다.

10 x의 값이 4에서 1까지 감소할 때, y의 값은 3만큼 감소한다.

B. 기울기의 정의를 이용하여 다음 두 점을 지나는 직선의 기울기를 구하시오.
(분모가 양수가 되도록 계산하는 것이 좋다.)

01 $(-1, 4)$, $(2, 7)$

02 $(2, 2)$, $(6, 5)$

03 $(-2, -1)$, $(3, -5)$

04 $(0, 0)$, $(2, -2)$

05 $(1, 3)$, $(-3, 2)$

06 $(-4, 3)$, $(2, 8)$

07 $(1, -3)$, $(3, -5)$

08 $(3, 0)$, $(-2, -4)$

09 $(2, 2)$, $(0, 5)$

10 $(0, -2)$, $(-4, 3)$

11 $(-2, -1)$, $(2, 4)$

12 $(2, -4)$, $(3, -2)$

13 $(4, -1)$, $(3, 2)$

14 $(1, -2)$, $(-3, 4)$

15 $(0, 3)$, $(3, 0)$

16 $(0, 2)$, $(3, -2)$

17 $(3, 1)$, $(-1, 5)$

18 $(3, -2)$, $(0, 0)$

19 $(-3, 0)$, $(2, -1)$

20 $(-3, 4)$, $(2, 5)$

C. 다음 물음에 답하시오.

01 기울기가 -3인 일차함수에서

(1) x의 값이 2에서 5까지 증가할 때, y의 값의 증가량을 구하시오.

(2) y의 값이 4에서 -2까지 감소할 때, x의 값의 증가량을 구하시오.

02 기울기가 $\frac{2}{3}$인 일차함수에서

(1) x의 값이 3증가할 때, y의 값의 증가량을 구하시오.

(2) y의 값의 증가량이 -4일 때, x의 값의 증가량을 구하시오.

03 기울기가 $-\frac{1}{2}$인 일차함수에서

(1) x의 값이 4감소할 때, y의 값의 증가량을 구하시오.

(2) y의 값이 -2에서 1까지 증가할 때, x의 값의 증가량을 구하시오.

04 일차함수 $y=ax+3$의 그래프에서 x의 값이 -2에서 4까지 증가할 때, y의 값은 4만큼 감소하였다.

(1) x의 값이 3감소할 때, y의 값의 증가량을 구하시오.

(2) y의 값이 6만큼 증가할 때, x의 값의 증가량을 구하시오.

05 다음 그림과 같은 일차함수의 그래프의 기울기를 구하시오.

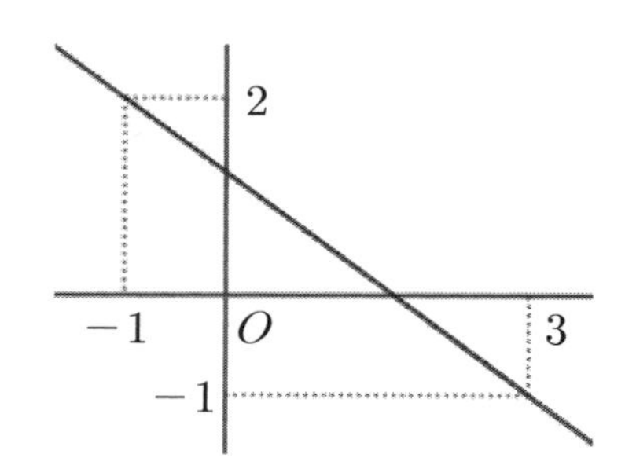

06 일차함수 $f(x)=2x-5$ 에 대하여 $\dfrac{f(4)-f(-1)}{4+1}$ 의 값을 구하시오.

07 일차함수 $f(x)=\dfrac{3}{2}x+5$ 에 대하여 $\dfrac{f(6b)-f(3a)}{2b-a}$ 의 값을 구하시오.

(단, $a \neq 2b$)

08 일차함수 $f(x)$의 그래프가 두 점 $(2,\ -1)$, $(5,\ -7)$을 지날 때, $\dfrac{f(6)-f(3)}{6-3}$ 의 값을 구하시오.

09 두 점 $(-1,\ n)$, $(2,\ 4)$를 지나는 일차함수 그래프의 기울기가 2일 때, 상수 n의 값을 구하시오.

10 세 점 $A(1,\ -2)$, $B(4,\ 2)$, $C(a-1,\ 2a-4)$가 한 직선 위에 있을 때, 상수 a의 값을 구하시오.

11 다음 일차함수들이 지나는 사분면을 구하시오.

(1) $y = -2x+1$　　(2) $y = \frac{3}{4}x$

(3) $y = 3x - 2$　　(4) $y = -x - 2$

(5) $y = \frac{2}{3}x + 1$　　(6) $y = -5x$

12 $ab > 0$, $a+b < 0$ 일 때, 다음 일차함수 그래프의 개형을 그리시오.

(1) $y = ax + b$　　(2) $y = ax - b$

(3) $y = -ax + b$　　(4) $y = -ax - b$

13 $ab < 0$, $a-b < 0$ 일 때, 다음 일차함수 그래프의 개형을 그리시오.

(1) $y = ax + b$　　(2) $y = ax - b$　　(3) $y = -ax + b$

(4) $y = -ax - b$　　(5) $y = (a-2b)x - a$　　(6) $y = \frac{a}{b}x + a$

14 일차함수 $y = ax - b$의 그래프가 다음과 같을 때, 상수 a와 b의 부호를 구하고 일차함수 $y = abx - \dfrac{b}{a}$ 의 그래프의 개형을 그리시오.

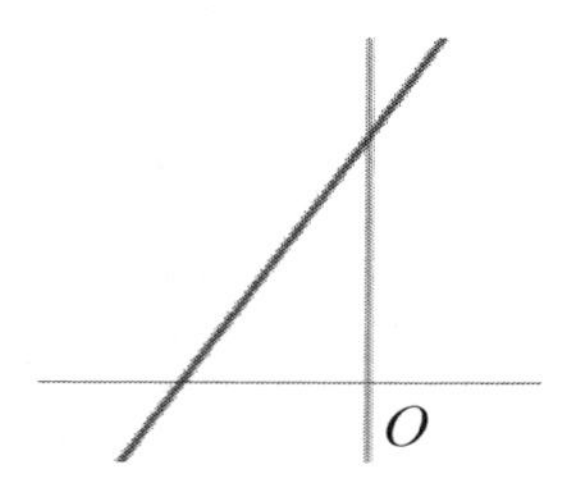

15 일차함수 $y = (a+2)x - 2b + 1$의 그래프가 제2사분면을 지나지 않을 때, 상수 a, b의 범위를 구하시오.

3.9 기울기의 예측

아래 그림은 점 O를 공통으로 지나는 직선들이고, 괄호 안의 수는 각 직선의 기울기다.

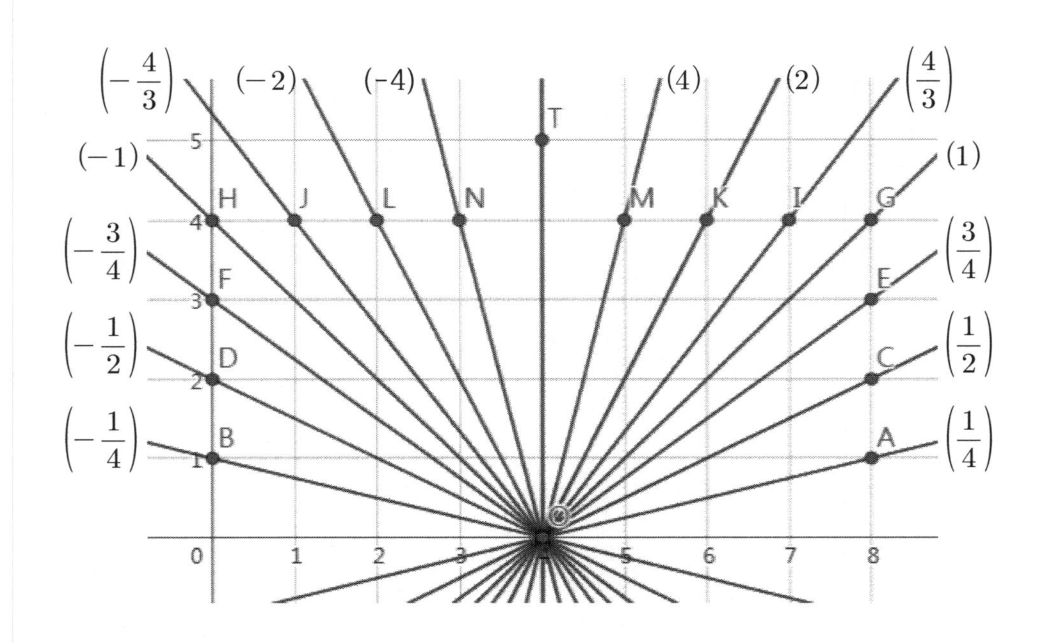

① <u>기울기가 양수면 오른쪽 위로 향하는 직선, 음수면 오른쪽 아래로 향하는 직선</u>이다.

② <u>기울기의 절댓값이 같고 부호가 반대인 두 직선</u> (직선 OA와 직선 OB, 직선 OC와 직선 OD, $\cdots$, 직선 OM과 직선 ON)<u>은 직선 OT에 대해 대칭</u>이다.

※ <u>기울어진 정도가 같으면 기울기의 절댓값이 같다.</u> <u>방향은 기울기의 부호로 알 수 있다.</u>

③ <u>기울기가 커질수록</u> $(-4 \to -2 \to -\frac{4}{3} \to -1 \to -\frac{3}{4} \to -\frac{1}{2} \to -\frac{1}{4} \to \frac{1}{4} \to \frac{1}{2} \to \frac{3}{4} \to 1$ $\to \frac{4}{3} \to 2 \to 4)$ <u>직선은 점 O를 기준으로 시계반대방향으로 회전한다.</u>

<u>반대로 기울기가 작아질수록 직선은 점 O를 기준으로 시계방향으로 회전한다.</u>

④ **기울기가 1인 직선 OG와 -1인 직선 OH는 x축과 이루는 예각의 크기가 45°**이다.

(1) **기울기가 1이면 x의 값의 증가량과 y의 값의 증가량이 같으므로** 직선 위의 서로 다른 2개의 점을 이용하여 직각삼각형을 만들면 직각이등변삼각형이 되므로 **x축과 이루는 예각의 크기는 45°**다.

(2) 마찬가지로 **기울기가 -1이면 x의 값의 증가량과 y의 값의 증가량의 절댓값이 같으므로** 직각이등변삼각형이 되어 **x축과 이루는 예각의 크기가 45°**다.

⑤ 기울기의 절댓값이 1보다 크면 x축과 이루는 예각의 크기는 45°보다 크고 기울기의 절댓값이 1보다 작으면 x축과 이루는 예각의 크기는 45°보다 작다.

기울기가 양수일 때,

(1) '기울기 >1' 이면 직선이 x축과 이루는 예각의 크기는 45°보다 크고,

(2) '$0<$ 기울기 <1' 이면 직선이 x축과 이루는 예각의 크기는 45°보다 작다.

기울기가 음수일 때,

(1) '기울기 <-1' 이면 직선이 x축과 이루는 예각의 크기는 45°보다 크고,

(2) '$-1<$ 기울기 <0' 이면 직선이 x축과 이루는 예각의 크기는 45°보다 작다.

※ **기울기가 큰 것과 기울어진 정도(기울기의 절댓값)가 큰 것은 다르다.**

연 습 문 제

해설과 풀이 $p.170$

A. 다음 일차함수 $y=ax+b$에서 ① 기울기 a의 대략적인 범위(아래 주어진 범위에서 선택), ② y절편 b의 값 또는 부호를 말하시오. (가로축은 x축, 세로축은 y축임)

(a의 경우 $a<-1$, $a=-1$, $-1<a<0$, $0<a<1$, $a=1$, $a>1$ 중에서 선택)

01

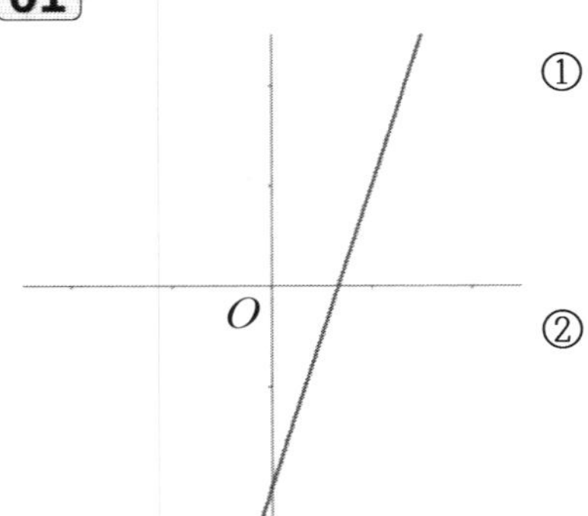

①

②

02

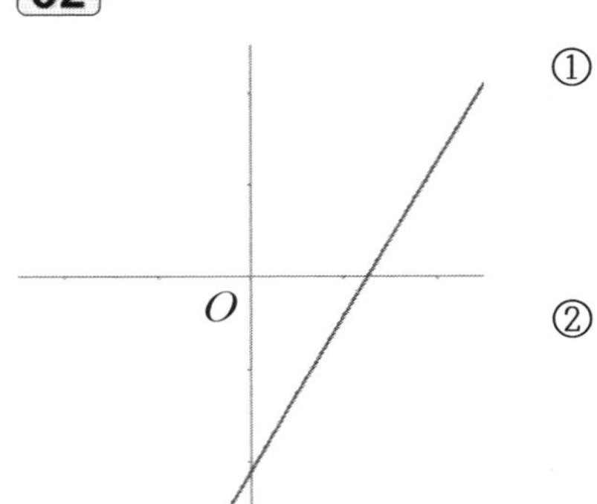

①

②

03

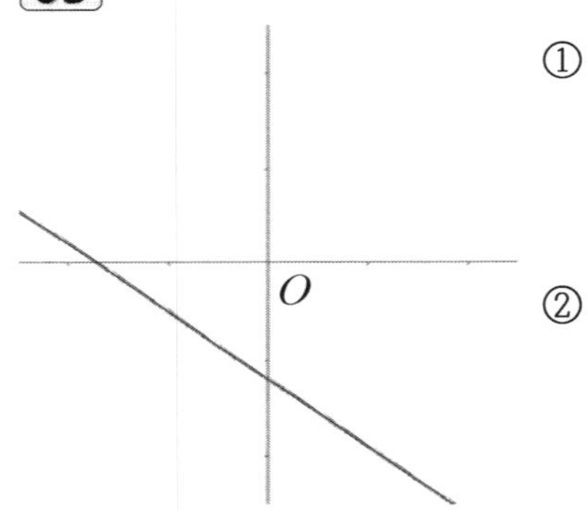

①

②

04

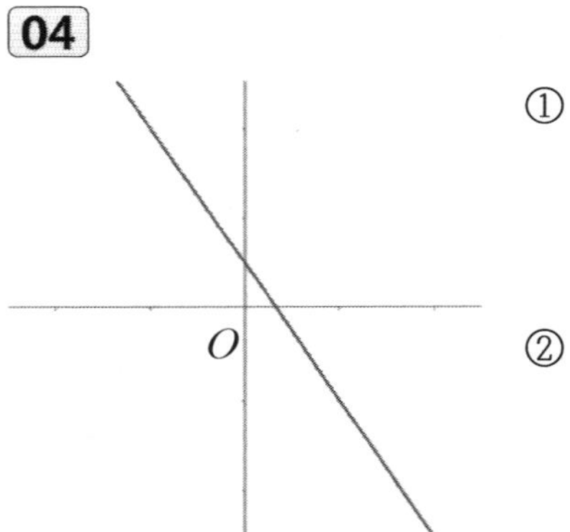

①

②

05

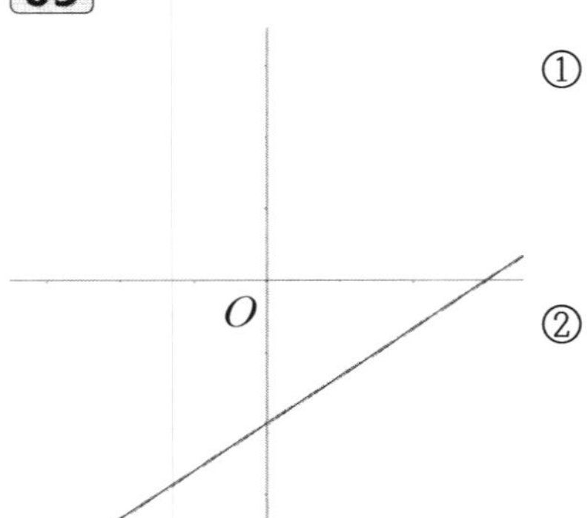

①

②

06

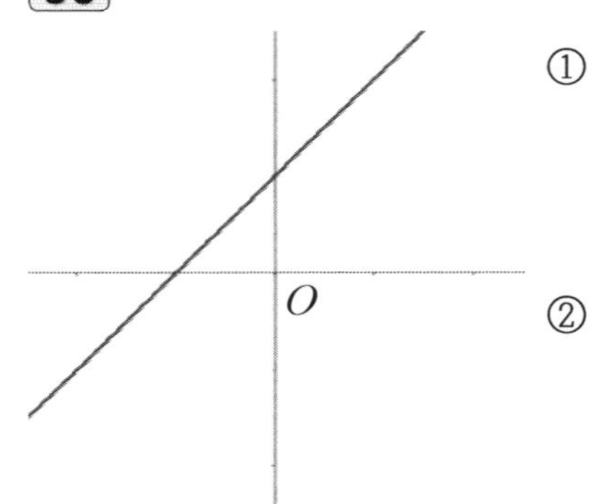

①

②

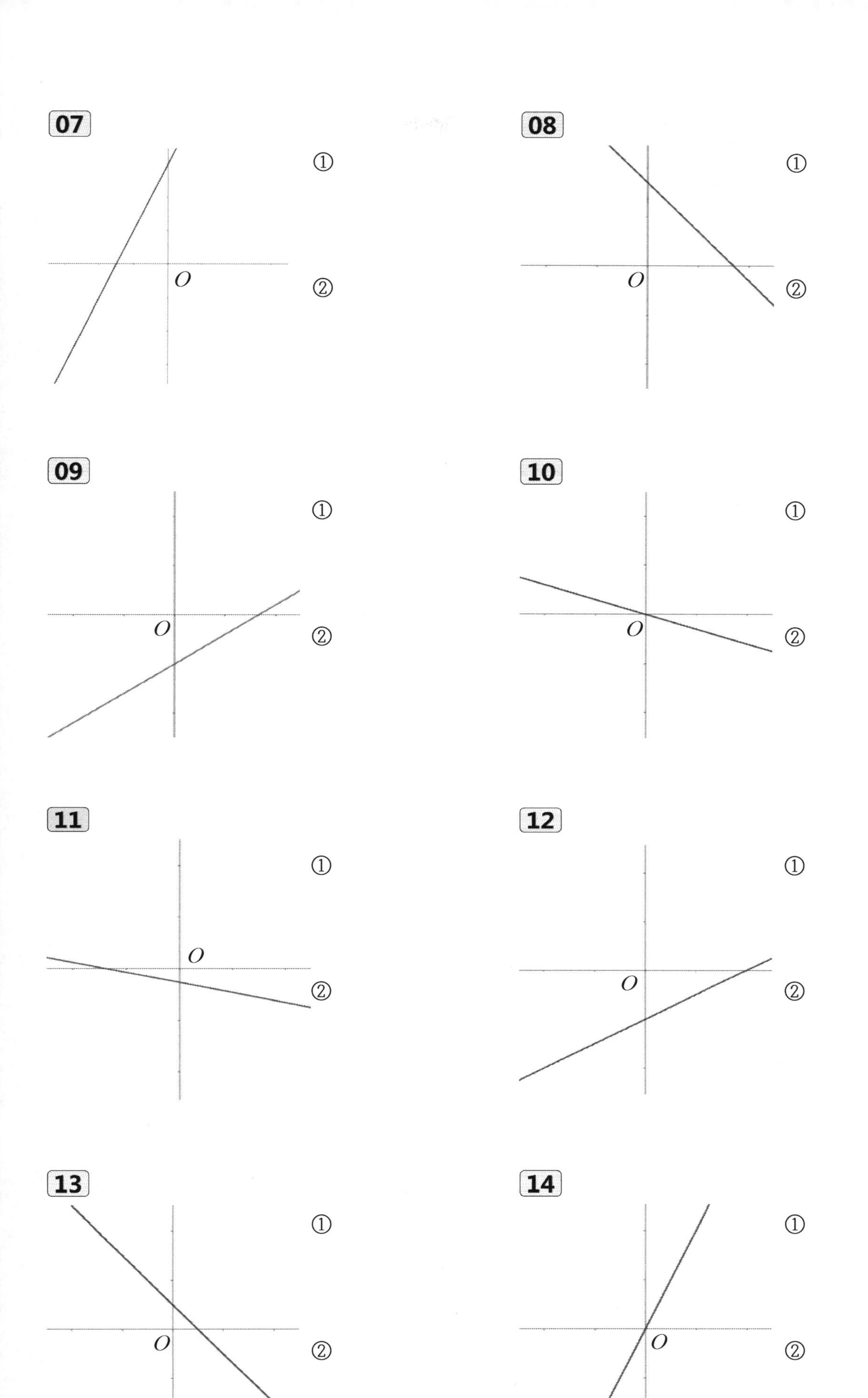
07
①
②
O
08
①
②
O
09
①
②
O
10
①
②
O
11
①
②
O
12
①
②
O
13
①
②
O
14
①
②
O

15

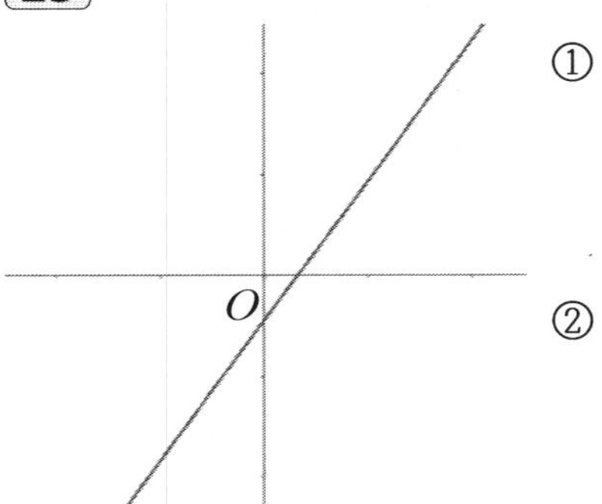

①

②

16

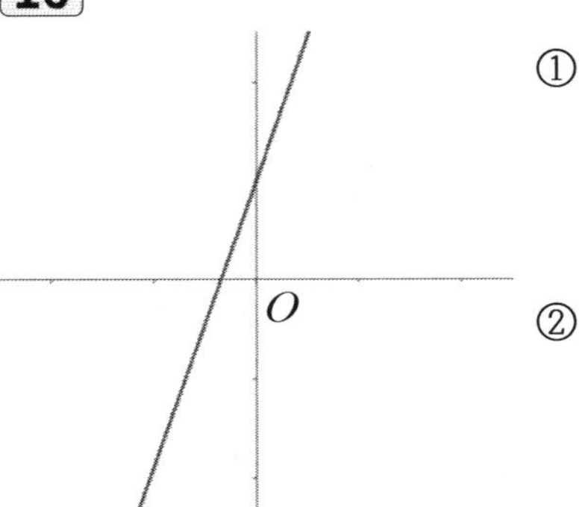

①

②

17

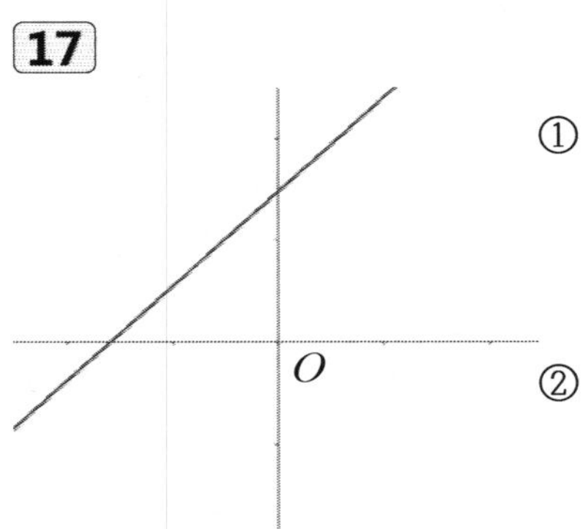

①

②

18

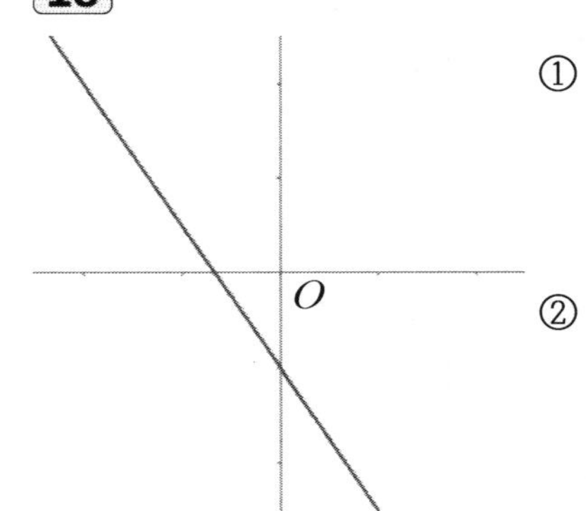

①

②

19

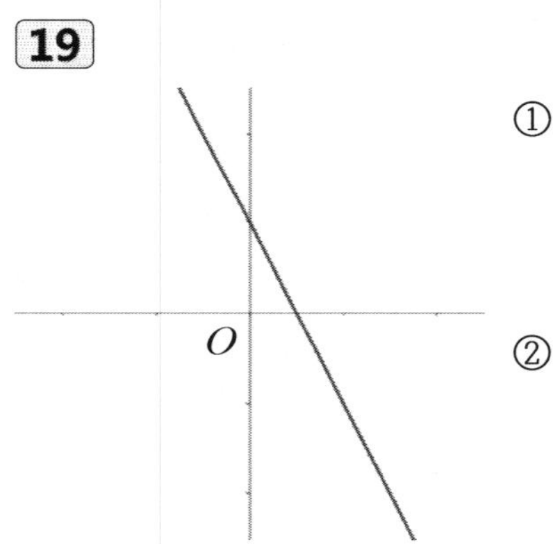

①

②

20

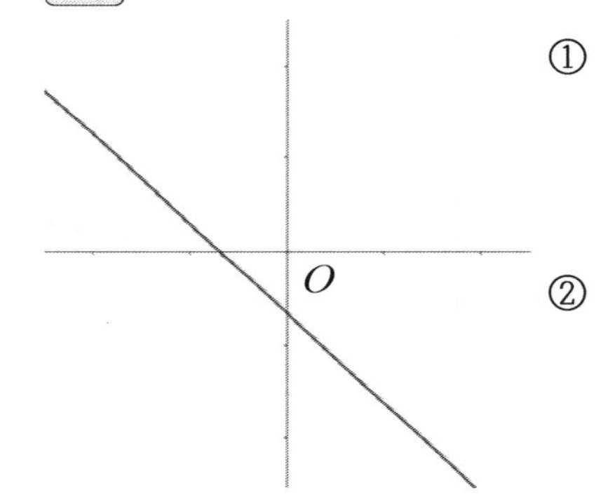

①

②

21

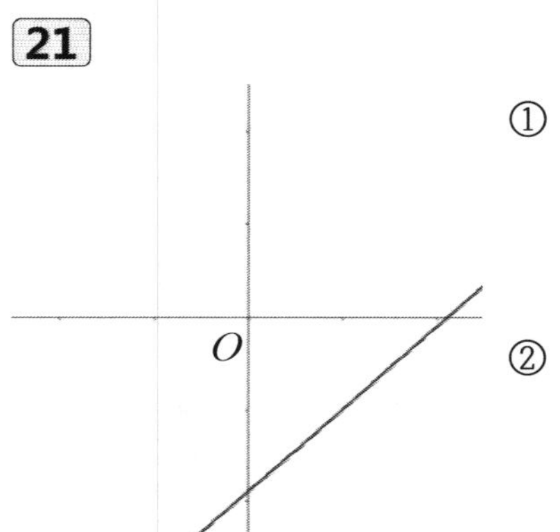

①

②

22

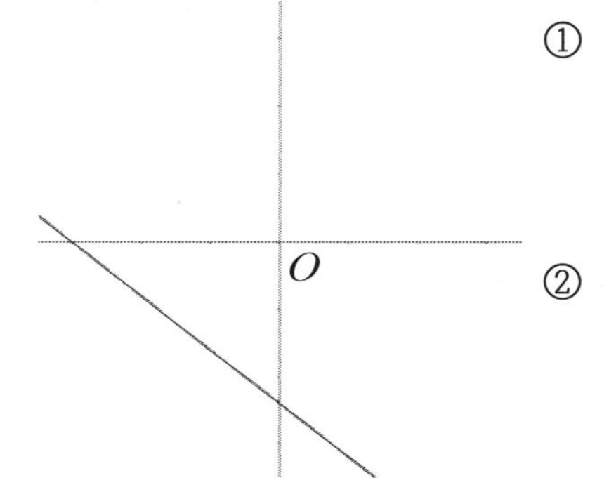

①

②

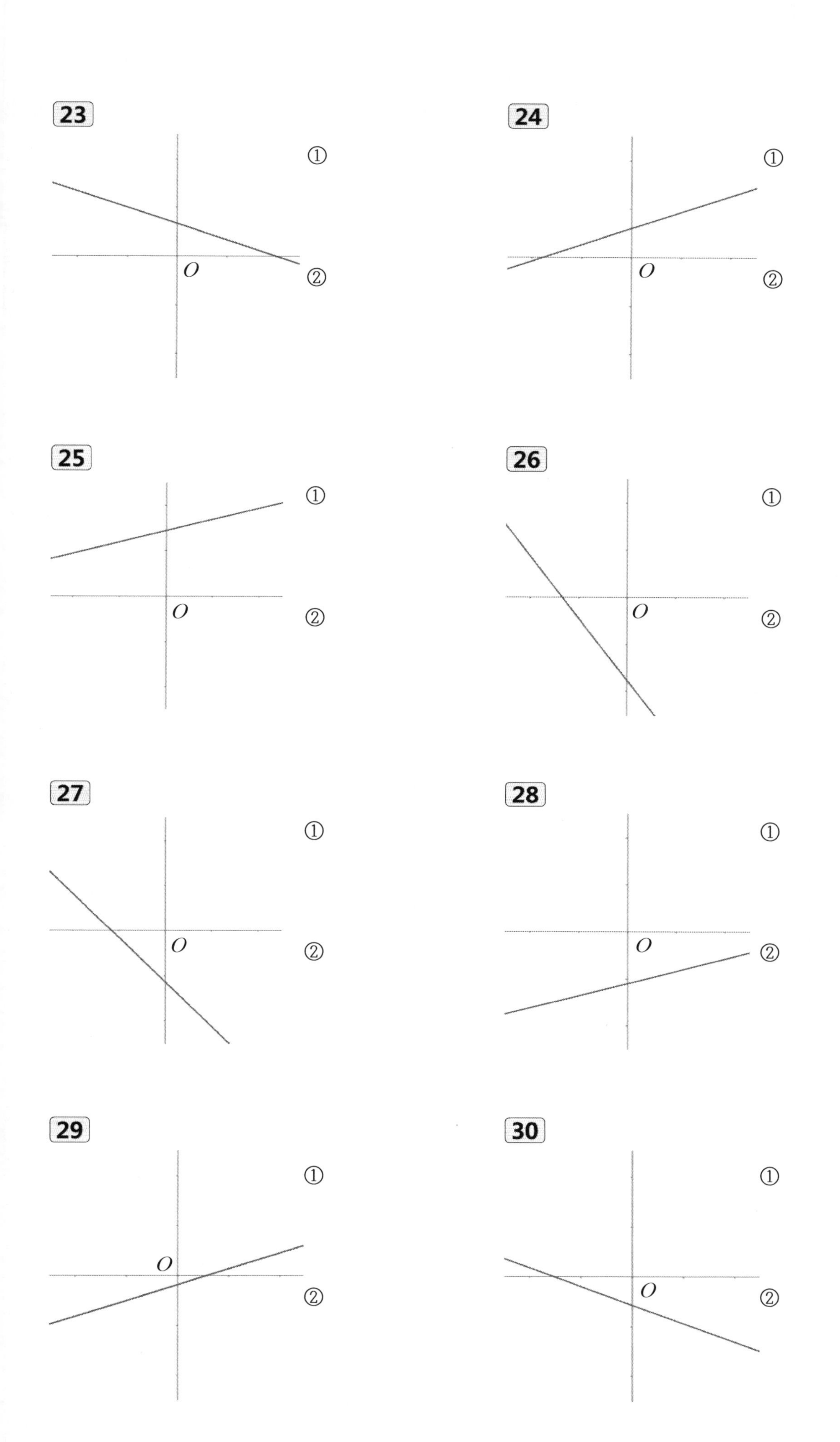
23
①
O
②
24
①
O
②
25
①
O
②
26
①
O
②
27
①
O
②
28
①
O
②
29
①
O
②
30
①
O
②

31

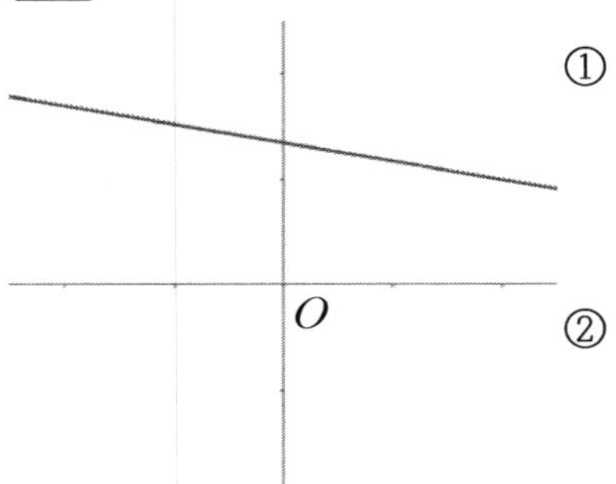

32

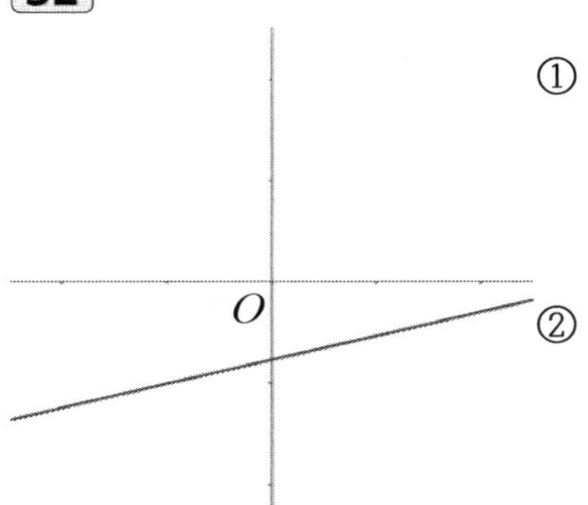

33

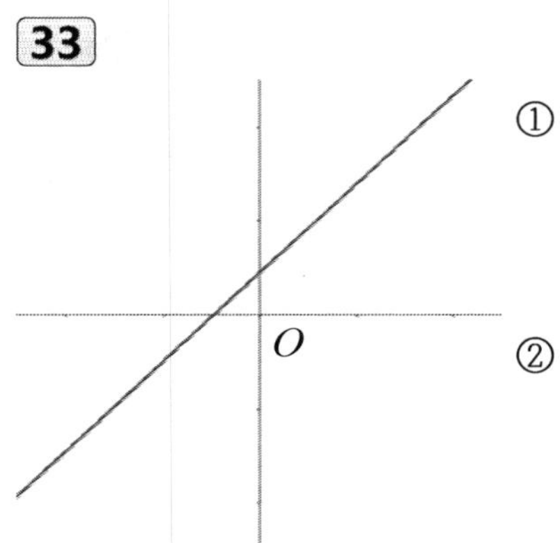

3.10 2개 이상의 직선이 '평행하다'는 것은 '기울기가 같다' 라는 뜻

기울기가 같은 두 일차함수의 그래프는 y축 방향의 평행이동에 의해 서로 일치한다.
(겹친다 / 포개진다)

[예] $y=2x+2$의 그래프는 $y=2x-1$의 그래프를 y축의 방향으로 3만큼 평행이동하면 겹친다.

예제 01 일차함수 $y=ax+3$을 y축의 방향으로 b만큼 평행이동하면 $y=-2x-1$과 일치할 때, 상수 a, b의 값을 구하시오.

풀이

평행이동에 의해 일치하므로 기울기가 같다. 따라서 $a=-2$
$y=-2x+3$을 y축 방향으로 b만큼 평행이동하면 $y=-2x+3+b$이고
$y=-2x-1$와 일치하므로 $3+b=-1$, $\therefore\ b=-4$

예제 02 일차함수 $y=2ax+5$의 그래프를 y축의 방향으로 평행이동하면 $y=(-a+2)x+2$와 겹칠 때, 상수 a의 값을 구하시오.

풀이

평행이동에 의해 겹쳐지므로 기울기가 같다. 따라서 $2a=-a+2$, $\therefore\ a=\frac{2}{3}$

유제 01 일차함수 $\frac{1}{3}ax-3$의 그래프는 일차함수 $y=-2x+1$의 그래프와 평행하다. 상수 a의 값을 구하시오.

유제 02 일차함수 $y=-ax+2$의 그래프는 일차함수 $y=3x-1$과 평행하고 점 $(b,\ 5)$를 지난다. 상수 a, b에 대하여 $a-b$의 값을 구하시오.

연 습 문 제

해설과 풀이 p. 174

A. 다음 물음에 답하시오.

01 일차함수 $y=(3a-1)x-2$의 그래프가 일차함수 $y=-2x+1$과 평행할 때, 상수 a의 값을 구하시오.

02 두 일차함수 $y=ax+2$와 $y=3x-2b$가 일치할 때, 상수 a, b의 값을 구하시오.

03 두 일차함수 $y=(3a-2)x+1$과 $y=bx+(a-2)$가 일치한다. 상수 a, b에 대하여 $a+b$의 값을 구하시오.

04 일차함수 $y=ax-3$은 일차함수 $y=-3x+2b$와 일치하고, 일차함수 $y=cx+2$와 x축 위에서 만난다. 세 상수 a, b, c에 대하여 $a-2b-c$의 값을 구하시오.

05 일차함수 $y=ax+b$의 그래프가 다음 그래프와 평행하고 점 $\left(2,\ \frac{1}{2}\right)$을 지날 때, $4a+2b$의 값을 구하시오.

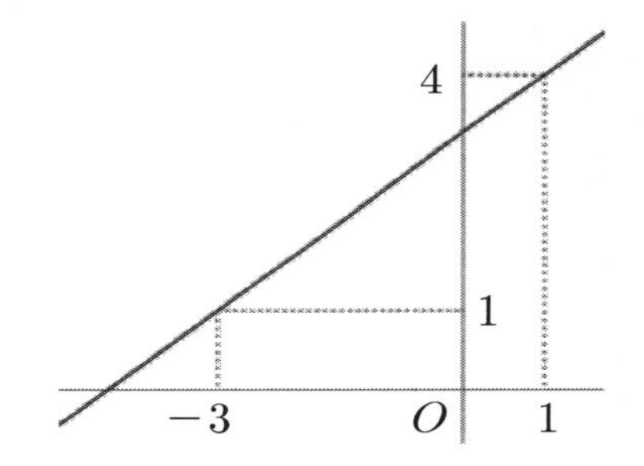

06 일차함수 $y=ax+2$의 그래프가 두 점 $(-1,\ 2)$, $(3,\ 8)$을 지나는 직선과 평행할 때, 상수 a의 값을 구하시오.

07 일차함수 $y=-ax+2b$의 그래프를 y축의 방향으로 3만큼 평행이동하면 $y=3x+5$의 그래프와 일치할 때, $a+b$의 값을 구하시오.

08 일차함수 $y=\frac{1}{2}ax+1$의 그래프를 y축의 방향으로 k만큼 평행이동하면 일차함수 $y=(a-1)x+3$의 그래프와 일치한다. 상수 a, k의 값을 구하시오.

09 일차함수 $y=ax+3$이 x의 값이 1에서 4까지 증가할 때, y의 값은 3에서 9까지 증가하고, 점 $(-2,\ n)$을 지날 때, 상수 a, n에 대하여 an의 값을 구하시오.

4]

기울기의 활용

4. 기울기의 활용

4.1 y절편이 기울기의 분자의 배수일 때, x절편을 구하는 방법 (1)

y절편의 '절댓값'이 기울기의 절댓값의 분자의 배수인 경우, x절편을 구할 때 사용한다.

'기울기의 분자와 y절편의 분자를 같게 하면' 기울기의 분모의 '절댓값'이 x절편의 '절댓값'이다.

x절편을 구할 때, $y=0$을 대입한 다음 x가 포함된 항 또는 상수항을 이항하면 이항하는 항의 부호가 바뀌게 되므로 $y=ax+b$에서 a와 b의 부호가

① 같으면 x절편의 부호는 음수, ② 다르면 x절편의 부호는 양수

※ 기울기와 y절편이 음수일 때는 양수(절댓값)로 두고 계산한다.

예제 01 일차함수 $y=\frac{2}{3}x+4$의 x절편을 구하시오.

풀이 01 [일반적인 방법]

x절편을 구하기 위해 $y=0$을 대입

$0=\frac{2}{3}x+4$, $\frac{2}{3}x=-4$

$\therefore x=-4\times\frac{3}{2}=-6$

x절편은 -6

풀이 02 ※ y절편 4는 기울기의 분자 2의 배수

기울기의 분자 2를 y절편인 4가 되게 한다.

기울기 $\frac{2}{3}=\frac{4}{6}$, 분모 6이 x절편의 절댓값이고,

기울기와 y절편의 부호가 같으므로 x절편은 음수.

따라서 x절편은 -6

※ $y=\frac{2}{3}x+4 \rightarrow y=\frac{4}{6}x+4$

기울기가 정수면 y절편이 기울기의 배수면 된다.

※ 이 경우는 일반적인 풀이가 더 간단하다.

예제 02 일차함수 $y = -3x + 12$ 의 x절편을 구하시오.

풀이 01 **[일반적인 방법]**

$y = 0$을 대입

$0 = -3x + 12$, $3x = 12$

$\therefore\ x = 4$

풀이 02 **※ 기울기가 정수, y절편 12는 기울기 -3의 배수**

기울기를 분모가 1인 분수로 두고 분자 3을 y절편인 12가 되게 한다.

기울기(의 절댓값) $\frac{3}{1} = \frac{12}{4}$, 분모 4가 x절편의 절댓값,

기울기와 y절편의 부호가 다르므로 x절편은 양수.

따라서 x절편은 4

※ 풀이 02 에서 기울기가 -3으로 음수이지만 양수 3으로 두고 계산한다.

유제 01 일차함수 $y = \frac{3}{4}x - 9$ 의 x절편을 구하시오.

유제 02 일차함수 $y = 2x - 8$ 의 x절편을 구하시오.

유제 03 일차함수 $y = -\frac{4}{7}x - 12$ 의 x절편을 구하시오.

4.2 y절편이 기울기의 분자의 배수일 때, x절편을 구하는 방법 (2)

좌표평면에 그래프로 주어져 있을 때, x절편을 구하는 방법으로 주어진 조건은 4.1과 같다. (y절편의 절댓값이 기울기의 절댓값의 분자의 배수인 경우)

그래프와 y축과의 교점에서 시작하여 기울기의 비율에 따라

'x의 값의 증가량과 y의 값의 증가량'에 맞게 x축에 도달할 때까지 이동

한다. 이동 방향은 다음과 같다.

① y절편이 양수일 때

(1) 기울기가 양수면 왼쪽 아래

: y축과의 교점에서 x축과의 교점으로 가는 방향이 왼쪽 아래

(2) 기울기가 음수면 오른쪽 아래

: y축과의 교점에서 x축과의 교점으로 가는 방향이 오른쪽 아래

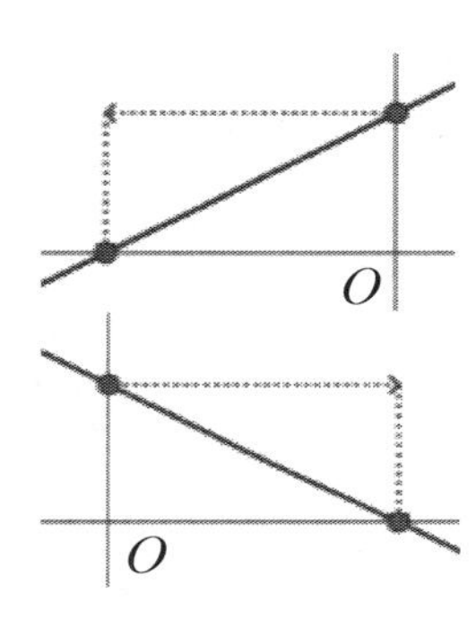

② y절편이 음수일 때

(1) 기울기가 양수면 오른쪽 위

: y축과의 교점에서 x축과의 교점으로 가는 방향이 오른쪽 위

(2) 기울기가 음수면 왼쪽 위

: y축과의 교점에서 x축과의 교점으로 가는 방향이 왼쪽 위

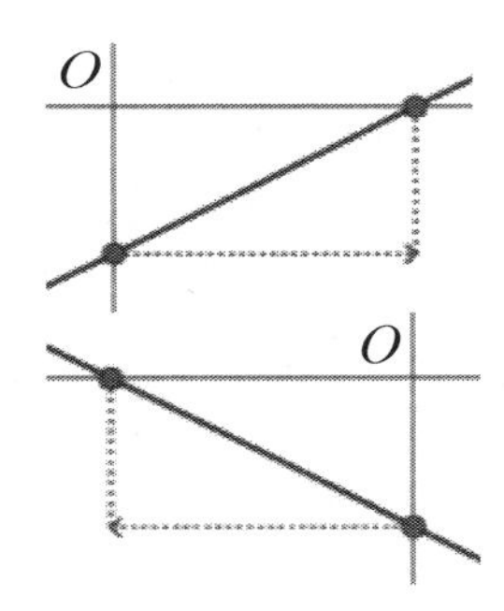

※ 4.1은 식의 계산을 통해 x절편을 구하는 것이고, 4.2는 좌표평면에 그래프로 주어지는 경우 x절편을 구하는 것이다.

※ 이 방법은 $p.38$ 3.6 내용과 유사하다.

[예] 일차함수 $y = 2x + 4$의 그래프는 [그림 1]과 같다.

① $y = 2x+4$의 x절편은 $y = 0$을 대입하여 $0 = 2x+4$, $\therefore\ x = -2$
따라서 x절편은 -2, y절편은 4이다.

② 'y절편 4'는 '기울기 2의 배수'다.
'기울기 >0, y절편 >0' 으로 같은 부호이므로 $\boldsymbol{x}$절편의 부호는 음수이다.
기울기의 분자 2를 y절편 4로 맞추면 분모가 x절편의 절댓값이다.
$\frac{2}{1} = \frac{4}{\mathbf{2}}$ 이므로 '분모 2가 x절편의 절댓값이고 부호는 음수'이므로 x절편은 -2다.

③ '기울기 2는 양수, y절편 4도 양수이므로 x축과 y축으로 움직이는 거리의 비를 $1:2$에 맞춰 점 A에서 점 B를 거쳐 점 C까지 왼쪽 아래로 움직인다. ([그림 2])
아래로 4만큼 움직일 때, <u>왼쪽으로 2만큼 움직이므로 x절편은 -2</u>다.

④ $y = 2x+4$의 그래프와 x축, y축으로 둘러싸인 직각삼각형의 밑변의 길이와 높이의 비는 $2:4 = 1:2$ 이므로 기울기에서
'x의 값의 증가량 : y의 값의 증가량 $=1:2$' (절댓값의 비)와 같다. ([그림 3])

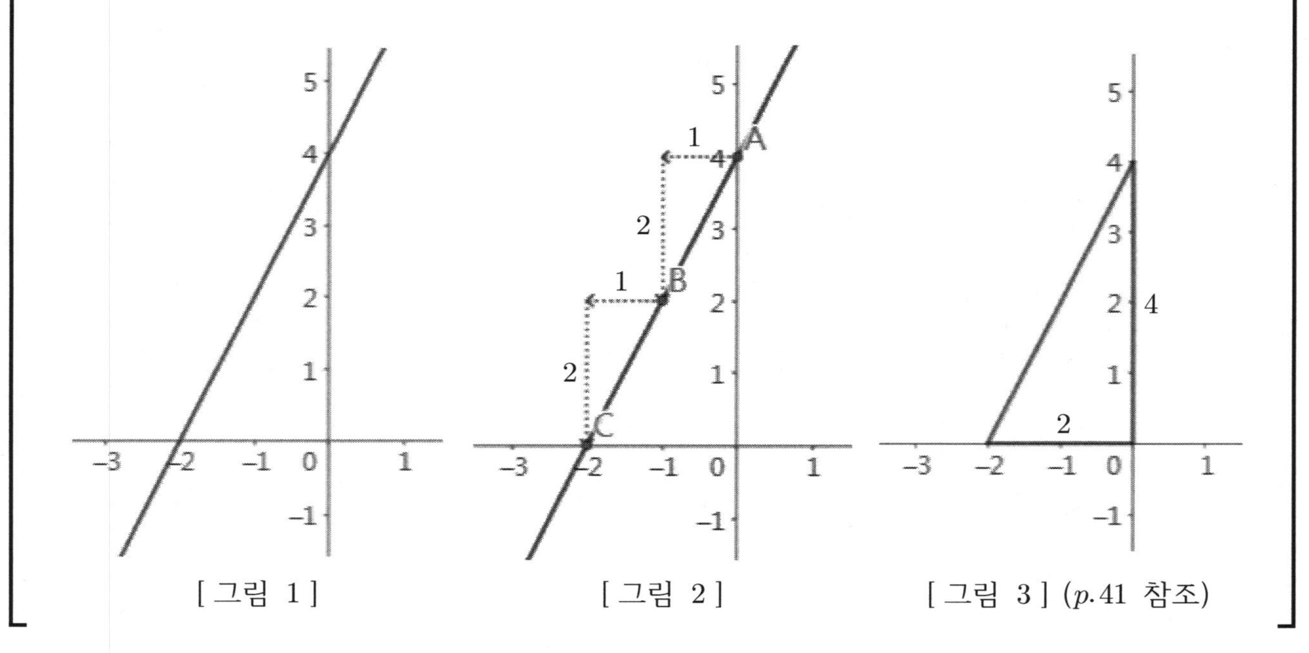

[그림 1]　[그림 2]　[그림 3] ($p.41$ 참조)

[예] 일차함수 $y=-\frac{1}{2}x-2$에서

① $y=0$을 대입하면

$0=-\frac{1}{2}x-2,\ \therefore\ x=-4$

따라서 x절편은 -4이다.

그래프는 [그림 1]과 같다.

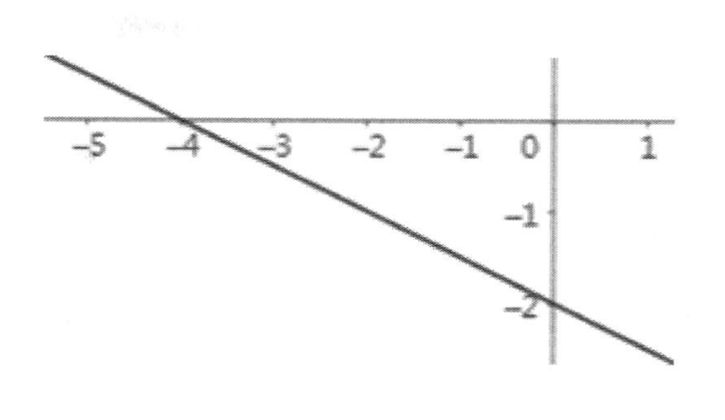

[그림 1]

② 'y절편 -2'의 절댓값 2는 '기울기 $-\frac{1}{2}$의 절댓값 $\frac{1}{2}$의 분자 1'의 배수다.

'기울기 <0, y절편 <0' 으로 **<u>같은 부호이므로 x절편의 부호는 음수</u>**다.

기울기 (절댓값)의 분자 1을 y절편의 절댓값 2로 맞췄을 때 분모가 x절편의 절댓값이므로

$\frac{1}{2}=\frac{2}{\mathbf{4}}$, '분모 4가 x절편의 절댓값이고 부호는 음수'이므로 x절편은 -4다.

③ 'y절편 <0, 기울기 <0'이므로 부호가 같다. 따라서 x절편 <0이다.

'기울기의 절댓값이 $\frac{1}{2}$ 이므로 x축과 y축으로 움직이는 거리의 비를 $2:1$로 맞춰 점 A에서 점 B를 거쳐 점 C까지 왼쪽 위로 움직인다. ([그림 2])

위로 2만큼 움직일 때, <u>왼쪽으로 4만큼 움직이므로 x절편은 -4</u>이다.

④ $y=-\frac{1}{2}x-2$의 그래프와 x축, y축으로 둘러싸인 직각삼각형의 밑변의 길이와 높이의 비는 $4:2=2:1$ 이고, 기울기에서

'x의 값의 증가량 : y의 값의 증가량 $=2:1$' (절댓값의 비)과 같다. ([그림 3])

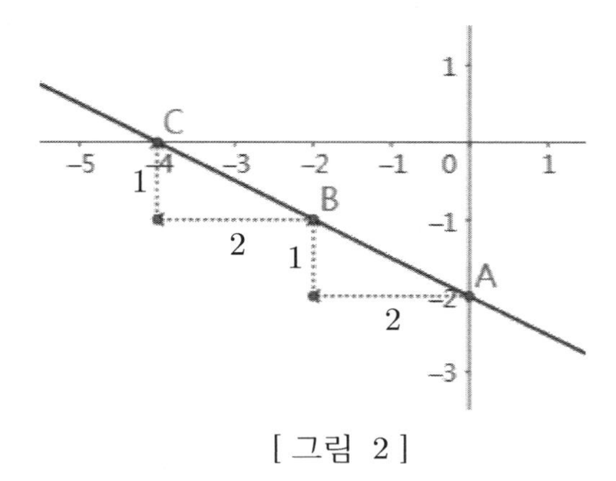

[그림 2]

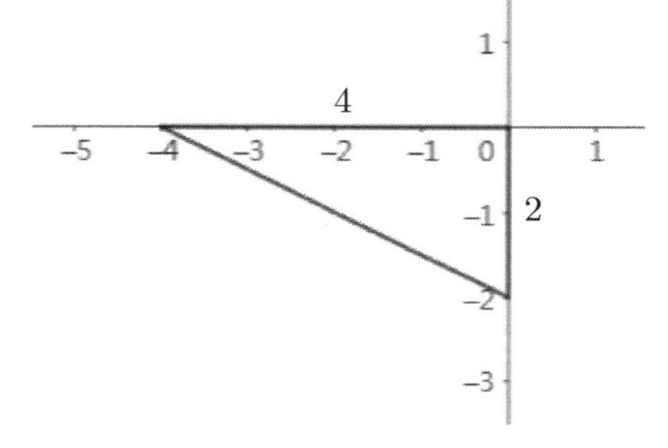

[그림 3]

[예] 일차함수 $y = -2x+6$에서 ① $y=0$을 대입, $0 = -2x+6$

$\therefore$ $x=3$이므로 x절편은 3이다. ([그림 1])

② 'y절편 6'은 '기울기 -2 절댓값인 2'의 배수다.

'기울기 <0, y절편 >0' 으로 **<u>다른 부호이므로 x절편의 부호는 양수</u>**다.

기울기(절댓값)의 분자 2를 y절편의 절댓값인 6으로 맞추면

분모가 x절편의 절댓값이다. $2 = \frac{2}{1} = \frac{6}{\mathbf{3}}$

따라서 '분모 3이 x절편의 절댓값이고 부호는 양수'이므로

x절편은 3이다.

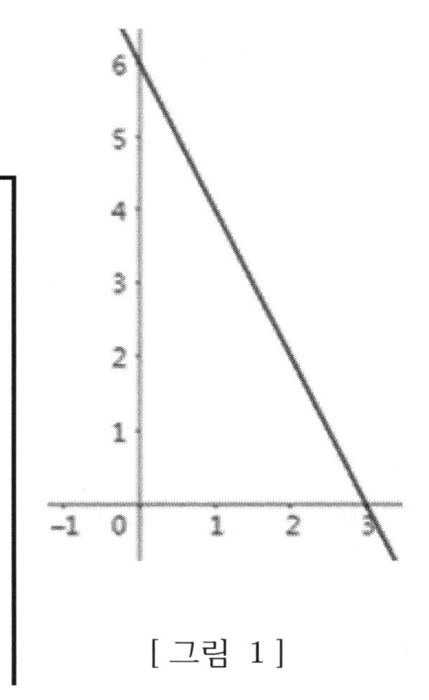

[그림 1]

③ 'y절편 >0, 기울기 <0'이므로 x절편 >0이다.

'기울기의 절댓값이 $2 = \frac{2}{1}$ 이므로 x축과 y축으로 움직이는 거리의 비를 $1:2$로 맞춰 오른쪽 아래로 움직인다. 점 A에서 점 B, C를 거쳐 점 D까지. ([그림 2])

아래로 6만큼 움직일 때, <u>오른쪽으로 3만큼 움직이므로 x절편은 3</u>이다.

④ $y = -2x+6$의 그래프와 x축, y축으로 둘러싸인 직각삼각형의 밑변의 길이와 높이의 비는 $3:6=1:2$ 이고, 기울기에서

'x의 값의 증가량 : y의 값의 증가량 $=1:2$' (절댓값의 비)와 같다. ([그림 3])

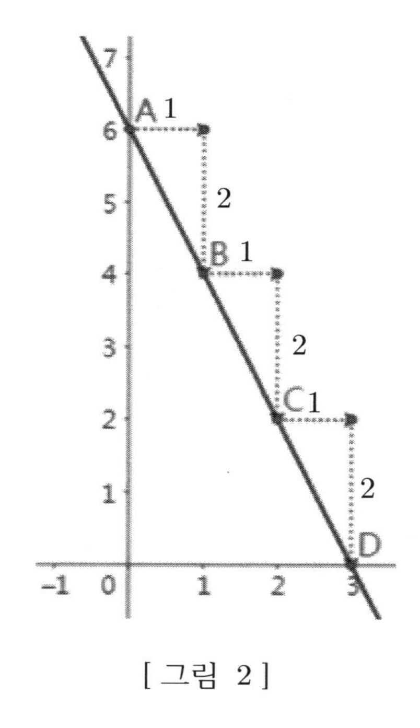

[그림 2]

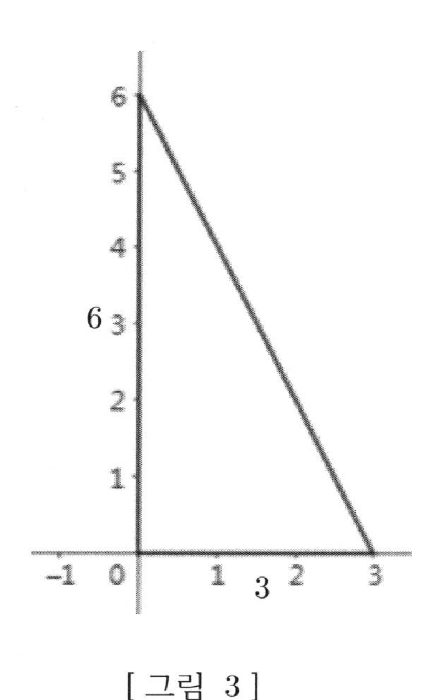

[그림 3]

4.3 기울기와 지나는 점을 이용한 x 절편과 y 절편 구하기

기울기와 지나는 점을 이용하여 일차함수의 식을 구하지 않고 x절편과 y절편을 구할 수 있다. 이 경우는 x절편 또는 y절편이 정수일 때 사용할 수 있으며, 정수가 아니더라도 간단한 암산으로 절편을 구할 수 있다.

4.2와 같은 방법으로, 시작점이 '그래프와 y축과의 교점'에서 '지나는 점'으로 바뀐다.

① x절편 구하기

(1) 지나는 점에서 y의 좌표가 0이 되도록 x축으로 이동하여

(2) 기울기에 따라 x의 값의 증가량과 y의 값의 증가량에 맞게 x축을 따라 이동하여 x절편을 구한다.

② y절편 구하기

(1) 지나는 점에서 x의 좌표가 0이 되도록 y축으로 이동하여

(2) 기울기에 따라 x의 값의 증가량과 y의 값의 증가량에 맞게 y축을 따라 이동하여 y절편을 구한다.

예제 01 일차함수 $y=-3x+b$가 점 $(1, 3)$을 지날 때, 이 함수의 x절편과 y절편을 구하시오.

풀이 01 [일차함수의 식을 구하는 경우]

$y=-3x+b$에 점 $(1, 3)$을 대입

$3=-3+b$

$\therefore b=6$, y절편은 6이다.

따라서 $y=-3x+6$

$y=-3x+6$에 $y=0$을 대입

$0=-3x+6$

$3x=6$

$\therefore x=2$

따라서 x절편은 2이다.

풀이 02 [일차함수의 식을 구하지 않는 경우]

※ 기울기가 -3이므로 x의 값의 증가량과 y의 값의 증가량의 비 $1:(-3)$ 또는 $(-1):3$을 이용

(1) x절편 : 점 A → 점 B

㉠ y가 3감소(-3)하면(x축 도착)

㉡ x는 1증가하므로 x절편은 2

(2) y절편 : 점 A → 점 C

① x가 1감소(-1)하면(y축 도착)

② y는 3증가하므로 y절편은 6

※ **풀이 02 에서 ㉠ y가 3감소하면 x축에 도달하고, ① x가 1감소 (-1)하면 y축에 도달한다.**

> 기울기 대신 일차함수의 그래프를 지나는 두 점이 주어지는 경우는
>
> 기울기를 먼저 구하고, 두 점 중에서 한 점을 택해 같은 방법으로 x절편과 y절편을 구한다.

예제 02 두 점 $(-2,\ 3)$과 $(3,\ -2)$를 지나는 일차함수의 x절편과 y절편을 구하시오.

풀이

기울기 : 'x가 -2에서 3으로 5증가할 때,

y는 3에서 -2 까지 5감소'하므로 $\frac{-5}{5}=-1$

따라서 x의 값의 증가량과 y의 값의 증가량의 비

$1:(-1)$ 또는 $(-1):1$을 이용

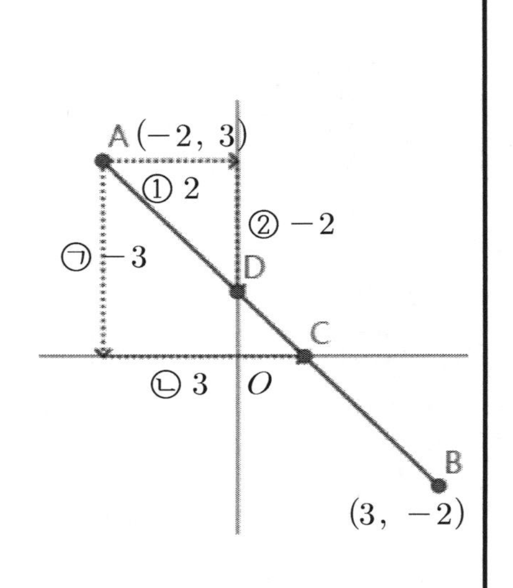

(1) x절편 : 점 A → 점 C

㉠ y가 3감소 (-3)하면, ㉡ x는 3증가하므로 x절편은 1

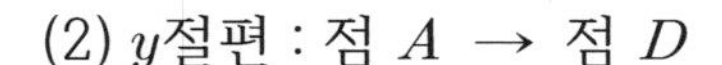

(2) y절편 : 점 A → 점 D

① x가 2증가하면, ② y는 2감소 (-2)하므로 y절편은 1

> ※ 일차함수의 식을 구한 다음 x절편과 y절편을 구하는 방법은 '5. 일차함수의 식 구하기'에서 다룬다.

유제 기울기가 1인 일차함수가 점 $(2,\ 3)$을 지날 때, y절편을 구하시오.

연 습 문 제

해설과 풀이 p.176

A. 이 단원의 예에서 제시한 방법을 이용하여 다음 일차함수의 x절편을 구하고 그래프를 그리시오.

01 $y = 3x - 3$

02 $y = \frac{2}{3}x + 4$

03 $y = -\frac{3}{4}x + 3$

04 $y = -\frac{3}{2}x - 3$

05 $y = \frac{2}{5}x + 4$

06 $y = -\frac{1}{3}x + 3$

07 $y = \frac{1}{2}x - 3$

08 $y = \frac{4}{3}x - 4$

09 $y = -\frac{2}{3}x - 6$

10 $y = \frac{1}{3}x + 2$

5]

일차함수의 식 구하기

5. 일차함수의 식 구하기

5.1 일차함수의 식을 구하기 위해 사용하는 기본적인 풀이 - 연립방정식

일차함수 $y=ax+b$는 a, b의 값이 정해지면 식이 완성된다.

기울기 a, y절편 b, 두 값이 모두 주어지지 않으면 미지수는 2개다.

<u>미지수 a와 b, 2개의 값을 구하기 위해 조건은 2개 주어지고,</u>

<u>주어진 조건을 수식으로 표현하여 a, b의 값을 구한다.</u>

※ 일반적으로 **<u>미지수의 개수와 조건의 개수는 같다.</u>**

미지수가 1개면 조건도 1개 주어지고, 미지수가 2개면 조건도 2개 주어진다.

① 중1 과정, 일차방정식은 미지수가 1개 나오고, 그 값을 구하기 위해 조건 1개가 주어진다.

조건 1개를 이용하여 일차방정식 $(ax+b=0)$을 만들고, 이를 풀어 미지수의 값을 구한다.

(보통 $ax+b=0$에서 a와 b는 아는 값[기지수]이고, x가 미지수다.)

② 중2 과정, 연립일차방정식에는 미지수가 2개 나오고, 조건 2개가 주어진다.

조건 2개는 각각 미지수 2개를 포함하는 일차방정식 2개 $(ax+by+c=0,\ a'x+b'y+c'=0)$

로 만들어지고, 연립방정식 $\begin{cases} ax+by+c=0 \\ a'x+b'y+c'=0 \end{cases}$ 을 구성한다.

이 연립방정식을 풀어 미지수 2개의 값을 구한다.

(보통 $ax+by+c=0$, $a'x+b'y+c'=0$에서 a, b, c, a', b', c'은 아는 값이고, x, y가 미지수)

일차함수 $y=ax+b$에서 a와 b를 모두 모를 때, 함수식을 구하는 경우

<u>'일차함수의 식을 만족하는 점 2개'</u>

가 주어진다. 이 점들은 좌표(순서쌍)로 주어지거나 x축 또는 y축 위의 점이면 x절편 또는 y절편으로 주어질 수도 있다.

일차함수의 식 $y=ax+b$ 를 만족하는 점 2개가 주어졌을 때 함수의 식을 구하는 방법은 보통 2가지다.

① 연립방정식의 풀이 - 가감법

연립방정식을 이용한 풀이에서는 a와 b, 어떤 것을 먼저 소거해도 좋으나
두 점을 대입하여 만든 방정식 모두 b의 계수가 1이므로 b를 소거하여 기울기 a를 먼저 구하고 이어서 y절편 b를 구하는 것이 일반적이다.

② 기울기의 정의와 대입

기울기의 정의를 이용하여 a를 먼저 구하고 두 점 중 한 점을 대입하여 y절편 b를 구한다.

※ 일차함수 $y=ax+b$에서 x와 y는 미지수가 아니다. 주어진 범위에서 어떤 값이든 대입할 수 있는 문자다.

※ 일차함수뿐만 아니라 보통 문제는 모르는 문자(미지수)의 개수에 맞게 같은 수의 조건이 주어진다. 즉

'미지수의 개수 = 조건의 개수'

문제에서 1개의 문자를 모를 때(미지수가 1개일 때)는 일차방정식을,
2개의 문자를 모를 때(미지수가 2개일 때)는 연립방정식을 사용할 수 있음을 생각하고 있어야 한다.

[예] $f(x) = -2x + a$ 에 대하여 $f(3) = -5$일 때, $f(2)$의 값을 구하시오.

풀이 ※ **$f(x)$에서 a를 모르기 때문에 $f(2)$를 구할 수 없다. a를 구하기 위해 조건 $f(3) = -5$가 주어졌다.**

이를 이용하여 a를 구하고 → $f(x)$가 완성되면 → $f(2)$를 구한다.

$f(3) = -5$ 이므로 $f(3) = \underline{-2 \times 3 + a = -5}$, 밑줄 친 부분의 일차 방정식을 풀면 $a = 1$

따라서 $f(x) = -2x + 1$, $f(2) = -2 \times 2 + 1 = -3$

[예] $f(x) = 5x + 3$ 에 대하여 $f(2a) = 3a - 11$일 때, 상수 a의 값을 구하시오.

풀이

$f(2a) = 5 \times 2a + 3 = 10a + 3$이므로

$f(2a) = 3a - 11 \rightarrow 10a + 3 = 3a - 11,\quad 7a = -14,\quad \therefore\ a = -2$

[예] $f(x) = 3x - 1$에 대하여 $f(2) = a$, $f(a) = b$이다. 상수 a, b의 값을 구하시오.

풀이 ※ **미지수는 a와 b, 2개지만 a, b가 한 식에 있는 것은 $f(a) = b$ 밖에 없고, $f(2) = a$는 a만 있으므로**

연립방정식으로 푸는 문제는 아니다. 이 문제는 미지수의 값을 한 개씩 차례로 구한다.

$f(2) = a$ 이므로 $f(2) = 3 \times 2 - 1 = 5 = a$, 따라서 $a = 5$

$f(a) = b$ 에서 $a = 5$이므로 $f(5) = 3 \times 5 - 1 = 14$, $\therefore\ b = 14$

※ **$f(a) = b$를 먼저 $f(x) = 3x - 1$에 대입하면 $f(a) = 3a - 1 = b$ 로 a와 b 둘 다 모르는 값이다.**
이어서 $f(2) = a$를 이용하여 a를 구하고 이를 $b = 3a - 1$에 대입하여 b를 구할 수도 있지만
$f(2) = a$, $f(a) = b$ 순으로 대입하여 값을 구하는 것이 좋다.

※ <u>조건의 개수가 미지수의 개수보다 적으면 미지수의 값을 구하지 못한다.</u> 이 경우

① 문제에서 해의 범위 또는 개수를 줄이기 위해 다른 조건 (자연수, 정수 등)을 주거나

② 미지수의 관계식이 나타내는 값 ($b-a$, $\frac{b}{a}$ 등)을 묻기도 한다.

5.2 기울기와 y 절편이 주어지는 경우

일차함수 $y = ax+b$에서 a는 기울기, b는 y절편을 나타내므로,
기울기와 y절편이 주어지면 바로 일차함수의 식을 구할 수 있다.

[예] 기울기가 3이고 y절편이 -2인 일차함수의 식은 $y = 3x - 2$ 이다.

※ **<u>기울기가 -1인 일차함수는 x좌표와 y좌표의 합이 항상 일정</u>**하다.

$y = -x + n$ 에서 $-x$를 좌변으로 이항하면
$x + y = \boldsymbol{n}$ 이 되어 x좌표와 y좌표이 합이 <u>y절편 n으로 일정</u>하다.

이를 이용하여 지나는 점의 좌표, x절편, y절편 등을 쉽게 구할 수 있다.

[예] 일차함수 $y = -x + 5$ 가 점 $(2,\ b)$를 지난다. 상수 b의 값을 구하시오.

풀이

기울기가 -1이므로 일차함수를 지나는 점의 x좌표와 y좌표의 합은 y절편 5로 일정하다.
지나는 점의 x좌표가 2이므로 y좌표 $b = 3$이다. $(2 + b = 5)$

유제 기울기가 3이고 y절편이 2인 일차함수의 그래프가 점 $(a,\ -4)$를 지날 때, 상수 a의 값을 구하시오.

5.3 기울기와 지나는 점이 한 개 주어지는 경우

일차함수 $y=ax+b$에서 기울기 a의 값이 주어지므로 이를 함수의 식에 적용하고, 지나는 점을 함수의 식에 대입하여 y절편 b의 값을 구한다.

예제 01 기울기가 3인 일차함수가 점 $(2,\ 8)$을 지날 때, 일차함수의 식을 구하시오.

풀이

일차함수의 기울기가 3이므로 $y=3x+b$ ⋯ ①

점 $(2,\ 8)$을 지나므로 ①에 대입하면 $8=3\times2+b$, $\therefore\ b=2$

따라서 일차함수의 식은 $y=3x+2$

예제 02 일차함수 $y=-x+b$가 두 점 $(1,\ 6)$, $(-2,\ n)$을 지난다. 상수 b, n과 x절편을 구하시오.

풀이 01 **[일반적인 풀이]**

$y=-x+b$에 점 $(1,\ 6)$을 대입

$6=-1+b$, $\therefore\ b=7$

따라서 $y=-x+7$ ⋯ ①

①에 점 $(-2,\ n)$을 대입하면

$n=-(-2)+7=9$

x절편을 구하기 위해 ①에 $y=0$을 대입

$0=-x+7$, $\therefore\ x=7$

따라서 x절편은 7

풀이 02 **※ 기울기가 -1이므로 지나는 점의 x좌표와 y좌표의 합이 일정**

점 $(1,\ 6)$의 x좌표와 y좌표의 합이 7이므로

y절편 $b=7$

점 $(-2,\ n)$의 x좌표와 y좌표의 합이 7이므로 $n=9$

x절편은 ($y=0$일 때 x좌표이므로) 7

※ <u>기울기가 -1이면 x절편 $=$ y절편</u>

유제 01 일차함수 $y=-\dfrac{3}{2}x+4$의 그래프와 평행하고 점 $(4,\ -1)$을 지나는 일차함수의 식을 구하시오.

유제 02 일차함수 $y=-x+b$가 두 점 $(-4,\ 6)$, $(k,\ 3)$을 지날 때, 상수 b, k의 값을 구하시오.

5.4 일차함수의 그래프를 지나는 점이 2개 주어진 경우(1) - y절편 포함됨

$y = ax+b$에서 y절편 b가 주어지거나 좌표 $(0,\ b)$로 주어질 때, 일차함수의 식을 구하는 방법으로 기울기 a만 구하면 된다.

※ **(0, b) 와 같이 주어진 점의 x좌표가 0인 경우, y절편 b를 준 것과 같다.**

① 방법 1

(1) 일차함수 $y = ax+b$에 주어진 y절편을 적용한다. y절편을 n이라고 하면 $y = ax+n$

(2) (1)의 $y = ax+n$에 나머지 주어진 점을 대입하여 a를 구한다. (일차방정식 풀이)

② 방법 2

(1) 일차함수 $y = ax+b$에 주어진 2개의 점을 각각 대입하여 (연립)방정식을 푼다.
이 때 $(0,\ n)$을 대입한 식에서 $b=n$의 값을 바로 구할 수 있다.

※ x좌표의 값이 0일 때, y좌표가 y절편인 것을 알기 때문에 대입할 필요 없다.

(2) (1)에서 구한 $b=n$ 을 나머지 방정식에 대입하여 a를 구한다.

③ 방법 3

(1) 주어진 2개의 점을 이용하여 기울기를 구한다.
구한 기울기를 일차함수 $y = ax+b$에 적용한다.

※ 기울기의 정의를 이용하여 a를 구하고 싶으면 y절편 b를 $(0,\ b)$로 고치면 된다.

(2) $(0,\ n)$을 (1)의 $y = ax+b$에 적용한다. → $y = ax+n$
또는 $(0,\ n)$나 다른 점을 (1)의 $y = ax+b$에 대입한다.

※ ① 방법 1이 일반적이며 가장 간단하다.

[예] $y=ax-3$이 점 $(2,\ 1)$을 지날 때, 상수 a의 값을 구하시오.

풀이

① **방법** 1

$y=ax-3$ 에

점 $(2,\ 1)$을 대입

$1=2a-3$

$2a=4$

$\therefore\ a=2$

② **방법** 3

y절편 -3은 좌표로 $(0,\ -3)$

이므로 $(2,\ 1)$, $(0,\ -3)$을

지나는 직선의 기울기를 구한다.

$$\frac{1-(-3)}{2-0}=\frac{4}{2}=2$$

③ **[가상의 직각삼각형 이용]**

두 점 A, B를 지나는

직선의 기울기이므로

$$\frac{4}{2}=2$$

※ 점 $A\rightarrow$ 점 C: $+2$

점 $C\rightarrow$ 점 B: $+4$

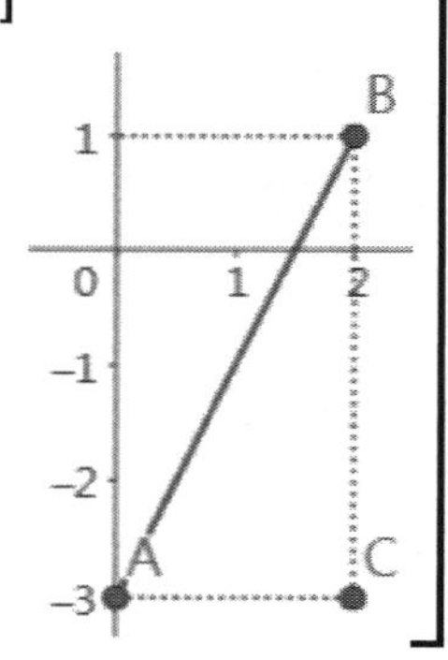

예제 01 두 점 $(3,\ 2)$, $(0,\ 6)$를 지나는 일차함수의 식을 구하시오.

풀이

① 방법 1

y절편이 6이므로 일차함수의 식을 $y=ax+6$으로 둔다.

$y=ax+6$에 $(3,\ 2)$를 대입하면 $2=3a+6$, $\therefore\ a=-\frac{4}{3}$

따라서 $y=-\frac{4}{3}x+6$

② 방법 2

$y=ax+b$ 에 두 점 $(3,\ 2)$, $(0,\ 6)$을 각각 대입하면

$$\begin{cases} 3a+b=2 & \cdots\ ① \\ b=6 & \cdots\ ② \end{cases}$$

②를 ①에 대입하면 $3a+6=2$, $\therefore\ a=-\frac{4}{3}$, 따라서 $y=-\frac{4}{3}x+6$

③ 방법 3

기울기 $=\frac{6-2}{0-3}=-\frac{4}{3}$ (또는 $\frac{2-6}{3-0}=-\frac{4}{3}$) 이므로 $y=-\frac{4}{3}x+b\ \cdots$ ①

①은 점 $(0,\ 6)$을 지나므로 y절편은 6이다. 따라서 $y=-\frac{4}{3}x+6$

※ x의 값의 증가량과 y의 값의 증가량을 구해 기울기를 구해도 된다.

$(0,\ 6)\xrightarrow{3}(3,\ 2)$, y: -4 이므로 기울기는 $-\frac{4}{3}$ 또는 $(3,\ 2)\xrightarrow{-3}(0,\ 6)$, y: 4 이므로 기울기는 $-\frac{4}{3}$

5.5 일차함수 그래프를 지나는 점이 2개 주어진 경우(2) - y절편이 포함 안 됨

주어진 2개의 점 중에서 y절편이 포함되지 않은 경우 일차함수의 식을 구하는 방법이다.

① 방법 1

(1) 일차함수 $y=ax+b$에 주어진 2개의 점을 각각 대입하여 연립방정식을 푼다.

(2) (1)에서 구한 a, b의 값을 $y=ax+b$ 에 적용한다.

② 방법 2

(1) 주어진 2개의 점을 이용하여 기울기를 구한다.

구한 기울기를 일차함수 $y=ax+b$에 적용한다. (a가 기울기)

(2) 주어진 2개의 점 중 하나를 선택하여 (1)의 기울기가 적용된 $y=ax+b$ 에 대입하여 y절편 b를 구한다.

※ 방법 2로 구할 때의 순서는 기울기가 먼저, y절편이 그 다음이다.

예제 01 일차함수 $y=ax+b$가 두 점 $(-2,\ 2)$, $(2,\ 8)$을 지난다. 그래프를 그리고 y절편을 구하시오.

풀이 01

① 그래프 그리기

좌표평면에 두 점 $(-2,\ 2)$, $(2,\ 8)$을 찍고

두 점을 지나는 직선을 그린다.

② 기울기 구하기

x가 -2에서 2까지 4증가할 때,

y는 2에서 8까지 6증가하므로 기울기는 $\frac{6}{4}=\frac{3}{2}$

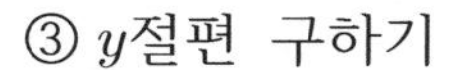

③ y절편 구하기

(1) $(-2,\ 2)$에서 y축까지 x의 값의 증가량 구하기

x좌표 -2에서 y축 $(0,\ 2)$까지 2만큼 증가$(+2)$

기울기가 $\frac{3}{2}$, x의 값의 증가량이 2이므로

y의 값의 증가량은 3이다. 따라서 $(0,\ 2)$에서 $(0,\ 5)$로 이동하므로 y절편은 5이다.

(2) $(2,\ 8)$에서 y축까지 x의 값의 증가량 구하기

x좌표 2에서 y축 $(0,\ 8)$까지 2만큼 감소(-2)

기울기가 $\frac{3}{2}$, x의 값의 증가량이 -2이므로

y의 값의 증가량은 -3. 따라서 $(0,\ 8)$에서 $(0,\ 5)$로 이동하므로 y절편은 5이다.

※ ②는 덧셈을 통한 증가량을 이용하여 기울기 구한 것이다.

x**의 값의 증가량**: $-2 \rightarrow 2$**이므로** 4, y**의 값의 증가량**: $2 \rightarrow 8$**이므로** 6

따라서 기울기는 $\frac{6}{4}=\frac{3}{2}$

풀이 02 **[일반적인 풀이] 기울기의 정의와 지나는 점을 대입**

기울기 $= \frac{8-2}{2-(-2)} = \frac{6}{4} = \frac{3}{2}$ (또는 $\frac{2-8}{-2-2} = \frac{-6}{-4} = \frac{3}{2}$)

$y = \frac{3}{2}x + b$에 점 $(-2,\ 2)$를 대입

$2 = \frac{3}{2} \times (-2) + b$

$\therefore\ b = 5$

또는

$y = \frac{3}{2}x + b$에 $(2,\ 8)$ 을 대입

$8 = \frac{3}{2} \times 2 + b$

$\therefore\ b = 5$

따라서 y절편은 5

풀이 03 **[연립방정식의 풀이]**

$y = ax+b$ 에 두 점 $(-2,\ 2)$, $(2,\ 8)$을 각각 대입하면

$\begin{cases} -2a+b = 2 & \cdots ① \\ 2a+b = 8 & \cdots ② \end{cases}$

② - ① 하면 $4a = 6$, $\therefore\ a = \frac{3}{2}$ ⋯ ③

③을 ②에 대입하면 $2 \times \frac{3}{2} + b = 8$, $\therefore\ b = 5$

따라서 y절편은 5

※ **풀이 03** **은 일차함수의 식을 구하는 과정이고, 문제에서는 y절편만 구하면 되므로 ① + ② 하면 된다.**

$2b = 10$, $\therefore\ b = 5$, 따라서 y절편은 5

예제 02 두 점 $(-2,\ -1)$, $(1,\ 5)$를 지나는 일차함수의 식을 구하고 그래프를 그리시오.

풀이 01

① 그래프 그리기

좌표평면에 두 점 $(-2,\ -1)$, $(1,\ 5)$를 찍고

두 점을 지나는 직선을 그린다.

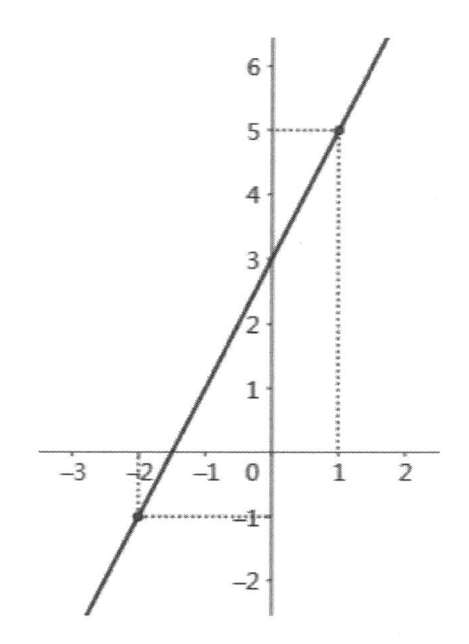

② 기울기 구하기

x가 -2에서 1까지 3증가할 때,

y는 -1에서 5까지 6증가하므로 기울기는 $\frac{6}{3}=2$

③ y절편 구하기

(1) $(-2,\ -1)$에서 y축까지 x의 값의 증가량 구하기

x좌표 -2에서 y축 $(0,\ -1)$까지 2만큼 증가 $(+2)$

기울기가 2, x의 값의 증가량이 2이므로 y의 값의 증가량은 4

따라서 $(0,\ -1)$에서 $(0,\ 3)$으로 이동하므로 y절편은 3

(2) $(1,\ 5)$에서 y축까지 x의 값의 증가량 구하기

x좌표 1에서 y축 $(0,\ 5)$까지 1만큼 감소 (-1)

기울기가 2, x의 값의 증가량이 -1이므로

y의 값의 증가량은 -2이다. 따라서 $(0,\ 5)$에서 $(0,\ 3)$으로 이동하므로 y절편은 3

풀이 02 **[일반적인 풀이] 기울기의 정의와 지나는 점을 대입**

기울기 $=\frac{5-(-1)}{1-(-2)}=\frac{6}{3}=2$

$y=2x+b$에 $(-2,\ -1)$을 대입		$y=2x+b$에 $(1,\ 5)$를 대입
$-1=2\times(-2)+b$	또는	$5=2\times1+b$
$\therefore\ b=3$		$\therefore\ b=3$

따라서 $y=2x+3$

풀이 03 **[연립방정식의 풀이]**

$y = ax + b$ 에 두 점 $(-2,\ -1)$, $(1,\ 5)$를 각각 대입하면

$$\begin{cases} -2a+b = -1 & \cdots ① \\ a+b = 5 & \cdots ② \end{cases}$$

② - ① 하면 $3a = 6$, $\therefore\ a = 2$ $\cdots$ ③

③을 ②에 대입하면 $2 + b = 5$, $\therefore\ b = 3$

따라서 $y = 2x + 3$

유제 두 점 $(2,\ -2)$, $(-4,\ 1)$을 지나는 일차함수의 식을 구하시오.

5.6 x절편과 y절편이 주어진 경우

x절편과 y절편이 주어지는 경우 또는 두 점 $(a,\ 0)$, $(0,\ b)$를 통해 x절편과 y절편을 알 수 있는 경우 일차함수의 식을 구하는 방법이다.

두 점을 이용하여 기울기를 구한다.

x절편을 a, y절편을 b라고 하면 두 점 $(a,\ 0)$, $(0,\ b)$가 주어진 것과 같으므로

기울기는 $-\frac{b}{a}$이다. 따라서 $y = -\frac{b}{a}x + b$ (단, $a \neq 0$)

※ **p.47** x절편과 y절편이 주어졌을 때의 기울기에 관한 내용 참조

위의 $y = -\frac{b}{a}x + b$ 에서 양변에 a를 곱한다. $ay = -bx + ab$

$-bx$를 좌변으로 이항하고 양변을 ab로 나눈다.

$bx + ay = ab$

$\therefore\ \frac{x}{a} + \frac{y}{b} = 1$

※ 일차함수 $y = ax + b$에 주어진 2개의 점을 각각 대입하여 연립방정식을 풀어 a, b의 값을 구할 수도 있다.

[예] x절편이 3, y절편이 5인 일차함수의 식은

① $y = -\frac{5}{3}x + 5$ 또는 ② $\frac{x}{3} + \frac{y}{5} = 1$

[예] x절편이 1, y절편이 -2인 일차함수의 식은

① $y = 2x - 2$ 또는 ② $x - \frac{y}{2} = 1$

연 습 문 제

해설과 풀이
p. 182

A. 다음 두 점을 지나는 일차함수의 식을 구하시오.

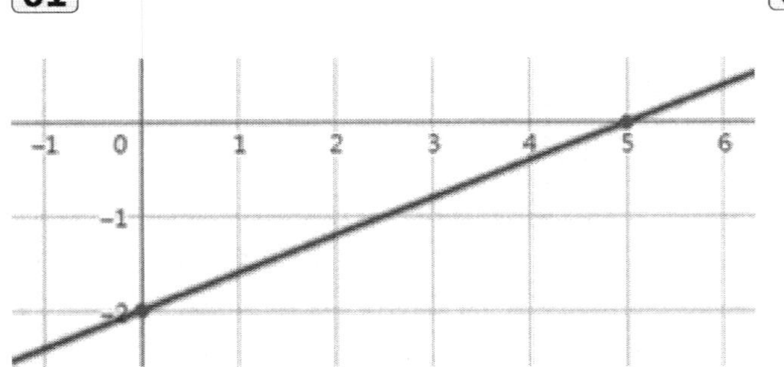

02

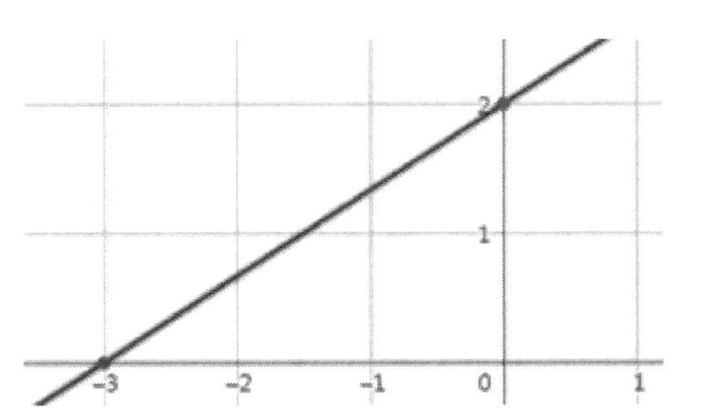

03

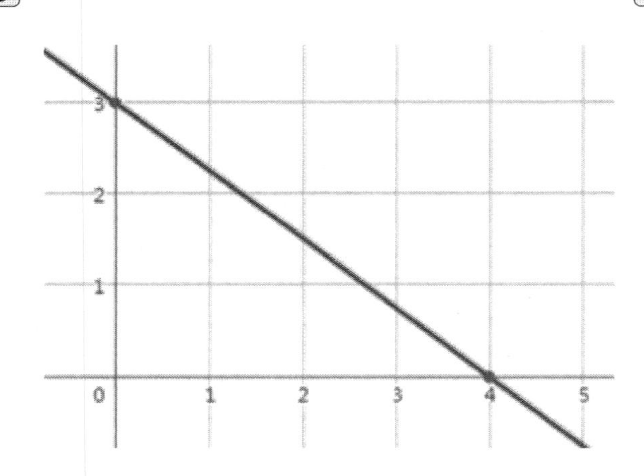

04

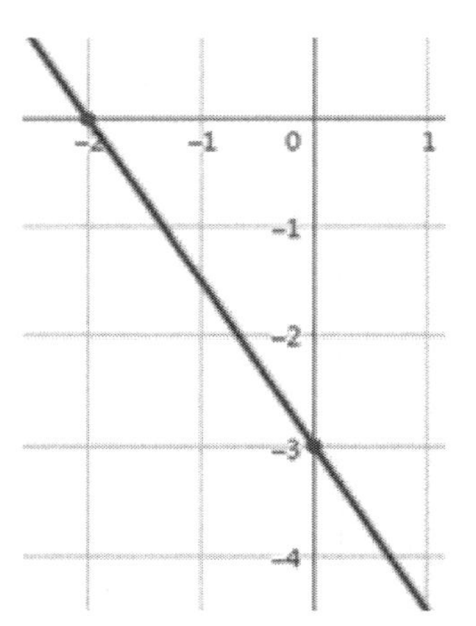

B. 다음 두 점 A, B를 지나는 일차함수의 식을 구하시오.

01

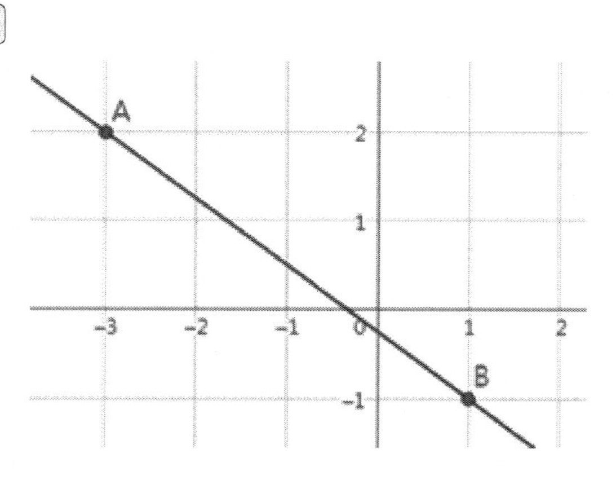

02

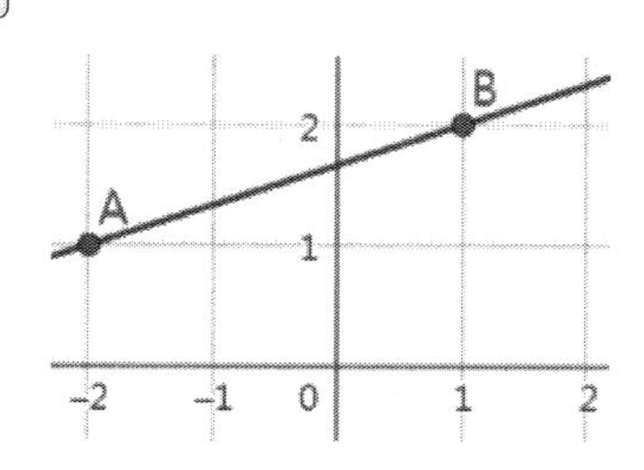

03

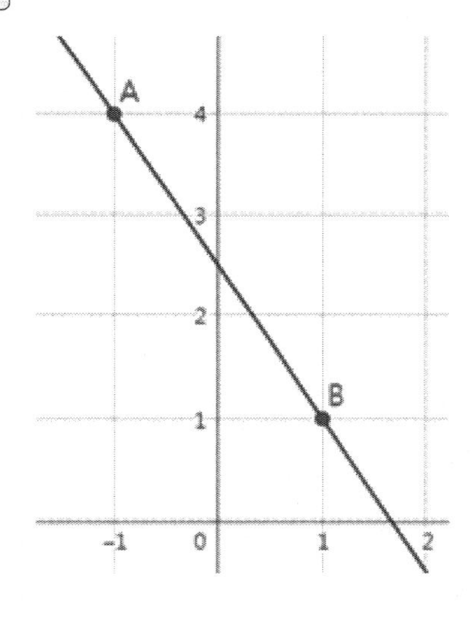

04

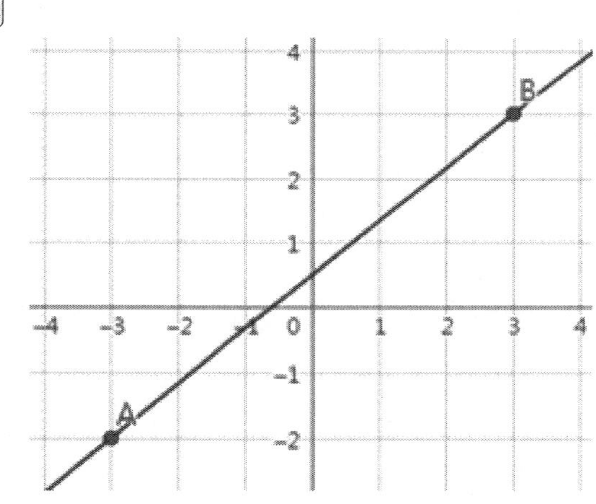

C. 다음 물음에 답하시오.

01 x의 값이 4증가할 때 y의 값이 3감소하고, x절편이 -3인 일차함수의 식을 구하시오.

02 일차함수 $y=2x-3$과 평행하고 점 $(-2,\ -3)$을 지나는 일차함수의 식을 구하시오.

03 x의 값이 1증가할 때 y의 값이 2증가하는 직선이 점 $(1,\ -2)$를 지날 때, 이 직선을 그래프로 하는 일차함수의 식을 구하시오.

04 일차함수 $y=\frac{2}{3}x+2$와 평행하고 $y=-2x+3$과 x축 위에서 만나는 일차함수의 식을 구하시오.

05 기울기가 3인 직선이 두 점 $(1,\ 5)$, $(3,\ k)$를 지날 때, 상수 k의 값을 구하시오.

06 기울기가 5이고 점 $(2,\ -3)$을 지나는 직선의 x절편과 y절편을 구하시오.

07 x절편이 2, y절편이 3인 직선이 점 $(4,\ n)$을 지난다. 상수 n의 값을 구하시오.

08 x절편이 3, y절편이 -4인 직선을 y축의 방향으로 2만큼 평행이동한 직선의 x절편을 구하시오.

09 기울기가 -2이고 y절편이 3인 직선이 점 $(2a+3,\ -3a+1)$을 지날 때, 상수 a의 값을 구하시오.

10 일차함수 $y=-\frac{3}{2}x+6$의 그래프가 두 점 $(3a-2,\ 0)$, $(0,\ 2b-2)$를 지날 때, 상수 a, b의 값을 구하시오.

11 일차함수 $y=-2x+b$의 x절편이 3일 때, 상수 b의 값을 구하시오.

12 두 점 $(-2,\ 1)$, $(1,\ 10)$을 지나는 직선을 y축의 방향으로 k만큼 평행이동하면 점 $(-3,\ 2)$를 지날 때, 상수 k의 값을 구하시오.

13 다음 그림과 같은 일차함수의 그래프가 점 $(3,\ b)$를 지날 때, 상수 b의 값을 구하시오.

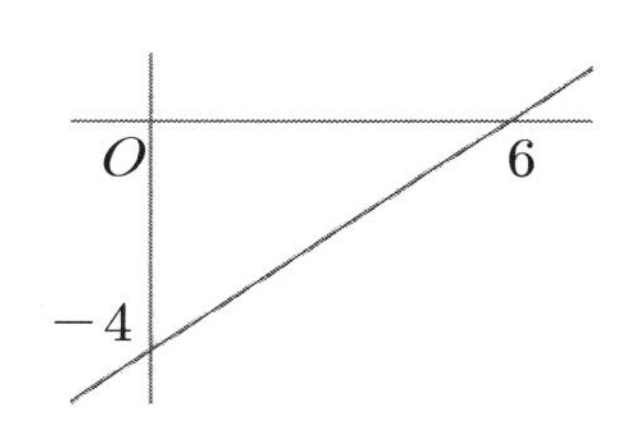

14 x절편이 2, y절편이 4인 직선을 y축의 방향으로 2만큼 평행이동한 직선의 x절편을 구하시오.

6]

일차함수의 그래프를 그리는 방법

6. 일차함수의 그래프를 그리는 방법

6.1 일차함수 그래프 그리는 방법 (1) - 임의의 두 점을 선택

함수의 식을 만족하는 점 2개를 선택하여 좌표평면에 찍은 후 직선을 긋는다. 그래프를 정확하게 그리려면 두 점 사이의 간격을 넓게 잡으면 된다.

[예] $y=2x-3$의 그래프를 그리시오.

풀이

$x=0$ 일 때, $y=-3$ 이므로 $(0,\ -3)$

$x=2$ 일 때, $y=1$ 이므로 $(2,\ 1)$을

찍은 후 두 점을 지나는 직선을 긋는다.

※ 다른 두 점을 선택하여 그래프를 그려도 된다. 일차함수를 만족하면 어떤 점이라도 상관없다.

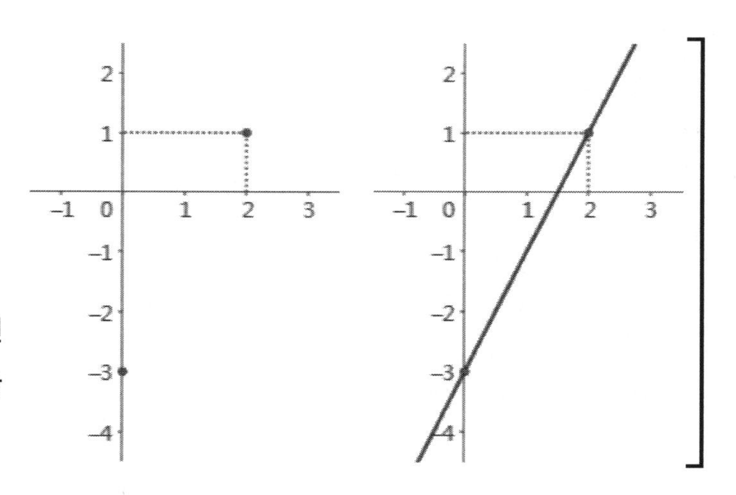

선택해야 하는 두 점 중에서 하나는 y절편에 해당하는 점을 선택하는 것이 좋다.
기울기가 분수인 경우 선택하고자 하는 점의 x좌표를 기울기의 분모의 배수(음수 포함)를 선택하면 지나는 점의 좌표를 구하기 쉽다.

[예] 일차함수 $y=-\frac{3}{2}x+2$의 그래프를 그리시오.

풀이

$x=0$ 일 때, $y=2$ 이므로 $(0,\ 2)$

$x=2$ 일 때, $y=-1$ 이므로 $(2,\ -1)$을

($x=2$는 기울기의 분모 2의 배수)

찍은 후 두 점을 지나는 직선을 그린다.

※ 다른 두 점을 선택해도 된다.

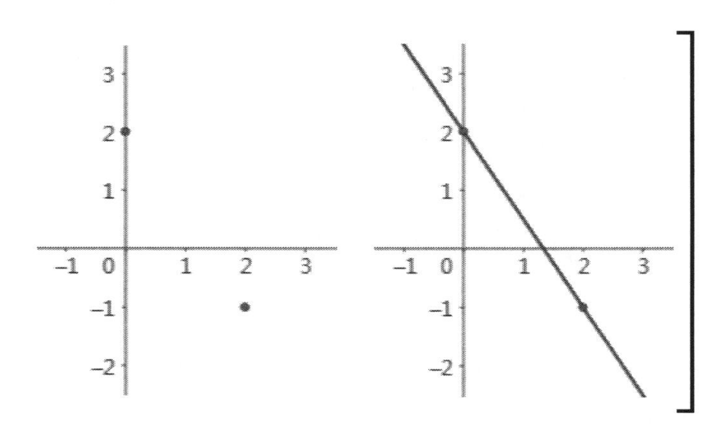

※ 기울기, y절편 모두 분수인 경우는 계산의 번거로움이 있으므로 사용하지 않는 것이 좋다.

6.2 일차함수 그래프 그리는 방법 (2) - x절편과 y절편을 선택

6.1 과 같은 방법으로 선택하는 두 점이 x절편과 y절편이다.

[예] 일차함수 $y=2x-3$의 그래프를 그리시오.

풀이

x절편, $y=0$을 대입하면

$0=2x-3$

$2x=3$

$\therefore\ x=\frac{3}{2}$이므로 x절편은 $\frac{3}{2}$

y절편은 -3이므로

$\left(\frac{3}{2},\ 0\right)$과 $(0,\ -3)$을 찍은 후 두 점을

지나는 직선을 그린다.

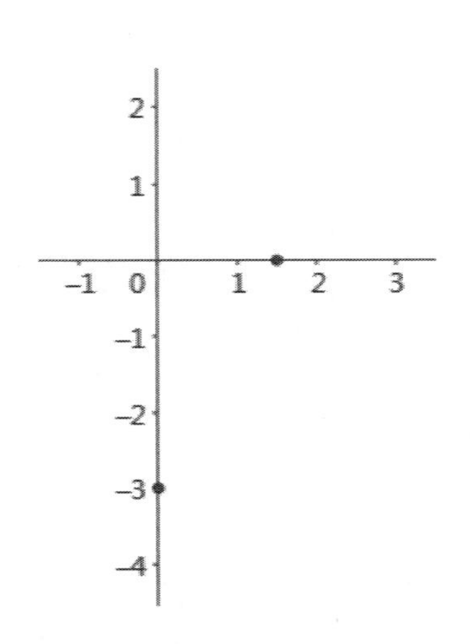

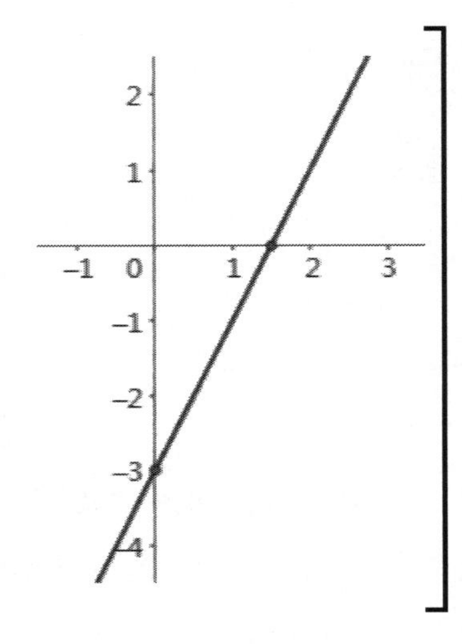

※ 일차함수의 그래프뿐만 아니라 좌표평면에 그래프나 도형을 그릴 때,

① 눈금의 간격이 일정하되

② 눈금 사이의 간격이 너무 좁거나 넓지 않도록 한다.

③ 눈금의 길이가 길면 그래프를 보는데 방해가 되므로 가급적 짧게 그리는 것이 좋다.

6.3 일차함수 그래프 그리는 방법 (3) - 기울기와 y절편을 이용

① 먼저 y절편을 찍는다.

② 기울기의 비율에 맞춰 두 번째 점을 찍은 후 두 점을 연결한다.

②에서 기울기가

(1) 정수이면 x의 값의 증가량을 1 (오른쪽으로 1만큼 이동)로 하고
y의 값의 증가량을 기울기만큼 이동한 다음 두 번째 점을 찍는다.

(2) 정수가 아니면 x의 값의 증가량을 기울기의 분모만큼 오른쪽으로 이동하고
y의 값의 증가량을 기울기의 분자(부호 포함)만큼 이동한 다음
두 번째 점을 찍는다.

[예] 일차함수 $y=2x-3$의 그래프를 그리시오.

풀이

① y절편이 -3이므로 $(0,\ -3)$에 점을 표시

② 기울기가 2이므로 정수, 따라서
x의 값의 증가량은 1 (오른쪽으로 1만큼 이동)
y의 값의 증가량은 기울기가 2이므로 위로 2
만큼 이동하여 두 번째 점을 표시

③ 두 점을 지나는 직선을 긋는다.

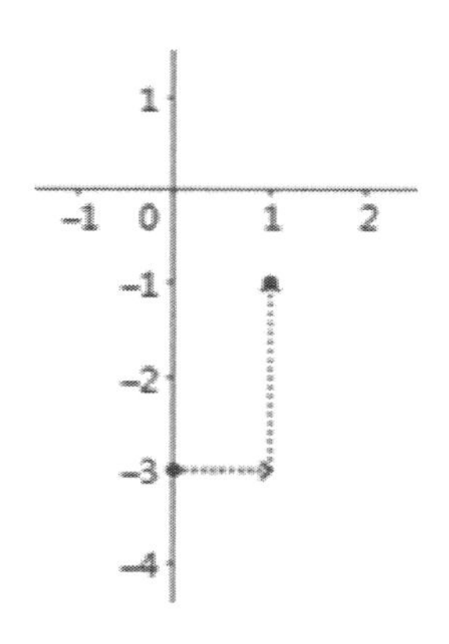

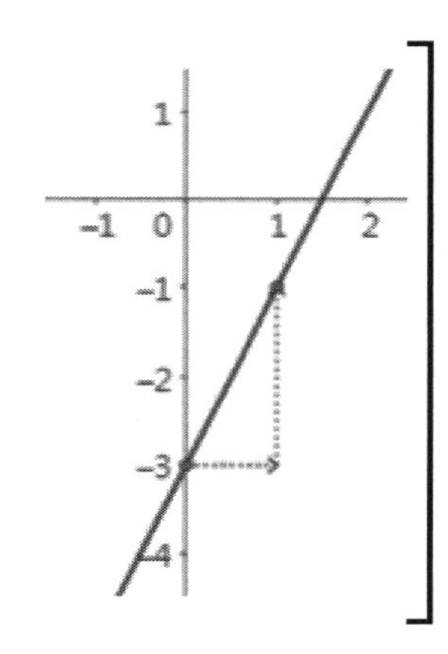

※ y절편이 양수면 x의 값의 증가량에 맞춰 왼쪽으로 이동할 수도 있다.

[예] $y=-\frac{3}{2}x+2$의 그래프를 그리시오.

풀이

① y절편이 2이므로 $(0,\ 2)$에 점을 표시

② 기울기가 $-\frac{3}{2}$이므로 정수가 아니다.

x의 값의 증가량은 기울기의 분모 2 (오른쪽으로 2만큼 이동),
y의 값의 증가량은 기울기의 분자가 -3(부호 포함)이므로 아래로 3만큼 이동하여 두 번째 점을 표시

③ 두 점을 지나는 직선을 긋는다.

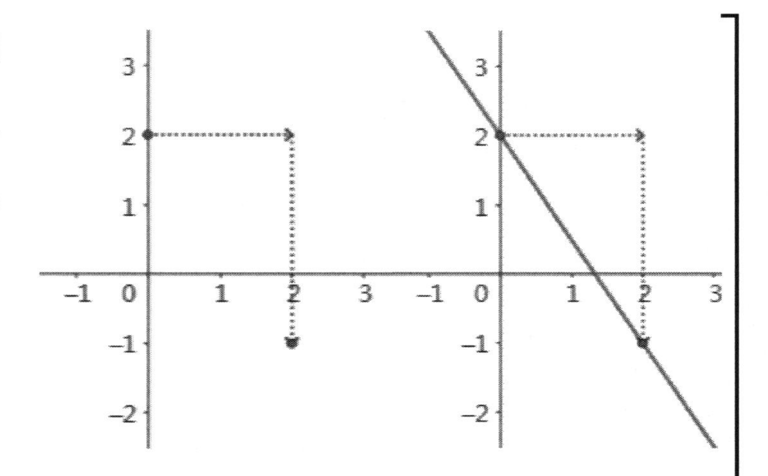

※ 점선과 화살표는 두 번째 점을 찍기 위한 과정일 뿐, 실제 그래프를 그릴 때에는 남기지 않는다.

6.4 일차함수 그래프 그리는 방법 (4) - 기울기와 y절편의 부호를 이용

앞의 세 경우는 좌표축에 눈금과 수를 기입하고 점을 찍은 다음 그래프를 그렸지만 이 방법은 순서가 다르다.

① y절편의 부호와 기울기의 절댓값의 크기와 부호를 확인 후 그래프를 그린다.

② y절편을 표시한다.

※ ① (y절편이 0이 아닌 경우) 그래프가 원점과 너무 가깝거나 멀리 떨어지지 않게 그린다.

※ 기울기의 절댓값이 1보다 큰지, 작은지, 같은지를 확인하여 x축과 이루는 예각을 각각 45° 보다 크게, 작게, 같게 그린다.

※ 앞의 경우들보다 그래프의 정확도는 떨어지지만 실전(문제)에서는 중요하지 않다.

[예] $y=2x-3$의 그래프를 그리시오.

풀이

① y절편의 부호가 음수이므로 함수의 그래프와의 교점은 x축의 아래를 지난다.
기울기는 2로 양수이므로 오른쪽 위로 향하는 직선이고, 절댓값이 1보다 크므로 그래프와 x축이 이루는 예각의 크기는 45° 보다 크게 그린다.
② y절편 -3을 좌표평면에 표시한다.

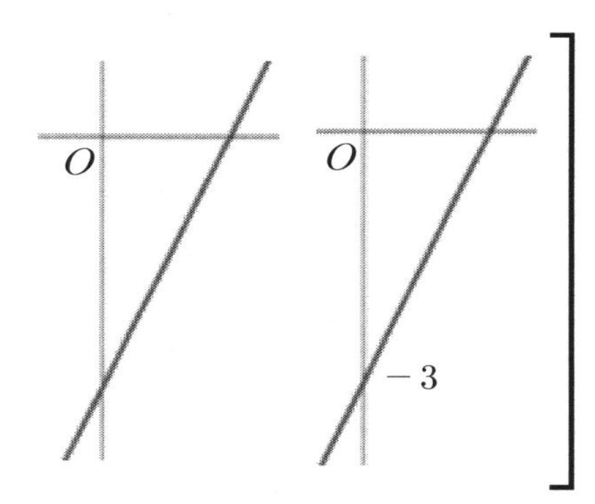

※ x절편은 문제를 풀 때 필요할 경우 표시한다.

※ 기울기가 2이므로 x축과 이루는 예각의 크기가 45° 보다 크면 되지만, x의 값의 증가량과 y의 값의 증가량의 절댓값 비를 대략 1 : 2 정도로 맞추면 좀 더 정확한 그래프를 그릴 수 있다. **절댓값 비**는 **'원점에서 x절편까지의 거리 : 원점에서 y절편까지의 거리'** 다.

※ 방법 (3), (4)가 실전에서 유용하게 사용되며 방법 (1), (2)와는 달리 지나는 점의 좌표를 구하기 위해 계산을 하지 않아도 된다.

일차함수의 그래프 그리는 방법을 배우고 연습할 때는 좌표축에 눈금을 표시하고 정확하게 그려야 하지만 그래프 그리는 것이 익숙하면(일차함수의 식을 보고 **'바로'** 그래프를 그릴 수 있는 정도) **6.3**, **6.4** 의 방법으로 그래프를 빨리 그리면 된다.

원점을 지나지 않는 직선의 경우, 그래프를 원점에 너무 가깝게 그리면 x절편, y절편을 표현하거나 넓이에 관한 문제 등에 있어 문제 이해하는데 불편함을 줄 수 있으므로 적당히 띄우는 것이 좋다.

좌표평면에 많은 눈금과 수를 기입하는 것은 그래프를 보는데 방해가 된다. **6.3**, **6.4**에서 제시하는 방법을 사용하면 필요 이상의 눈금과 수를 기입할 필요 없다.

※ $p.105$의 **08** 번의 그래프를 그릴 때, 적정 간격의 눈금을 유지하면서 그래프를 그리기에는 면적을 많이 차지하게 되므로 이 방법이 유용하다.

하나의 좌표평면에 2개 이상의 일차함수의 그래프를 그릴 때도 기울기와 y절편의 대소 관계를 비교하여 문제를 이해할 수 있을 정도로 그리면 된다.

[예] $y=3x+4$와 $y=2x+3$의 그래프를 같은 좌표평면에 그리기

① y절편이 4인 직선이 3인 직선보다 y축과의 교점이 원점에서 더 먼 곳을 지나도록 직선을 그린다.

② 기울기가 3과 2로 모두 1보다 크므로 x축과 이루는 예각의 크기를 45°보다 크게 그리되 기울기가 3인 직선의 각도를 더 크게 그린다.

③ y절편을 표시한다. 그래프를 구분하기 위해 추가로 두 일차함수의 식을 쓴다.

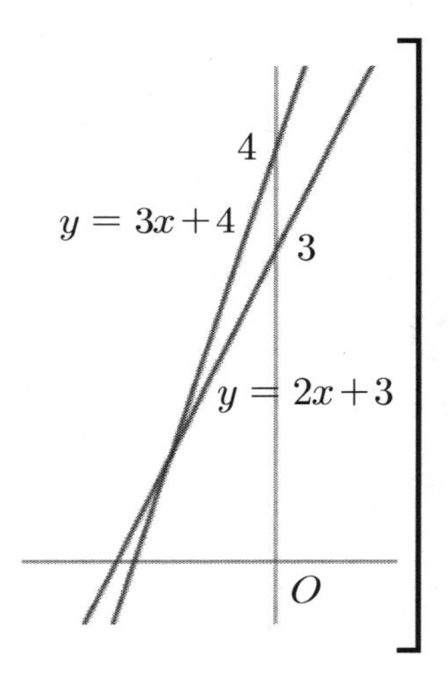

♣ 문제 연습 ♣ 직선이 주어진 선분과 만날 조건

이 문제는 **직선은 기울기와 y절편 중 하나의 값을 주고,**
다른 한 값을 미지수로 둔 다음 미지수의 범위를 구하도록 출제된다.

① 기울기가 주어지고, y절편의 범위를 구하는 문제
② y절편이 주어지고, 기울기의 범위를 구하는 문제

예제 01 일차함수 $y=\frac{1}{2}x+b$ 의 그래프가 두 점 $A(1,\ 5)$ $B(3,\ 1)$을 이은 선분 AB와 만나기 위한 상수 b의 범위를 구하시오.

풀이

기울기가 주어지고 y절편을 모르는 경우, y축의 방향으로의 평행이동을 통해 직선을 위아래로 움직여 선분과 만나는 범위를 확인한다. → **좌표평면에 주어진 상황을 표현**한 다음 **주어진 두 점 중 b가 최대, 최소가 되는 점을 대입하여 범위를 구한다.**

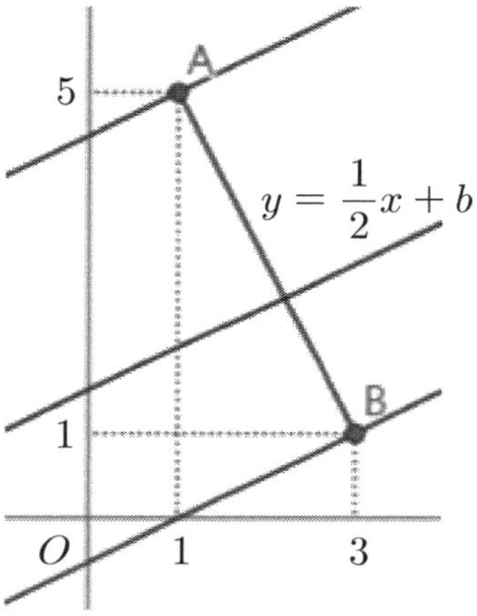

b는 y절편으로 오른쪽 그림에서처럼 $y=\frac{1}{2}x+b$의 그래프가 점 $A(1,\ 5)$를 지날 때 최대, 점 $B(3,\ 1)$을 지날 때 최소가 된다.

점 $A(1,\ 5)$ 대입, $5=\frac{1}{2}+b$ 이므로 $b=\frac{9}{2}$, 점 $B(3,\ 1)$ 대입, $1=\frac{3}{2}+b$ 이므로 $b=-\frac{1}{2}$

따라서 b의 범위는 $-\frac{1}{2}\le b\le\frac{9}{2}$

유제 01 일차함수 $y=-2x+b$ 의 그래프가 두 점 $A(-1,\ 1)$ $B(1,\ 5)$를 이은 선분 AB와 만나기 위한 상수 b의 범위를 구하시오.

예제 02 일차함수 $y=ax+1$의 그래프가 두 점 $A(2,\ -1)$, $B(5,\ 4)$를 이은 선분 AB와 만나기 위한 상수 a의 값의 범위를 구하시오.

※ **y절편이 주어지고 기울기를 모르는 경우, y절편을 중심으로 직선을 회전하여 선분과 만나는 범위를 확인한다. → 좌표평면에 주어진 상황을 표현한 다음 주어진 두 점 중 a가 최대, 최소가 되는 점을 대입하여 범위를 구한다.**

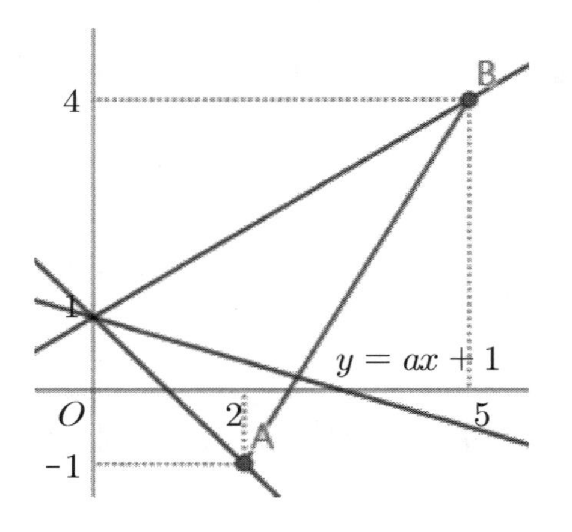

일차함수 $y=ax+1$의 그래프가 점 $(0,\ 1)$을 중심으로 회전하면서 점 $A(2,\ -1)$를 지날 때 기울기 a가 최소가 되고, 점 $B(5,\ 4)$를 지날 때 a가 최대가 된다.

풀이 01 ※ **덧셈을 통한 증가량을 이용하여 기울기를 구한다.**

a의 최솟값 : 두 점 $(0,\ 1)$, $A(2,\ -1)$을 지나는 직선의 기울기

→ x의 값이 2만큼 증가할 때 y의 값은 2만큼 감소하므로 $a=-1$

a의 최댓값 : 두 점 $(0,\ 1)$, $B(5,\ 4)$를 지나는 직선의 기울기

→ x의 값이 5만큼 증가할 때 y의 값은 3만큼 증가하므로 $a=\frac{3}{5}$

따라서 a의 범위는 $-1 \le a \le \frac{3}{5}$

풀이 02 ※ **지나는 점을 대입한다.**

a가 최소일 때, $y=ax+1$에 점 $A(2,\ -1)$을 대입 : $-1=2a+1 \quad \therefore a=-1$

a가 최대일 때, $y=ax+1$에 점 $B(5,\ 4)$를 대입 : $4=5a+1 \quad \therefore a=\frac{3}{5}$

따라서 a의 범위는 $-1 \le a \le \frac{3}{5}$

유제 02 일차함수 $y=ax-2$의 그래프가 두 점 $A(3,\ -1)$, $B(2,\ 5)$를 이은 선분 AB와 만나기 위한 상수 a의 값의 범위를 구하시오.

6.5 일차함수 그래프를 못 그리는 여러 이유들

① 좌표, 좌표평면을 정확하게 이해하지 못함

예) '점 (1, 2)를 지나는 직선을 하나 그린다.'고 할 때,

→ (1, 0), (0, 2)를 지나는 직선을 그린다.

② x축과 y축 각각 또는 두 축에서 눈금의 간격이 서로 다름.

③ 기울기의 의미를 모름

예를 들어 x절편과 y절편이 주어졌을 때 기울기를 물으면 '$\frac{y\text{절편}}{x\text{절편}}$' 이라고 한다.

x절편이 3이고 y절편이 2인 직선의 기울기는 $-\frac{2}{3}$인데 $\frac{2}{3}$ 라고 한다.

실제 좌표평면에 두 절편을 찍고 직선을 그으면 그래프가 오른쪽 아래로 내려가므로 기울기가 음수$\left(-\frac{2}{3}\right)$인 것을 알고 있어야 하지만 양수 $\left(\frac{2}{3}\right)$가 되어도 틀린 것을 알지 못한다.

연 습 문 제

해설과 풀이 p.186

A. 다음 일차함수의 그래프를 이 단원에서 제시된 4가지 방법으로 그리시오.

(①, ②, ③은 필요한 점을 찍고 그래프를 그리고 ④는 그래프를 그린 후 y절편을 표시하시오.)

01 $y=\frac{2}{3}x+3$

① ② ③ ④

02 $y=2x-1$

① ② ③ ④

03 $y=x+\frac{2}{3}$

① ② ③ ④

04 $y=\frac{3}{4}x-2$

① ② ③ ④

05 $y=3x+1$

① ② ③ ④

06 $y=2x$

① ② ③ ④

07 $y=-3x+4$

① ② ③ ④

08 $y=-\frac{1}{4}x+3$

① ② ③ ④

09 $y=3x-\frac{3}{2}$

① ② ③ ④

10 $y=-2x-1$

① ② ③ ④

11 $y=-3x$

① ② ③ ④

12 $y=-\frac{4}{3}x+2$

① ② ③ ④

13 $y=-x-\frac{3}{4}$

① ② ③ ④

14 $y=-\frac{1}{2}x$

① ② ③ ④

15 $y=-\frac{3}{4}x-1$

① ② ③ ④

16 $y=\frac{4}{3}x-2$

① ② ③ ④

17 $y=-4x+3$

① ② ③ ④

18 $y=\frac{2}{3}x$

① ② ③ ④

19 $y=-\frac{3}{2}x-1$

① ② ③ ④

20 $y=-2x+\frac{5}{2}$

① ② ③ ④

B. 다음 물음에 답하시오.

01 일차함수 $y=x+b$의 그래프가 두 점 $A(-2,\ 1)$ $B(2,\ -2)$를 이은 선분 AB와 만나기 위한 상수 b의 범위를 구하시오.

02 일차함수 $y=ax-2$의 그래프가 두 점 $A(3,\ -1)$, $B(1,\ 3)$을 이은 선분 AB와 만나기 위한 상수 a의 값의 범위를 구하시오.

03 직선 $y=ax+2$가 두 점 $A(1,\ 4)$, $B(5,\ 1)$을 이은 선분 AB와 만나도록 하는 상수 a의 값의 범위를 구하시오.

04 직선 $y=-\frac{2}{3}x+b$가 두 점 $A(-3,\ -1)$, $B(6,\ 2)$를 이은 선분 AB와 만나도록 하는 상수 b의 값의 범위를 구하시오.

7]

일차함수의 활용

7. 일차함수의 활용

일차함수의 활용 문제를 풀기 위해서는 다음을 생각한다.

① 일차함수이므로 '값이 일정하게 증가하거나 감소하는 것이 나온다.
일정하게 값이 증가하면 기울기는 양수, 일정하게 감소하면 기울기는 음수다.

② **기울기를 구하기 위해 기준을 1(분, 초, 개, 그램, 킬로그램, 리터 등)로 맞춘다.**
이 때 기울기의 부호에 유의한다.

[예] 3분에 15개를 만든다. → 1분에 5개를 만든다. → 기울기 5
10초에 30m를 걷는다. → 1초에 3m를 걷는다. → 기울기 3
5초마다 20g씩 줄어든다. → 1초에 4g씩 줄어든다. → 기울기 -4
2리터로 16km를 움직인다. → 1리터로 8km를 움직인다. → 기울기 8
※ 단위 생략

③ y절편을 구하기 위해 조건 1개가 주어지는데 보통 $x=0$의 값이 주어지므로
주어지는 조건의 값이 y절편인 경우가 일반적이다.

④ 일차함수의 식을 만들고 문제에서 묻는 답을 구한다.
(1) x의 값을 주고 y의 값을 구하는 경우
(2) y의 값을 주고 x의 값을 구하는 경우

위의 ①, ②, ③에 의해 식을 세우고 문제를 풀면 된다.

※ cm와 m, kg과 g 등 문제에 다른 단위가 다르면 하나로 일치시킨다.

만약 일차함수의 식을 구하지 못하겠으면 x와 y가 될 내용을 정하여 $y=ax+b$로 두고, 문제를 만족하는 2개의 조건을 만들어 연립방정식을 세워 풀면 된다. 이 때 2개의 조건은 문제를 푸는 사람마다 다를 수 있으므로 어떤 조건이 맞다, 틀리다고 할 수 없다. 다만 좀 더 간단하게 조건을 만들면 된다.

※ 미지수가 기울기 a와 y절편 b, 2개이므로 조건도 2개 있어야 한다.

예제 01 길이가 30cm인 양초에 불을 붙이면 5분마다 2cm씩 길이가 짧아진다. 불을 붙인 지 몇 분 후 양초의 길이가 20cm가 되겠는가?

풀이 01 [일반적인 풀이]

불을 붙인 후 지난 시간을 x분, 그 때 양초의 길이를 $y$$cm$라고 하자. $y = ax + b$

① 시간이 지날수록 양초의 길이가 짧아지므로 $a < 0$

② 5분마다 2cm 짧아지므로 1분마다 $\frac{2}{5}cm$ 짧아진다. $a = -\frac{2}{5}\ (cm)$

③ 처음 길이 ($x = 0$일 때) 가 30cm이므로 $b = 30\ (cm)$

따라서 $y = -\frac{2}{5}x + 30$

④ $y = 20$일 때, x의 값을 묻고 있으므로

$20 = -\frac{2}{5}x + 30,\quad \frac{2}{5}x = 10,\quad \therefore\ x = 25$ (분)

※ ③에서는 보통 a의 값이 정해진 상태이므로 $y = -\frac{2}{5}x + b$로 놓고 $x = 0$일 때, $y = 30$이므로 이를 대입하여 b를 구한다. → $30 = -\frac{2}{5} \times 0 + b$, $\therefore\ b = 30$, **따라서** $y = -\frac{2}{5}x + 30$

풀이 02 ※ 조건을 만듦

불을 붙인 후 지난 시간을 x분, 그 때 양초의 길이를 $y$$cm$라고 하자.

$y = ax + b$에서

(1) $x = 5$(분)일 때 양초는 2(cm) 짧아지므로 양초의 길이 $y = 28(cm)$

(2) $x = 10$(분)일 때 양초는 다시 2(cm) 짧아지므로 양초의 길이 $y = 26(cm)$

위 두 조건을 $y = ax + b$에 대입하면

$\begin{cases} 28 = 5a + b \\ 26 = 10a + b \end{cases}$ 연립방정식을 풀면

$a = -\frac{2}{5}$, $b = 30$이므로 $y = -\frac{2}{5}x + 30$

따라서 $y = 20$일 때 $20 = -\frac{2}{5}x + 30,\quad \frac{2}{5}x = 10,\quad \therefore\ x = 25$ (분)

풀이 03 [비례식을 이용]

양초의 길이가 20cm가 되는 것은 10cm 탔을 때이다. 불을 붙인 후 지난 시간을 x분이라고 하면 5(분) : 2 (cm) = x(분) : 10 (cm), $2x = 50$, $\therefore\ x = 25$ (분)

앞의 풀이 02 에서 $x = 0$일 때, $y = 30$이므로 $(0, 30)$을 이용하여 b의 값을 바로 구할 수 있으므로 풀이에서의 조건 2개 중 1개만 사용하면 된다.

앞의 '풀이 03 **[비례식을 이용]**' 한 풀이와 같이 비례식을 이용하기 위해서는 정비례 관계가 되어야 한다. 일차함수의 식에서 상수항(y절편)이 0이면 정비례 관계가 되지만 0이 아닌 경우가 대부분이므로 풀이와 같이 조건을 수정하여 적용한다.

일차함수의 활용문제는 문제의 내용이 상식 수준의 것이 대부분이므로 어렵게 생각하지 않는다면 함수의 식을 잘 세울 수 있다.

앞의 예제 01의 경우 초의 길이는

(1) 5분마다 $2cm$씩 길이가 짧아지고,

(2) $20cm$가 되려면 $10cm$가 짧아져야 하므로

(3) $2cm$씩 5번이면 된다.

(4) 따라서 5분씩 5번이면 25분이다.

문제 조건에 따라 표를 그려보면

시간 (분)	0	5	10	15	20	25	30	…
초의 길이 (cm)	30	28	26	24	22	20	18	…

연 습 문 제

해설과 풀이 p. 196

01 지면으로부터 100m 높아질 때마다 기온이 0.6$^\circ C$씩 내려간다. 지면의 온도가 25$^\circ C$일 때, 지면으로부터 5km 높이에서의 기온을 구하시오.

02 50L의 물이 들어있는 물통에서 3분에 6L의 비율로 물이 흘러 나간다. 물이 흘러 나간 지 몇 분 후에 물통에 물이 30L 남아있겠는가?

03 연료 5L로 40km를 가는 자동차가 60L의 연료를 실었다.

(1) 연료 32L로 달릴 수 있는 거리를 구하시오.

(2) 자동차가 432km를 달렸을 때, 남아 있는 연료의 양을 구하시오.

04 길이가 20cm인 용수철에 무게 10g의 추를 달 때마다 용수철의 길이가 3cm씩 늘어난다.

(1) 이 용수철에 무게 50g의 추를 달았을 때 용수철의 길이를 구하시오.

(2) 이 용수철에 몇 g의 추를 달면 용수철의 길이가 26cm가 되겠는가?

05 공기 중에 소리의 속력은 기온이 0$^\circ C$일 때 초속 331m이고, 기온이 3$^\circ C$올라갈 때마다 소리의 속력은 초속 1.8m씩 증가한다고 한다.

(1) 기온이 20$^\circ C$일 때, 소리의 속력은 초속 몇 m인가?

(2) 소리의 속력이 초속 340m일 때, 기온은 몇 $^\circ C$인가?

06 $20L$의 물이 들어있는 수조에 5분마다 $30L$의 물이 들어간다. x분 후 수조에 들어있는 물의 양을 yL라고 할 때, 몇 분 후 수조에 들어 있는 물의 양이 $62L$가 되겠는가?

07 $35L$의 물이 들어있는 수조에 3분마다 $12L$의 물이 들어가고, 4분마다 $8L$의 물이 빠져나간다. x분 후 수조에 들어있는 물의 양을 yL라고 할 때, 10분 후 수조에 들어있는 물의 양을 구하시오.

08 초속 $3m$의 일정한 속력으로 올라가는 엘리베이터가 $16m$ 높이에 멈춰 있다. 엘리베이터가 출발한지 x초 후의 엘리베이터의 높이를 $y\,m$라 할 때, 엘리베이터가 지면으로부터 $52m$ 높이에 도달하는데 걸리는 시간을 구하시오. (단, 엘리베이터는 중간에 멈추지 않는다.)

09 오른쪽 그래프는 길이가 $25cm$인 초에 불을 붙인 후 x분 후에 남은 초의 길이를 $y\,cm$라고 할 때, x와 y 사이의 관계를 나타낸 것이다.

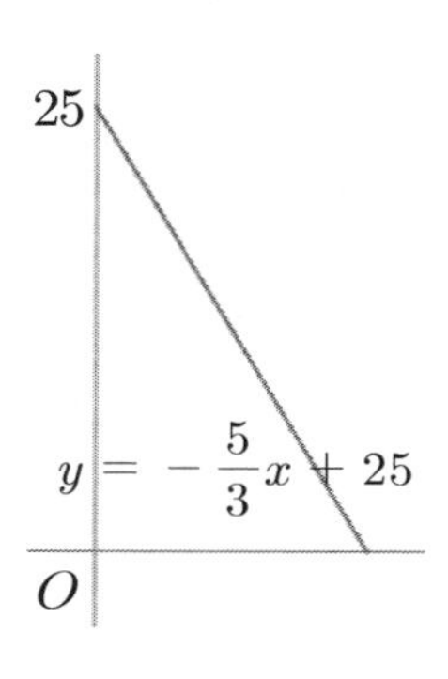

(1) 불을 붙인지 9분 후의 초의 길이를 구하시오.

(2) 불을 붙인지 몇 분 후 초가 다 타는지 구하시오.

10 물이 들어 있는 원기둥 모양의 수조에 일정한 속력으로 물을 넣고 있다. 물을 넣기 시작한 후 5초 후의 물의 높이는 $20cm$이고, 8초 후의 물의 높이는 $29cm$이다. 물을 넣기 시작한 후 20초 후의 물의 높이를 구하시오.

11 빵 5개를 만드는데 사용되는 밀가루의 양이 $120g$이다. $540g$의 밀가루로 x개의 빵을 만드는데 남은 밀가루의 양을 yg이라고 할 때,

(1) x와 y의 관계식을 나타내시오.

(2) 16개의 빵을 만든 후 남은 밀가루의 양을 구하시오.

(3) 만들 수 있는 빵의 최대 개수를 구하시오.

12 비커에 물을 데우면 물의 온도가 3분마다 $10^{\circ}C$가 올라간다. $25^{\circ}C$의 물을 $75^{\circ}C$까지 데우는데 걸리는 시간을 구하시오.

13 초롱과 소담은 $900m$ 떨어진 지점에서 동시에 출발하여 초롱은 분속 $40m$, 소담은 분속 $20m$의 속력으로 상대방을 향해 걸어가고 있다. 출발한지 x분 후의 두 사람 사이의 거리를 $y\,m$라고 할 때,

(1) 출발한지 9분 후 두 사람 사이의 거리를 구하시오.

(2) 출발한지 몇 분 후에 두 사람이 만나게 되는지 구하시오.

(3) 두 사람이 만났을 때, 초롱과 소담이 걸은 거리는 각각 몇 m인지 구하시오.

14 물이 가득 들어있는 수조에서 일정한 속도를 물을 빼기 시작한 뒤 10분 후와 15분 후의 물의 높이를 재었더니 각각 $60cm$, $45cm$이다. 물이 모두 빨 때까지 걸리는 시간을 구하시오. (단, 수조의 단면적은 일정하다.)

15 오른쪽 그림과 같이 가로의 길이가 $16cm$, 세로의 길이가 $12cm$인 직사각형 $ABCD$에서 점 P가 점 B를 출발하여 점 C까지 매초 $2cm$의 속력으로 점 C까지 움직이고 있다. 점P가 출발한 지 x초 후의 $\triangle ABP$의 넓이를 ycm^2 라고 할 때,

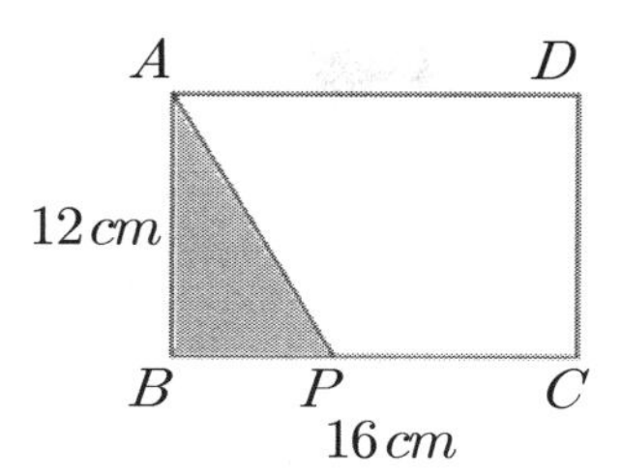

(1) 점 P가 점 B를 출발한지 5초 후의 $\triangle ABP$의 넓이를 구하시오.

(2) $\triangle ABP$의 넓이가 $78cm^2$가 되는 것은 점 P가 점 B를 출발한지 몇 초 후인지 구하시오.

16

오른쪽 그림과 같이 점 P는 점 B를 출발하여 점 C까지 매초 $2cm$의 속력으로 움직이고 있다. $\overline{AB}=6cm$, $\overline{BC}=12cm$, $\overline{CD}=10cm$에 대하여 $\triangle ABP$와 $\triangle DPC$의 넓이의 합이 $40cm^2$가 되는 것은 점 P가 점 B를 출발한지 몇 초 후인지 구하시오.
(단, $\angle ABP=\angle PCD=90°$)

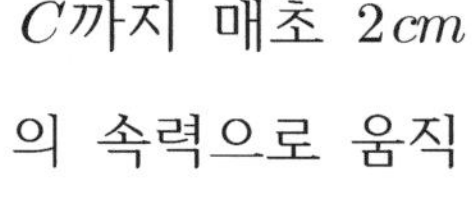

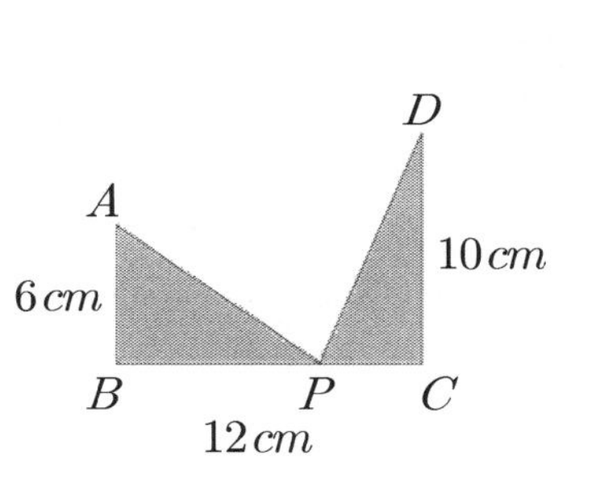

17 오른쪽 그림과 같이 가로의 길이가 $24cm$, 세로의 길이가 $20cm$인 직사각형 $ABCD$에서 점 P가 점 A를 출발하여 점 D까지 매초 $3cm$의 속력으로 움직이고 있다. 점 P가 점 A를 출발한지 x초 후의 $\square PBCD$의 넓이를 ycm^2라고 할 때,

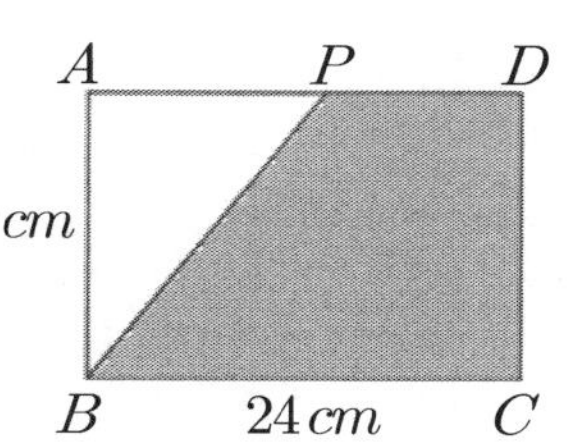

(1) 점 P가 점 A를 출발한지 5초 후의 $\square PBCD$의 넓이를 구하시오.

(2) $\square PBCD$의 넓이가 $150cm^2$가 되는 것은 점 P가 점 A를 출발한지 몇 초 후인지 구하시오.

8]

일차함수와 일차방정식

8. 일차함수와 일차방정식

8.1 x 또는 y에 대한 일차방정식

x 또는 y에 대한 일차방정식은 다음과 같이 3가지가 있다. (단, a, b, c는 상수, $a \neq 0$, $b \neq 0$)

① $ax+by+c=0$

② $ax+c=0$

③ $by+c=0$

① $ax+by+c=0$ 을 y에 관하여 정리하면

$by=-ax-c$

$\therefore\ y=-\frac{a}{b}x-\frac{c}{b}$ 이므로 기울기 $-\frac{a}{b}$, y절편 $-\frac{c}{b}$인 **일차함수와 같은 직선**이다.

※ $c=0$이면 정비례 관계다.

[예] 일차방정식 $2x-3y+6=0$이 나타내는 그래프의 기울기, x절편, y절편을 구하시오.

풀이

[$2x-3y+6=0$에서 $y=\frac{2}{3}x+2$이므로 기울기는 $\frac{2}{3}$, y절편은 2이다.

$y=0$을 대입하면 $2x+6=0$에서 $x=-3$이므로 x절편은 -3이다.]

[예] 일차방정식 $3x-4y+b=0$의 그래프가 점 (2, 3)을 지날 때, 상수 b의 값을 구하시오.

풀이

[$3x-4y+b=0$에 $x=2$, $y=3$을 대입하면 $6-12+b=0$, $\therefore\ b=6$]

※ 기울기와 y절편을 잘못 생각하는 경우

일차함수 $y = 2x - 1$ 의 기울기는 2, y절편은 -1이다.

일차방정식 $2x + 3y - 1 = 0$의 기울기를 2, y절편을 -1이라고 이야기한다면 단순히 '기울기는 x의 계수', 'y절편은 상수항'이라는 생각하기 때문이다. '$y =$ ' 꼴로 고쳤을 때 우변의 x의 계수가 기울기, 상수항이 y절편이다.

$2x + 3y - 1 = 0$에서 $3y = -2x + 1$, $\therefore\ y = -\frac{2}{3}x + \frac{1}{3}$

따라서 기울기는 $-\frac{2}{3}$, y절편은 $\frac{1}{3}$ 이다.

② $ax + c = 0$ 은

$x = -\frac{c}{a}$ 와 같이 나타낼 수 있다. 이 방정식에는 y가 없다. y가 없다는 것은

'y는 어떤 값이든 다 가질 수 있다.' → 'y는 모든 수를 다 갖는다.'

즉 $\left(-\frac{c}{a},\ -2.1\right)$, $\left(-\frac{c}{a},\ 0\right)$, $\left(-\frac{c}{a},\ 9\right)$, $\cdots$ 등 **x좌표만 $-\frac{c}{a}$** 이면 된다. 이를 좌표평면에 나타내면 다음과 같다. 점을 몇 개 찍어 연결한다.

(1) $c \neq 0$ 일 때 (예 : $x = 3$)

점 (3, 0)을 지나고
y축에 평행한 직선 또는
x축에 수직인 직선
이다.

※ $x = 3$에 대해 y는 모든 값을 가지므로 함수가 아니다.

(2) $c = 0$ 일 때, 즉 $x = 0$

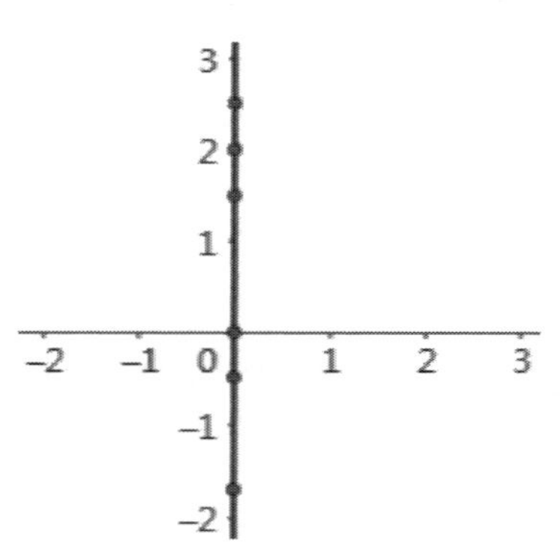

※ 특히 (2) $x = 0$은 y축이다. 즉 '**y축을 방정식으로 나타내면 $x = 0$**'이다.

[예] 점 (1, -2)를 지나고 y축에 평행한 직선의 방정식을 구하시오. $x = 1$

[예] 점 (3, 2)를 지나고 x축에 수직인 직선의 방정식을 구하시오. $x = 3$

[예] 두 점 (2, -3), (2, 5)를 지나는 직선의 방정식을 구하시오. $x = 2$

③ $by+c=0$ 은

$y=-\frac{c}{b}$ 와 같이 나타낼 수 있다.

이 방정식에는 x가 없다. ②와 마찬가지로 x가 없다는 것은

'x는 어떤 값이든 다 가질 수 있다.' → 'x는 모두 수를 다 갖는다.'

즉 $\left(-5,\ -\frac{c}{b}\right)$, $\left(0,\ -\frac{c}{b}\right)$, $\left(2.8,\ -\frac{c}{b}\right)$, ⋯ 등 **$y$좌표만 $-\frac{c}{b}$** 이면 된다. 이를 좌표평면에 나타내면 다음과 같다. 점을 몇 개 찍어 연결한다.

(1) $c \neq 0$ 일 때 (예 : $y=2$)

점 (0, 2)을 지나고

x축에 평행한 직선 또는

y축에 수직인 직선

이다.

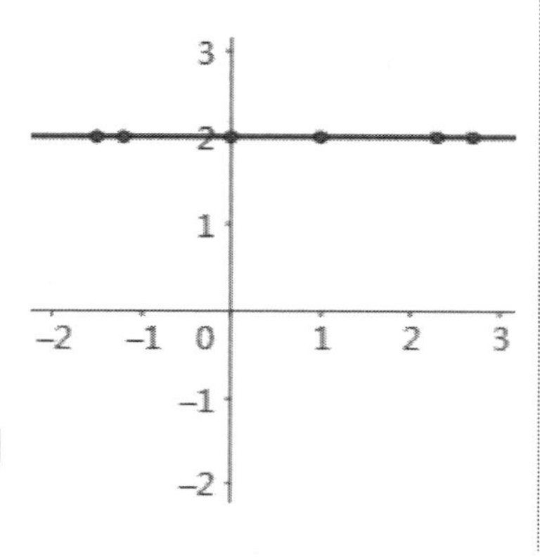

※ 모든 x에 대해 $y=2$, 하나의 값을 가지므로 함수지만 일차함수는 아니다. (고등과정에서 '상수함수'라고 한다.)

(2) $c=0$ 일 때, 즉 $y=0$

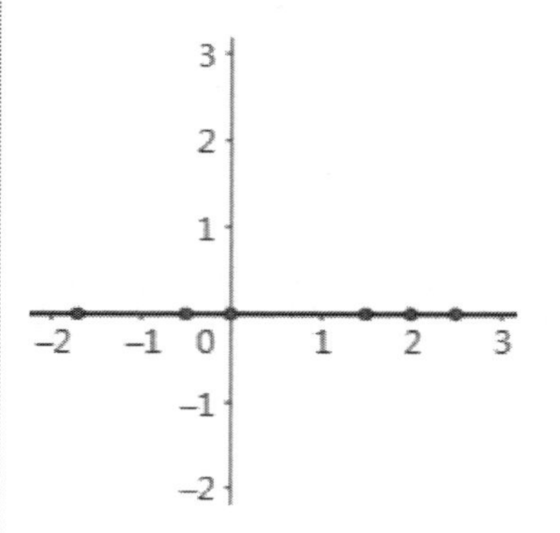

※ 특히 (2) $y=0$은 x축이다. 즉 '**x축을 방정식으로 나타내면 $y=0$**' 이다.

[예] 점 (1, −2)를 지나고 x축에 평행한 직선의 방정식을 구하시오. $y=-2$

[예] 점 (3, 2)를 지나고 y축에 수직인 직선의 방정식을 구하시오. $y=2$

[예] 두 점 (2, 3), (−1, 3)를 지나는 직선의 방정식을 구하시오. $y=3$

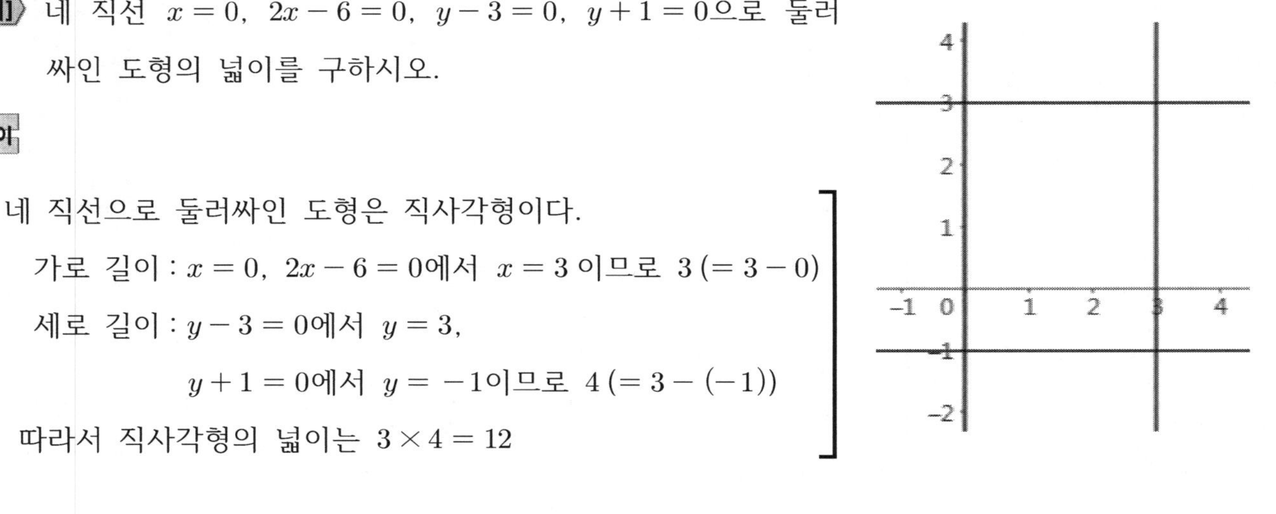

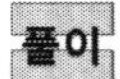 네 직선 $x=0$, $2x-6=0$, $y-3=0$, $y+1=0$으로 둘러싸인 도형의 넓이를 구하시오.

풀이

네 직선으로 둘러싸인 도형은 직사각형이다.

가로 길이 : $x=0$, $2x-6=0$에서 $x=3$ 이므로 $3\,(=3-0)$

세로 길이 : $y-3=0$에서 $y=3$,

$y+1=0$에서 $y=-1$이므로 $4\,(=3-(-1))$

따라서 직사각형의 넓이는 $3\times 4=12$

x 또는 y에 관한 3가지 일차방정식

① $ax+by+c=0$, ② $ax+c=0$, ③ $by+c=0$ (단, a, b, c는 상수, $a\neq 0$, $b\neq 0$)

모두 직선을 나타내므로 이들을 직선의 방정식이라고 한다.

※ ① $ax+by+c=0$은 일차함수 $y=-\dfrac{a}{b}x-\dfrac{c}{b}$ 꼴로 나타낼 수 있으므로

일차함수는 직선의 방정식에 포함된다.

연 습 문 제

해설과 풀이 p.199

01 일차방정식 $ax+3y-b=0$의 그래프가 일차함수 $y=\frac{2}{3}x-2$의 그래프와 같을 때, 상수 a, b의 값을 구하시오.

02 일차방정식 $ax+(3b+1)y+4=0$의 기울기가 $\frac{3}{2}$, y절편이 2일 때, 상수 a, b의 값을 구하시오.

03 일차방정식 $ax+by+12=0$의 그래프가 다음과 같을 때, 상수 a, b에 대하여 $a+b$의 값을 구하시오.

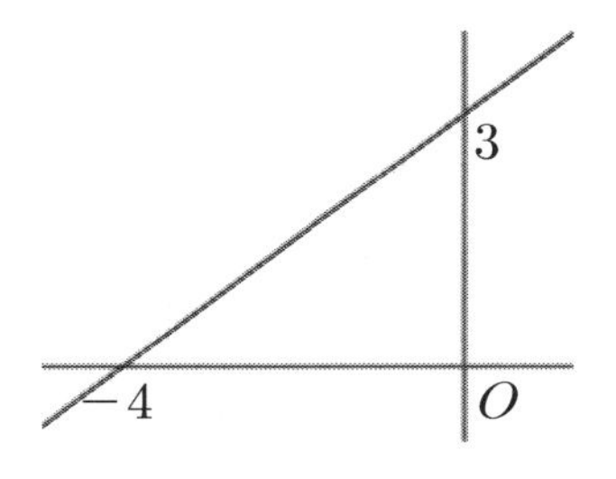

04 일차방정식 $4x-ay=1$의 그래프가 두 점 $(1,\ 3)$, $(-2,\ b)$를 지날 때, 상수 a, b의 값을 구하시오.

05 두 점 $(-3,\ n+2)$, $(1,\ -2n+8)$을 지나는 직선이 x축에 평행할 때, 상수 n의 값을 구하시오.

06 네 직선 $-3x+6=0$, $x+3=0$, $y=1$, $y-5=0$으로 둘러싸인 도형의 넓이를 구하시오.

07 네 직선 $x=-1$, $x=3$, $y-2=0$, $y-m=0$으로 둘러싸인 도형의 넓이가 12일 때, 양수 m의 값을 구하시오.

08 네 직선 $x=-a$, $x=2a$, $y=-1$, $y=4$로 둘러싸인 도형의 넓이가 30일 때, 양수 a의 값을 구하시오.

09 일차방정식 $ax+by+12=0$의 그래프가 오른쪽 그림과 같을 때, $a-2b$의 값을 구하시오.

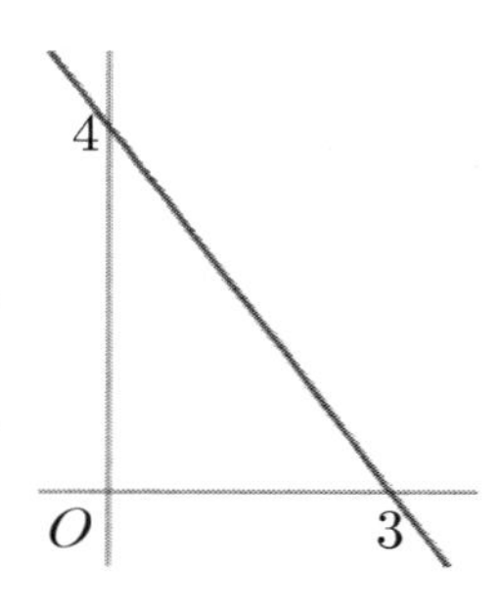

10 일차방정식 $ax+by+c=0$의 그래프가 다음과 같을 때, 일차방정식 $cx-ay+b=0$의 그래프의 개형을 그리시오.

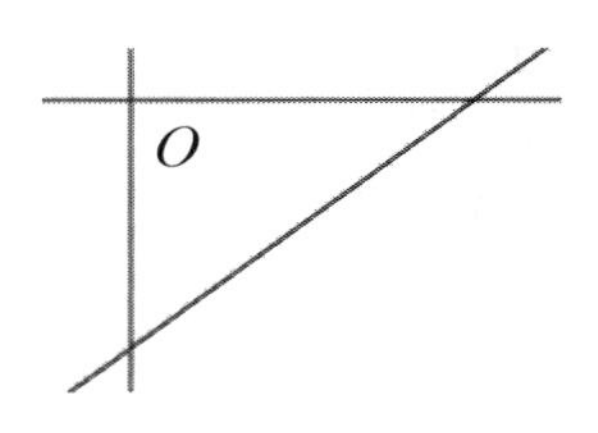

11 일차방정식 $2x-5y+10=0$의 그래프를 그리시오.

12 일차함수 $y=3x+2$ 위의 점 $(2, b)$를 지나고, x축에 평행한 직선의 방정식을 구하시오.

13 두 직선 $x+y+1=0$, $2x+3y=0$의 교점을 지나고 y축에 평행한 직선의 방정식을 구하시오.

14 두 점 $(2a+1,\ 3)$, $(-a+4,\ 5)$를 지나는 직선이 x축에 수직일 때, 상수 a의 값을 구하시오.

15 일차방정식 $2x+my+n=0$의 그래프가 두 점 $(2,\ 3)$, $(5,\ -6)$을 지날 때, 이 그래프의 기울기, x절편, y절편을 구하시오.

16 일차방정식 $-2x+3y-a=0$의 그래프가 점 $(-1,\ 3)$을 지날 때, 상수 a의 값을 구하시오.

17 일차방정식 $5x+ay-6=0$의 그래프가 점 $(3,\ -3)$을 지날 때, 이 그래프의 기울기와 y절편을 구하시오.

18 일차방정식 $3x+4y-5=0$의 그래프와 평행하고 점 $(-3,\ 3)$을 지나는 직선의 방정식을 구하시오.

8.2 연립방정식의 해와 일차함수의 그래프

앞에서 일차방정식을 그래프로 나타낼 수 있음을 알았다. 이를 통해 연립방정식의 해와 그래프의 관계에 대한 내용을 배운다.

대부분의 문제들이 3가지 일차방정식의 경우 중 일차함수의 꼴로 변형되는 ① $ax+by+c=0$ (단, a, b, c는 상수, $a \neq 0$, $b \neq 0$)에 관한 것이다.

x와 y의 조건이 주어지지 않는 이상

미지수가 2개인 일차방정식 $ax+by+c=0$ $(a \neq 0,\ b \neq 0)$의 해는 무수히 많다. 마찬가지로

일차방정식 $a'x+b'y+c'=0$ $(a' \neq 0,\ b' \neq 0)$의 해도 무수히 많다.

※ 2개의 일차방정식을 만족하는 각각의 해를 좌표평면에 나타내면 직선이 된다.
직선 위의 모든 점은 각각의 일차방정식을 만족하는 해이다.

연립방정식 $\begin{cases} ax+by+c=0 \\ a'x+b'y+c'=0 \end{cases}$의 해는 두 일차방정식이 공통으로 갖는 해로 다음과 같이 3가지 경우가 있음을 (연립방정식에서) 배웠다.

① 한 쌍의 해를 가짐

② 무수히 많은 해를 가짐 (해가 특수한 경우)

③ 해가 없음 (해가 특수한 경우)

위의 **3가지 경우에 대해 두 일차방정식의 그래프는 어떤 관계가 있는지** 알아본다.

① 연립방정식 $\begin{cases} 2x+y=4 \\ x-y=-1 \end{cases}$ 의 해는 $x=1,\ y=2$ 이다.

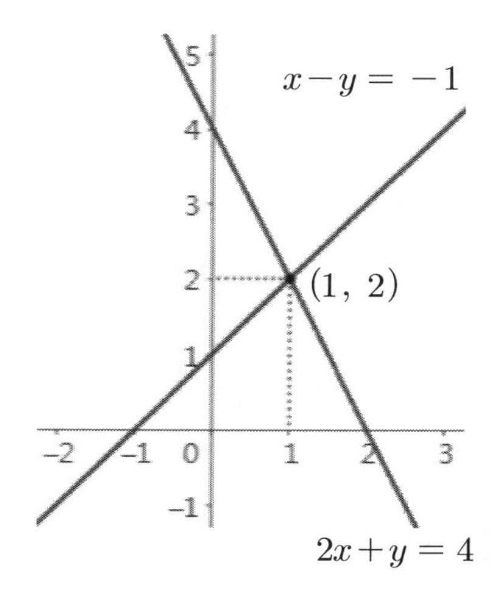

일차방정식 $2x+y=4$의 그래프는 방정식을 만족하는 모든 해의 순서쌍을 좌표평면에 나타낸 것이고, 그 중에서 점 (1, 2)를 지난다.

일차방정식 $x-y=-1$의 그래프는 방정식을 만족하는 모든 해의 순서쌍을 좌표평면에 나타낸 것이고, 그 중에서 점 (1, 2)를 지난다.

즉 **미지수가 2개인 일차연립방정식의 해의 순서쌍은 두 일차방정식의 그래프의 교점의 좌표와 같다.**

→ **연립일차방정식의 해가 $x=m,\ y=n$이면 두 그래프의 교점의 좌표는 $(m,\ n)$이다.**

※ **두 일차함수의 그래프가 한 점에서 만나기 위해서는 두 직선의 기울기가 다르면 된다.**

※ **방정식 문제를 그래프로 해석하고 풀이하는 것은 고등 과정에서 매우 중요하다.**

예제 01 오른쪽 그래프를 보고 다음 연립방정식을 푸시오.

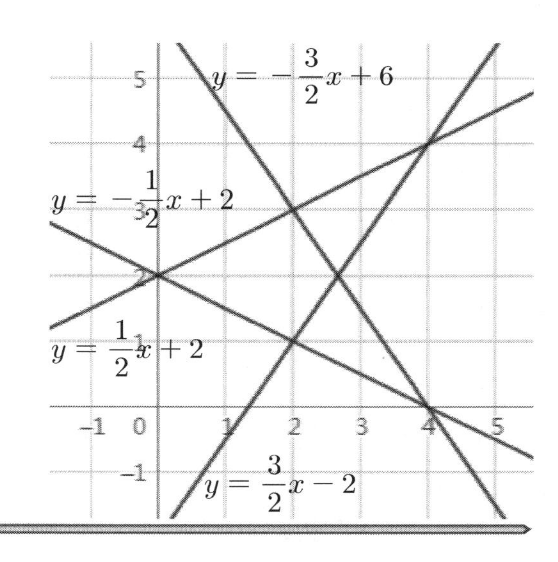

(1) $\begin{cases} x-2y+4=0 \\ 3x-2y-4=0 \end{cases}$ (2) $\begin{cases} 3x+2y-12=0 \\ x-2y+4=0 \end{cases}$

(3) $\begin{cases} x+2y-4=0 \\ 3x-2y-4=0 \end{cases}$ (4) $\begin{cases} 3x+2y-12=0 \\ x+2y-4=0 \end{cases}$

풀이

일차방정식 $x-2y+4=0$의 그래프는 일차함수 $y=\frac{1}{2}x+2$의 그래프와 같고,

일차방정식 $x+2y-4=0$은 일차함수 $y=-\frac{1}{2}x+2$, 일차방정식 $3x-2y-4=0$은 일차

함수 $y=\frac{3}{2}x-2$, 일차방정식 $3x+2y-12=0$은 일차함수 $y=-\frac{3}{2}x+6$과 같다. 따라서

(1)의 두 일차방정식의 그래프는 점 $(4,\ 4)$에서 만나므로 해는 $x=4,\ y=4$

(2)의 두 일차방정식의 그래프는 점 $(2,\ 3)$에서 만나므로 해는 $x=2,\ y=3$

(3)의 두 일차방정식의 그래프는 점 $(2,\ 1)$에서 만나므로 해는 $x=2,\ y=1$

(4)의 두 일차방정식의 그래프는 점 $(4,\ 0)$에서 만나므로 해는 $x=4,\ y=0$이다.

예제 02 연립방정식의 풀이를 이용하여 다음 두 일차함수의 그래프의 교점의 좌표를 구하시오.

$y=3x-2,\ y=-2x+8$

풀이

연립방정식 $\begin{cases} y=3x-2 \\ y=-2x+8 \end{cases}$을 풀면 $x=2,\ y=4$이므로 교점의 좌표는 $(2,\ 4)$

유제 연립방정식의 풀이를 이용하여 다음 두 일차함수의 그래프의 교점의 좌표를 구하시오.

$y=-x+3,\ y=x-5$

② 연립방정식 $\begin{cases} 2x-3y=6 \\ 4x-6y=5 \end{cases}$ 의 해는 없다.

두 일차방정식의 그래프는 평행하므로 교점이 없다.

따라서 연립방정식의 해가 없다.

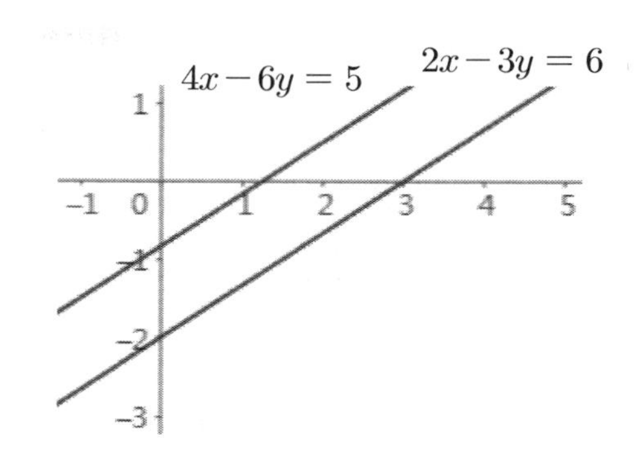

'두 일차방정식의 그래프가 평행하기 위해서는 기울기는 같고, y절편은 다르다.'

※ 평면에서의 두 직선의 위치 관계는

① 한 점에서 만남 ② 평행 ③ 일치

3가지 중 하나에 해당한다. 각각에 대해 교점의 개수는

① 1개 ② 0개 ③ 무수히 많음

이고, ③에 대해 '2개 이상의 교점을 갖는다.' 등의 표현을 사용하기도 한다.

→ 두 직선이 2개 이상의 교점을 갖는다는 것은 일치한다는 것이다.

예제 01 일차함수의 그래프를 이용하여 다음 연립방정식을 푸시오.

$\begin{cases} 4x-2y+3=0 \\ 8x-4y-5=0 \end{cases}$

풀이

주어진 각각의 방정식을 y를 x에 관한 식으로 나타내면

$4x-2y+3=0$은 $y=2x+\frac{3}{2}$

$8x-4y-5=0$은 $y=2x-\frac{5}{4}$

이므로 두 방정식의 그래프는 서로 평행하다.

따라서 연립방정식의 해는 없다.

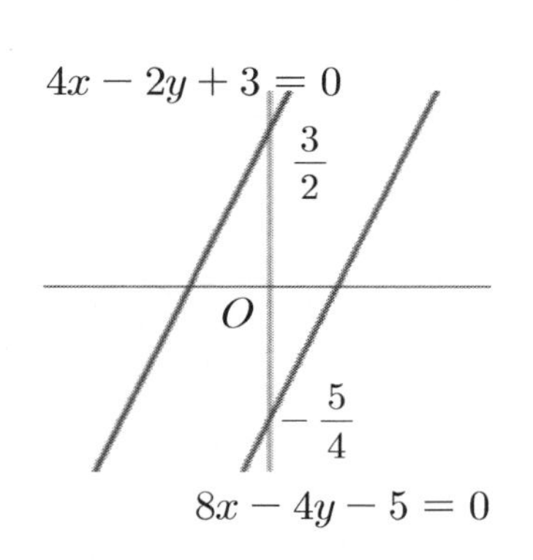

③ 연립방정식 $\begin{cases} x-2y=4 \\ 3x-6y=12 \end{cases}$ 의 해는 무수히 많다.

일차방정식 $3x-6y=12$의 양변을 3으로 나누면

$x-2y=4$이므로 두 일차방정식은 같다.

따라서 그래프도 같다(일치한다).

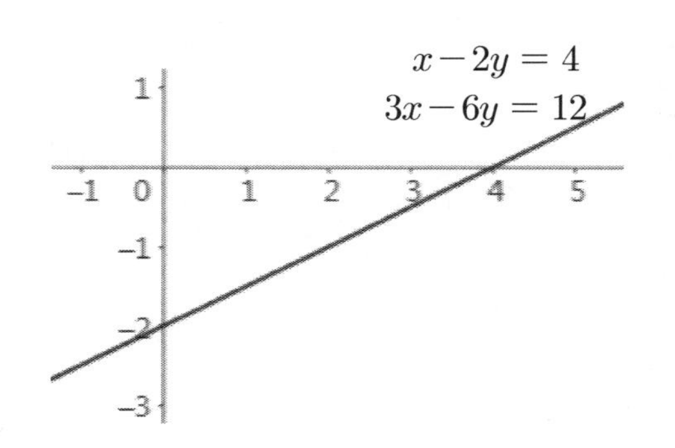

두 그래프는 모든 점이 교점이 되므로 해가 무수히 많다.

'**두 일차방정식의 그래프가 일치하기 위해서는 기울기와 y절편 모두 같으면 된다.**'

[예] 다음 두 일차방정식의 그래프의 교점의 개수를 구하시오.

(1) $\begin{cases} 2x-3y=1 \\ -4x+6y=-3 \end{cases}$

(2) $\begin{cases} 3x+2y=-5 \\ 6x+4y+10=0 \end{cases}$

(3) $\begin{cases} x+3y=-1 \\ 3x+6y=-3 \end{cases}$

(4) $\begin{cases} 5x+2y=3 \\ 10x+3y=6 \end{cases}$

풀이 **※ 해의 개수를 묻고 있으므로 연립방정식을 풀어 해를 구하지 않아도 된다.**

각각의 일차방정식을 y를 x에 관한 식으로 나타내어 기울기와 y절편을 비교한다.

(1) $2x-3y=1 \rightarrow y=\frac{2}{3}x-\frac{1}{3}$

$-4x+6y=-3 \rightarrow y=\frac{2}{3}x-\frac{1}{2}$

두 일차방정식의 기울기는 같고, y절편은 다르므로 두 직선은 평행하다.

따라서 교점의 개수는 0개

(2) $3x+2y=-5 \rightarrow y=-\frac{3}{2}x-\frac{5}{2}$

$6x+4y+10=0 \rightarrow y=-\frac{3}{2}x-\frac{5}{2}$

두 일차방정식의 기울기와 y절편이 모두 같으므로 두 직선은 일치한다.

따라서 교점의 개수는 무수히 많다.

(3) $x+3y=-1 \rightarrow y=-\frac{1}{3}x-\frac{1}{3}$

$3x+6y=-3 \rightarrow y=-\frac{1}{2}x-\frac{1}{2}$

두 일차방정식의 기울기가 다르다.

따라서 교점의 개수는 1개

(4) $5x+2y=3 \rightarrow y=-\frac{5}{2}x+\frac{3}{2}$

$10x+3y=6 \rightarrow y=-\frac{10}{3}x+2$

두 일차방정식의 기울기가 다르다.

따라서 교점의 개수는 1개

8.3 연립방정식의 해의 개수와 두 그래프의 위치관계

일차방정식 $ax+by+c=0$ (a, b, c는 상수, $a\neq 0$, $b\neq 0$)은

$by=-ax-c$이므로 일차함수 $y=-\frac{a}{b}x-\frac{c}{b}$ 의 꼴로 바꿀 수 있다. 마찬가지로

일차방정식 $a'x+b'y+c'=0$ (a', b', c'은 상수, $a'\neq 0$, $b'\neq 0$)은

$b'y=-a'x-c'$이므로 일차함수 $y=-\frac{a'}{b'}x-\frac{c'}{b'}$ 의 꼴로 바꿀 수 있다.

두 일차함수의 기울기가 같으면 $-\frac{a}{b}=-\frac{a'}{b'}$ 이므로 $\frac{a}{b}=\frac{a'}{b'}$ ◀ 양변에 -1을 곱함

$a=\frac{a'b}{b'}$ ◀ 양변에 b를 곱함

$\frac{a}{a'}=\frac{b}{b'}$ (⋯ ㉮) ◀ 양변을 a'으로 나눔

두 일차함수의 기울기가 다르면 '$=$' 대신 '$\neq$'. $\frac{a}{a'}\neq\frac{b}{b'}$ (⋯ ㉯)

두 일차함수의 y절편이 같으면 $-\frac{c}{b}=-\frac{c'}{b'}$ 이므로 $\frac{c}{b}=\frac{c'}{b'}$ ◀ 양변에 -1을 곱함

$c=\frac{bc'}{b'}$ ◀ 양변에 b를 곱함

$\frac{b}{b'}=\frac{c}{c'}$ (⋯ ㉰) ◀ 양변을 c'으로 나눔

두 일차함수의 y절편이 다르면 '$=$' 대신 '$\neq$'. $\frac{b}{b'}\neq\frac{c}{c'}$ (⋯ ㉱)

① 두 직선이 한 점에서 만나기 위한 (연립방정식이 한 쌍의 해를 가질) 조건은

기울기가 다르면 되므로 ㉯에서 $\frac{a}{a'}\neq\frac{b}{b'}$

② 두 직선이 평행하기 위한 (연립방정식의 해가 없을) 조건은

기울기는 같고, y절편은 다르면 되므로 ㉮, ㉱에서 $\frac{a}{a'}=\frac{b}{b'}\neq\frac{c}{c'}$

③ 두 직선이 일치하기 위한 (연립방정식의 해가 무수히 많을) 조건은

기울기가 같고, y절편도 같으면 되므로 ㉮, ㉰에서 $\frac{a}{a'}=\frac{b}{b'}=\frac{c}{c'}$

연립방정식 $\begin{cases} ax+by+c=0 \\ a'x+b'y+c'=0 \end{cases}$ 의 해의 개수는 두 일차방정식의 그래프의 교점의 개수와 같다.

두 그래프의 위치관계	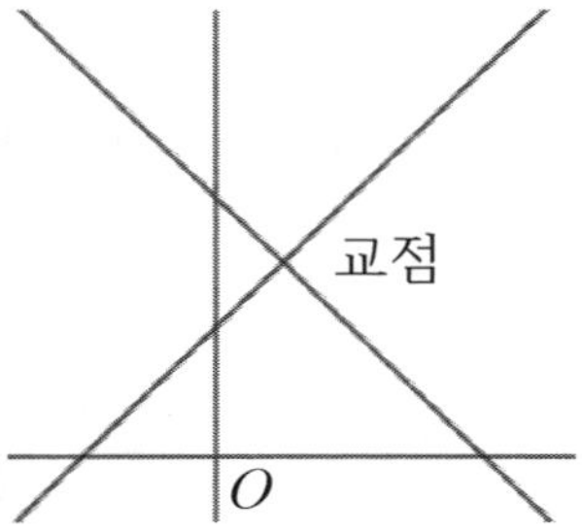	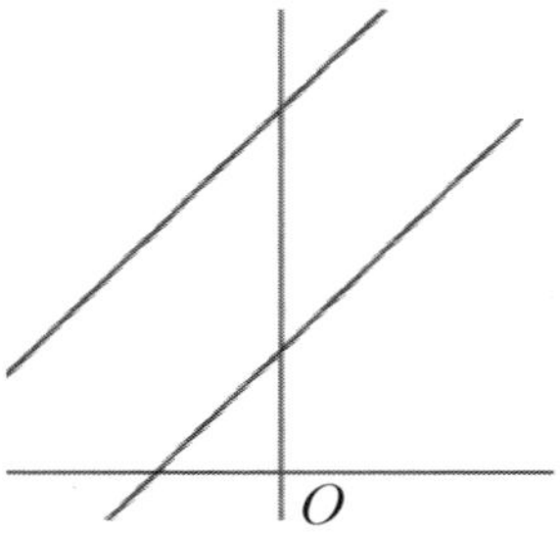	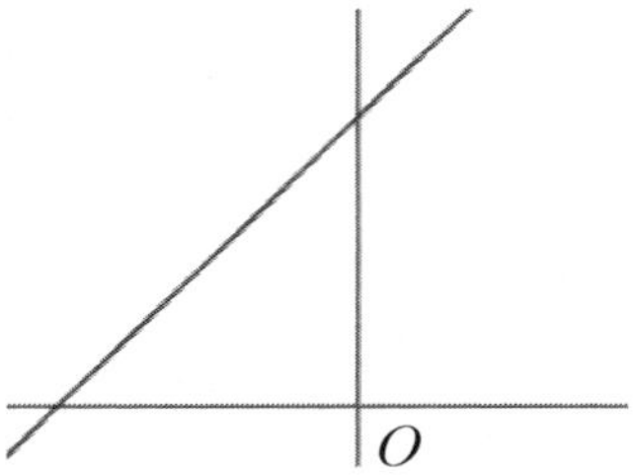
	한 점에서 만난다.	서로 평행하다.	일치한다.
두 그래프의 교점의 개수	1개	0개 (해가 없다.)	해가 무수히 많다.
기울기, y절편의 특징	기울기가 다르다.	기울기는 같고, y절편은 다르다.	기울기가 같고, y절편도 같다.

※ 두 일차함수 $y=ax+b$, $y=cx+d$에서 대해

① 한 점에서 만나기 위한 조건은 기울기가 다르면 되므로 $\boldsymbol{a \neq c}$

② 평행하기 위한 조건은 기울기는 같고 y절편은 다르므로 $\boldsymbol{a=c,\ b \neq d}$

③ 일치하기 위한 조건은 기울기와 y절편이 각각 같으므로 $\boldsymbol{a=c,\ b=d}$

※ 두 일차함수 (일차방정식)의 **<u>그래프의 기울기가 같으면 평행하거나 일치</u>**한다.

(→ **연립방정식의 해가 없거나 무수히 많다.**)

※ 문제에서 주어진 식의 모양에 따라 사용할 조건을 정하면 된다.

㉠ 일차함수 $y=ax+b$ 의 모양이면 기울기와 y절편 조건을 사용한다.

㉡ 일차방정식 $ax+by+c=0$ 의 모양이면

(1) 비율 관계를 사용하거나

(2) '$y=$ ' 꼴로 변형하여 기울기와 y절편 조건을 사용한다.

[예] 두 일차함수 $y=2x+b$, $y=ax+3$의 그래프가 다음을 만족하기 위한 상수 a, b의 값 또는 조건을 구하시오. (1) 평행, (2) 일치, (3) 교점 1개를 가짐

풀이

(1) 평행하기 위해서는 기울기가 같고, y절편은 다르므로 $a=2$, $b\neq 3$
(2) 일치하기 위해서는 기울기가 같고, y절편도 같으므로 $a=2$, $b=3$
(3) 교점 1개를 갖기 위해서는 기울기가 다르면 되므로 $a\neq 2$

예제 01 두 직선 $ax+2y=3$, $2x+4y=b$의 교점이 존재하지 않을 때, 상수 a, b의 조건을 구하시오.

풀이 01 [비율 관계를 이용한 풀이 (기울기는 같고, y절편은 다르다)]

$\frac{a}{2}=\frac{2}{4}\neq\frac{3}{b}$ 이므로 $\frac{a}{2}=\frac{2}{4}$ 에서 $4a=4$, $\therefore\ a=1$, $\frac{2}{4}\neq\frac{3}{b}$ 에서 $2b\neq 12$, $\therefore\ b\neq 6$

풀이 02 [함수의 꼴로 변형하여 풀이]

$ax+2y=3$ 에서 $\underline{y=-\frac{a}{2}x+\frac{3}{2}}$, $2x+4y=b$ 에서 $\underline{y=-\frac{1}{2}x+\frac{b}{4}}$

밑줄 친 두 일차함수의 식에서 기울기가 같으므로 $-\frac{a}{2}=-\frac{1}{2}$, $\therefore\ a=1$

y절편은 다르므로 $\frac{3}{2}\neq\frac{b}{4}$, $\therefore\ b\neq 6$

풀이 03 비율 관계를 사용하는 경우는 x의 계수비, y의 계수비, 상수항의 비 중 하나는 분자, 분모 모두 수가 주어지게 되어 있고, 이를 이용하여 빠르게 답을 구할 수 있다.

$\frac{a}{2}=\frac{2}{4}\neq\frac{3}{b}$ **는 <u>y의 계수가 모두 수로 주어졌다. 분모 4는 분자 2의 2배</u>이므로**

x의 계수, 상수항도 같은 비를 적용 → <u>분모는 분자의 2배</u>, 또는 <u>분자는 분모의 $\frac{1}{2}$배</u>

㉠ x의 계수비 : 분모 2의 $\frac{1}{2}$이 분자 a (또는 분자 a의 2배가 분모 2), $\therefore\ a=1$,

㉡ 상수항의 비 : 분자 3의 2배가 분모 b (또는 분모 b의 $\frac{1}{2}$이 분자 3), $\therefore\ b\neq 6$

> 방정식 $ax+by+c=0$ 또는 $ax+by=c$ 꼴의 경우 함수 $y=ax+b$ 꼴로 변형하여 문제를 풀어도 되지만 풀이의 시간 및 계산의 효율성을 고려하면 비율 관계로 푸는 것이 좋다.

8.4 평행하지 않는 두 일차함수의 그래프와 x축 또는 y축으로 둘러싸인 도형의 넓이

평행하지 않는 두 일차함수의 그래프와 x축 또는 y축은 삼각형을 만든다.
삼각형의 넓이를 구하기 위해 밑변의 길이와 높이를 구한다.
밑변의 길이와 높이를 구하기 위해서는 교점의 좌표를 알아야 하므로
두 직선의 교점, 그래프와 x축과의 교점 및 y축과의 교점 등을 구하면 된다.

※ 두 직선의 교점이 x축 또는 y축을 지나는 경우 x축 또는 y축과 삼각형을 만들지 않지만 이런 경우는 제외한다.

① 두 일차함수의 그래프와 x축으로 둘러싸인 도형(삼각형)의 넓이

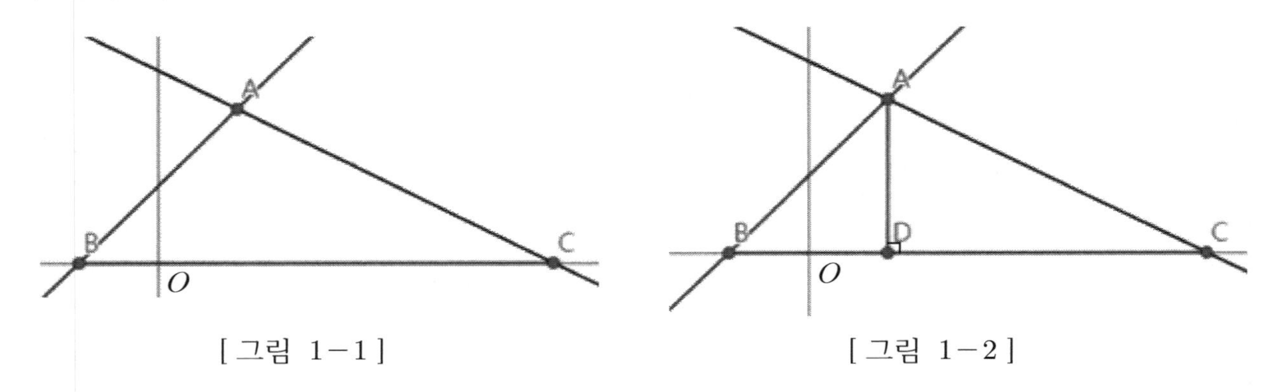

[그림 1-1]　　　　[그림 1-2]

[그림 1-1]과 같이 두 일차함수의 그래프와 x축으로 둘러싸인 도형은 삼각형이다. $\triangle ABC$

$\overline{BC}$를 $\triangle ABC$의 밑변으로 할 때, [그림 1-2]와 같이 꼭짓점 A에서 $\overline{BC}$에 내린 수선의 발을 D라고 하면 $\overline{AD}$가 높이다.

(1) 밑변의 길이

$\overline{BC}$(밑변)의 길이는 꼭짓점 B와 C가 두 일차함수와 x축이 각각 만나는 점이므로
'두 일차함수의 x절편의 차.

(2) 높이

$\overline{AD}$의 길이(높이)는 교점 A가 x축의 아래에 있을 수도 있으므로 **'점 A의 y좌표의 절댓값'**.

※ 이 때 y절편은 풀이에 이용되지 않으므로 그래프를 그릴 때 좌표축에 표시할 필요 없다.

[예] x절편이 각각 -3과 5인 두 일차함수의 그래프가 점 $(2,\ 4)$에서 만난다. 두 일차함수의 그래프와 x축으로 둘러싸인 도형의 넓이를 구하시오.

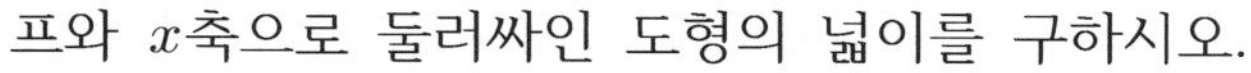

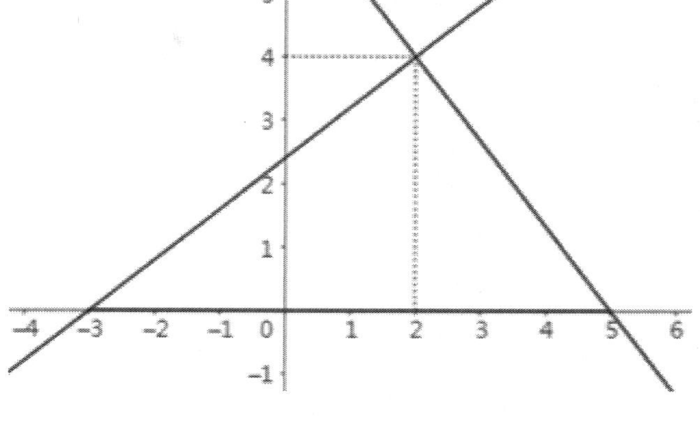

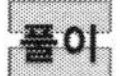
풀이

밑변의 길이 : x절편의 차, $5-(-3)=8$

높이 : 두 일차함수의 그래프의 교점 $(2,\ 4)$의 y좌표 4의 절댓값 : $|4|=4$

따라서 삼각형의 넓이는 $\frac{1}{2}\times 8\times 4=16$

② 두 일차함수의 그래프와 y축으로 둘러싸인 도형(삼각형)의 넓이

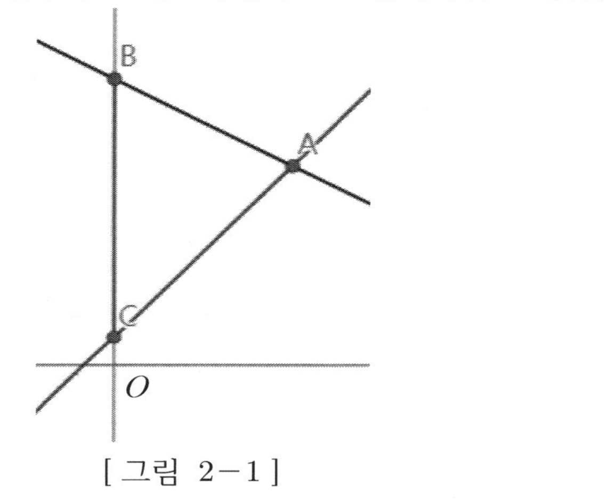

[그림 2−1]

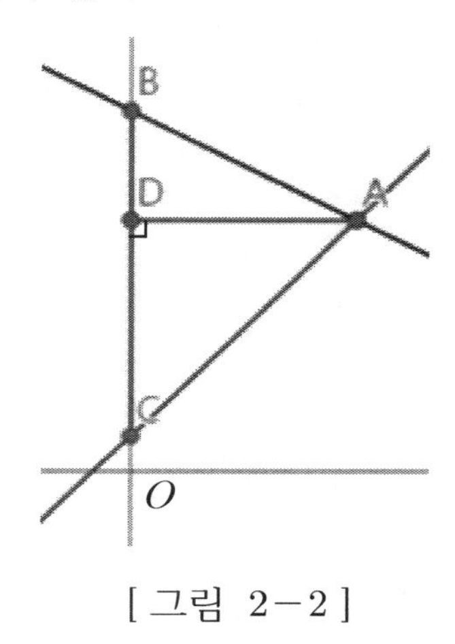

[그림 2−2]

[그림 2−1]과 같이 두 일차함수의 그래프와 y축으로 둘러싸인 도형은 삼각형이다. $\triangle ABC$

$\overline{BC}$를 $\triangle ABC$의 밑변으로 할 때, [그림 2−2]와 같이 꼭짓점 A에서 $\overline{BC}$에 내린 수선의 발을 D라고 하면 $\overline{AD}$가 높이다.

(1) 밑변의 길이

$\overline{BC}$(밑변)의 길이는 꼭짓점 B와 C는 두 일차함수와 y축이 각각 만나는 점이므로 **'두 일차함수의 y절편의 차'**.

(2) 높이

$\overline{AD}$의 길이는 교점 A가 y축의 왼쪽에 있을 수도 있으므로 **'점 A의 x좌표의 절댓값'**.

[예] y절편이 각각 1과 5인 두 일차함수의 그래프가 점 $\left(-\frac{3}{2},\ 4\right)$에서 만난다.

두 일차함수의 그래프와 y축으로 둘러싸인 도형의 넓이를 구하시오.

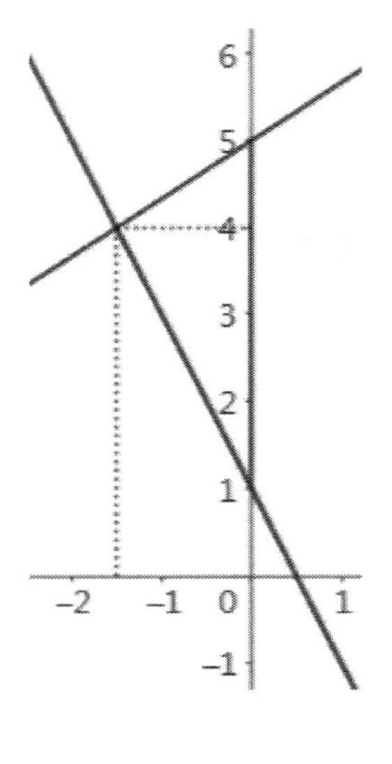

풀이

밑변의 길이는 y절편의 차 : $5-1=4$

높이 : 두 일차함수의 그래프의 교점 $\left(-\frac{3}{2},\ 4\right)$의 x좌표 $-\frac{3}{2}$의

절댓값 : $\left|-\frac{3}{2}\right|=\frac{3}{2}$

따라서 삼각형의 넓이는 $\frac{1}{2}\times4\times\frac{3}{2}=3$

③ $cf.$ 일차함수와 x축, y축으로 둘러싸인 도형(직각삼각형)의 넓이

[그림 3]과 같이 원점을 지나지 않는 일차함수의 그래프와 x축, y축으로 둘러싸인 도형은 직각삼각형이다. $\triangle OAB$

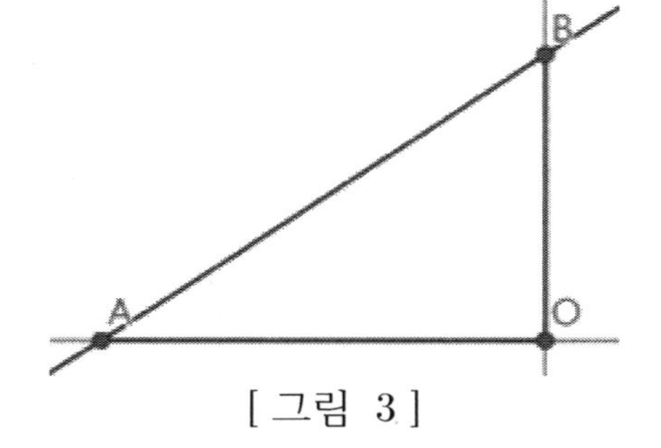

[그림 3]

$\overline{OA}$를 $\triangle OAB$의 밑변으로 하면 $\overline{OB}$가 높이다.

(1) 밑변의 길이

$\overline{OA}$ (밑변) 의 길이는 **'일차함수의 x절편의 절댓값'**.

(2) 높이

$\overline{OB}$ (높이) 의 길이는 **'일차함수의 y절편의 절댓값'**.

[예] 일차함수 $y=\frac{1}{2}x+2$와 x축 및 y축으로 둘러싸인 도형의 넓이를 구하시오.

풀이

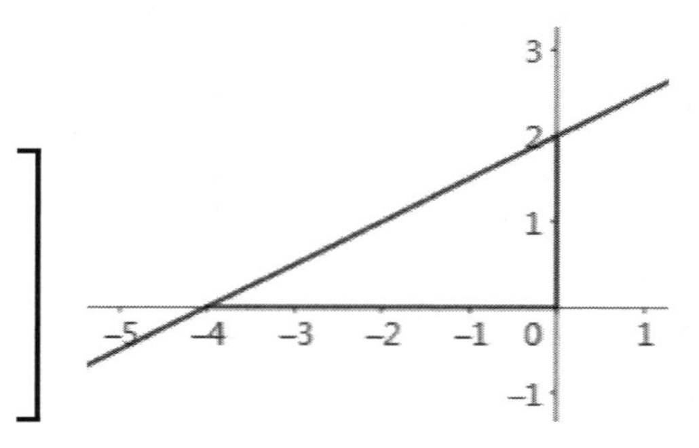

밑변의 길이는 x절편의 절댓값 $|-4|=4$,

높이는 y절편의 절댓값 $|2|=2$

따라서 삼각형의 넓이는 $\frac{1}{2}\times4\times2=4$

유제 01 일차함수 $y=-\frac{2}{3}x-4$ 의 그래프와 x축, y축으로 둘러싸인 도형의 넓이를 구하시오.

예제 01 일차함수 $y=\frac{2}{3}x+b$의 그래프가 오른쪽 그림과 같다.

이 그래프와 x축, y축으로 둘러싸인 삼각형의 넓이를 구하시오.

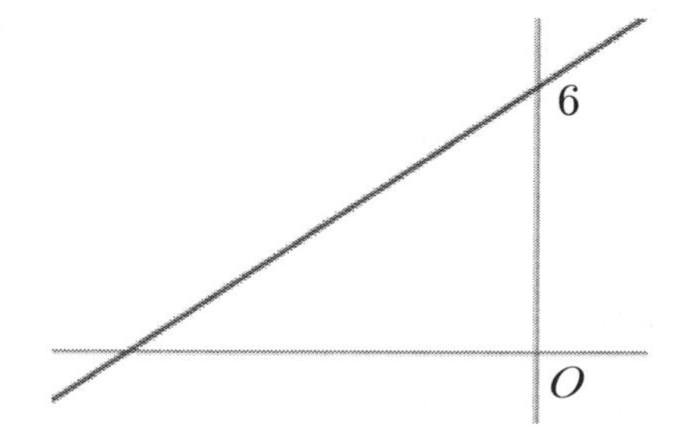

풀이 01

y절편이 6이므로 $b=6$, $\therefore y=\frac{2}{3}x+6$

x절편을 구하기 위해 $y=0$을 대입하면 $0=\frac{2}{3}x+6$, $\therefore x=-9$

따라서 삼각형의 넓이는 $\frac{1}{2}\times9\times6=27$

풀이 02

기울기가 $\frac{2}{3}$, y절편이 6이므로 x절편을 m이라고 하면 $\frac{2}{3}=-\frac{6}{m}$, $\therefore m=-9$

따라서 삼각형의 넓이는 $\frac{1}{2}\times9\times6=27$

※ 기울기가 $\frac{2}{3}$이므로 삼각형의 가로의 길이와 높이의 비가 $3:2$이고, 높이(y절편)가 6이므로 밑변의 길이는 9(x절편 -9)가 된다.

※ 일반적인 방법으로 $x=0$을 대입하여 x절편을 구할 수도 있다.

유제 02 일차함수 $y=ax+6$ 의 그래프와 x축, y축으로 둘러싸인 도형의 넓이가 10일 때, 양수 a의 값을 구하시오.

8.5 일차방정식 $ax+by+c=0$ 의 그래프와 상수 a, b, c 의 부호

♣ 문제 비교 ♣

(1) 일차방정식 $ax+by-c=0$ 의 그래프가 오른쪽 그림과 같을 때,
일차방정식 $cx-ay+b=0$의 그래프의 개형을 그리시오.

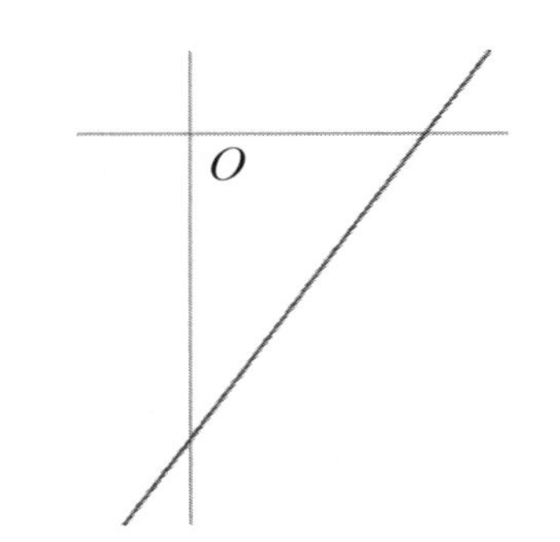

(2) 일차방정식 $ax+y-b=0$ 의 그래프가 오른쪽 그림과 같을 때,
㉮ 상수 a, b의 부호는?
㉯ 일차방정식 $bx-ay-ab=0$ 의 그래프의 개형을 그리시오.

(1)은 **x의 계수**, **y의 계수**, **상수항** 모두 미지수로 되어 있고,

(2)는 **x의 계수**, **상수항**은 미지수, **y의 계수**는 주어져 있다.

※ (2)의 경우 **x의 계수**, **y의 계수**, **상수항** 셋 중 하나의 값(또는 부호)은 정해진다.

(1)은 세 항의 값 또는 부호를 모두 모르기 때문에 a, b, c의 부호를 정확하게 알 수 없다.
따라서 (2)에서처럼 상수 a, b, c 의 각각의 부호를 묻지 않는다.

(1)에서 만약 a, b, c 중 하나의 부호를 정하면 나머지 두 미지수의 부호는 자동으로 정해지므로 세 미지수 a, b, c의 부호를 2가지 경우로 정할 수 있다.

두 미지수 a와 b, b와 c, a와 c 사이의 곱 또는 나눗셈의 부호는 알 수 있다.

세 미지수 a, b, c 사이의 곱 또는 나눗셈의 부호도 알 수 있다.

[예] 위 그래프의 기울기는 양수, y절편은 음수이므로 $ax+by-c=0$에서 $y=-\frac{a}{b}x+\frac{c}{b}$

$-\frac{a}{b}>0$에서 $\frac{a}{b}<0$이고 $\frac{c}{b}<0$

따라서 다음과 같이 a, b, c의 부호를 2가지로 정할 수 있다.

① $a>0$이면 $b<0$, $c>0$ 또는 ② $a<0$이면 $b>0$, $c<0$

예제 01 일차방정식 $ax - by - c = 0$의 그래프가 오른쪽 그림과 같을 때,

(1) a, b의 부호를 구하시오. (단, $c > 0$)

(2) 일차방정식 $cx + ay - b = 0$의 그래프의 개형을 그리시오.

풀이

(1) $ax - by - c = 0$에서 $by = ax - c$

$\therefore\ y = \frac{a}{b}x - \frac{c}{b}$

그래프의 기울기가 음수이므로 $\frac{a}{b} < 0$ ⋯ ①

y절편이 양수이므로 $-\frac{c}{b} > 0$, $\frac{c}{b} < 0$ ⋯ ②

$c > 0$이므로 ②에서 $\underline{b < 0}$, ①에서 $\underline{a > 0}$

(2) $cx + ay - b = 0$에서 $ay = -cx + b$

$\therefore\ y = -\frac{c}{a}x + \frac{b}{a}$

$a > 0$, $c > 0$ 이므로 $\underline{\text{기울기 } -\frac{c}{a} < 0}$

$a > 0$, $b < 0$ 이므로

$\underline{y\text{절편 } \frac{b}{a} < 0}$

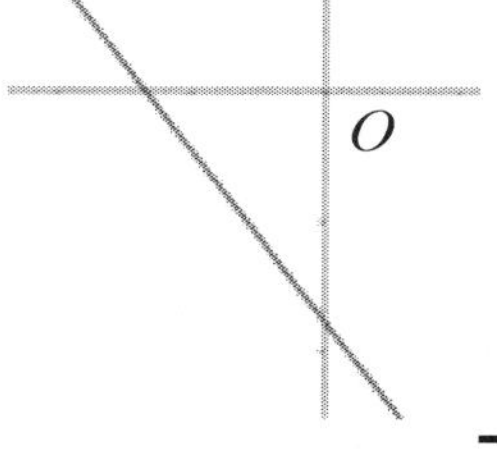

따라서 그래프의 개형은

오른쪽 그림과 같다.

유제 01 일차방정식 $ax + by - 3 = 0$의 그래프가 오른쪽 그림과 같을 때,
a, b의 부호를 구하시오.

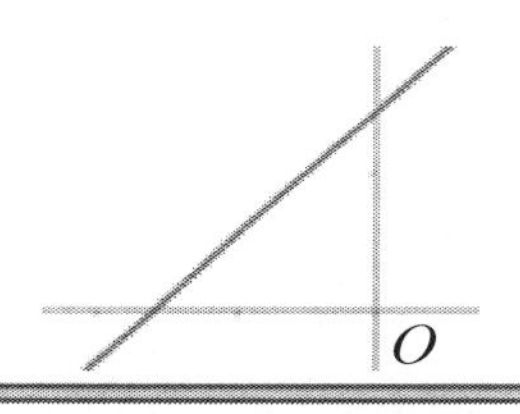

유제 02 일차방정식 $ax - by + c = 0$ 의 그래프가 오른쪽 그림과 같을 때,
일차방정식 $bx + cy = a$ 의 그래프의 개형을 그리시오.

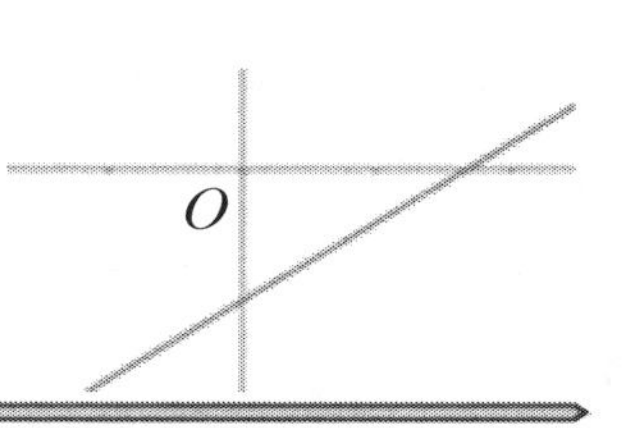

8.6 삼각형의 넓이를 이등분하는 직선의 특징

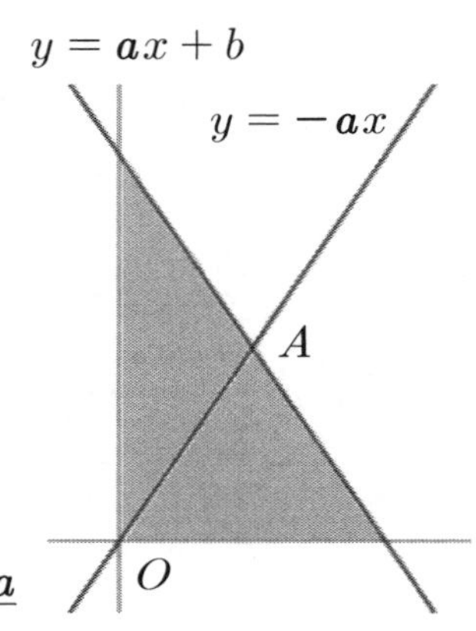

다음 그림과 같이 $y = ax + b$와 x축, y축으로 둘러싸인

직각삼각형의 넓이를

직각인 꼭짓점 (O)을 지나는 직선에 의해 넓이가 이등분될 때,

이등분하는 직선의 기울기는 $y = ax + b$의 기울기 a와 절대값이

같고 부호가 반대이고, y절편은 0이다. 즉

$y = ax + b$의 기울기가 a이므로 넓이를 이등분하는 직선의 기울기는 $-a$

※ 두 직선의 교점 A의 x좌표는 $y = ax + b$의 x절편의 $\frac{1}{2}$,

y좌표는 $y = ax + b$의 y절편의 $\frac{1}{2}$인 $\frac{b}{2}$이다.

[예] $y = 3x + 4$와 x축, y축으로 둘러싸인 도형의 넓이를

$y = ax$가 이등분할 때, 상수 a의 값은 -3이다.

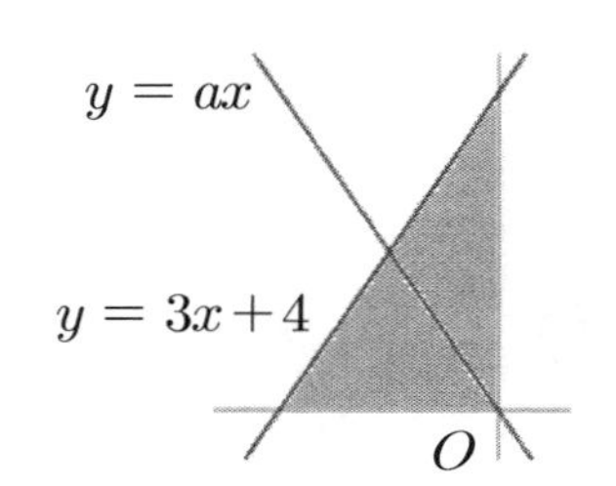

예제 01 오른쪽 그림과 같이 직선 $y = ax + b$와 x축, y축으로 둘러싸인

도형의 넓이를 이등분하는 직선이 $y = 2x$이고, 두 직선의 교점 C의

교점의 x좌표는 2이다. 상수 a, b에 대하여 $3a + 2b$의 값을 구하시오.

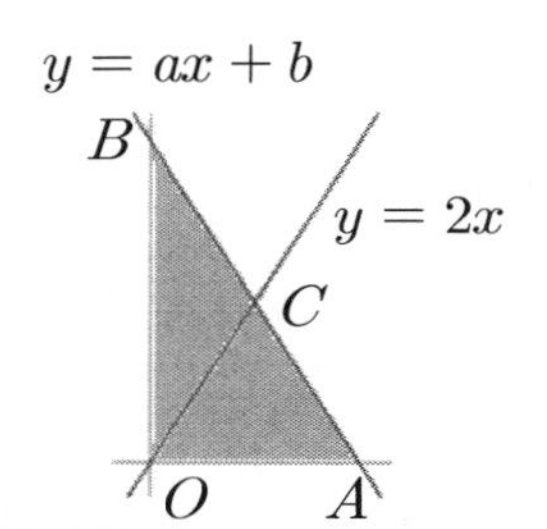

풀이

기울기 a는 $y = 2x$의 기울기 2와 절댓값이 같고 부호가 다르므로 -2이다. $a = -2$

따라서 $y = -2x + b$ ⋯ ①

점 C의 x좌표가 2이므로 y좌표는 $y = 2x$에 대입하면 $y = 2 \times 2 = 4$ 이다.

$C(2,\ 4)$를 ①에 대입하면 $4 = -4 + b$, $\therefore\ b = 8$, 따라서 $3a + 2b = -6 + 18 = 12$

※ 점 C의 y좌표가 4이므로 b의 값은 2배인 8이다.

※ 점 C의 x좌표가 2이므로 $y = -2x + b$의 x절편은 4이다. 이를 이용하여 b를 구할 수도 있다.

다음 그림과 같이 $y = ax + b$와 x축, y축으로 둘러싸인

직각삼각형의 넓이를 **직선 $y = ax + b$와 x축과의 교점을 지나는**

직선에 의해 넓이가 이등분될 때,

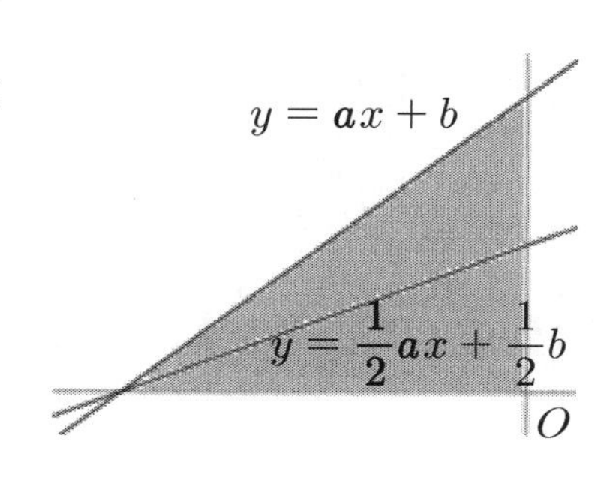

넓이를 이등분하는 직선은 직선 $y = ax + b$에 비해

y의 값의 증가량이 $\frac{1}{2}$ 이다. 따라서

$y = ax + b$의 기울기가 a이므로 넓이를 이등분하는 직선의 기울기는 $\frac{1}{2}a$, y절편은 $\frac{1}{2}b$

따라서 이등분하는 직선은 $y = \frac{1}{2}ax + \frac{1}{2}b$

[예] $y = \frac{2}{3}x + 4$와 x축, y축으로 둘러싸인 도형의 넓이를

직선 $y = \frac{2}{3}x + 4$와 x축과의 교점을 지나는 $y = ax + b$가

이등분할 때, 상수 a의 값은 $\frac{1}{3}$, b의 값은 2 이다.

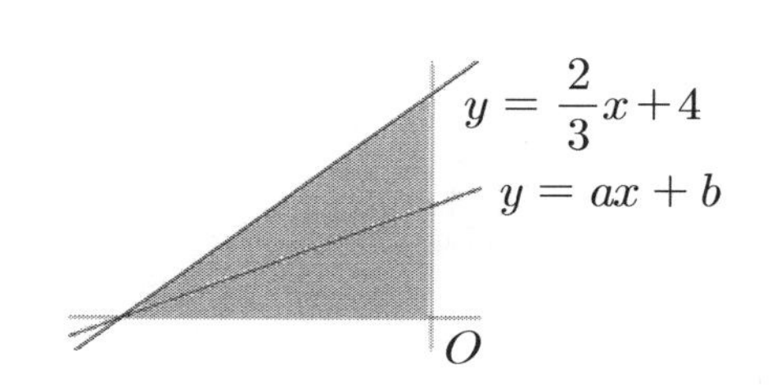

오른쪽 그림과 같이 $y = ax + b$와 x축, y축으로 둘러싸인

직각삼각형의 넓이를 **직선 $y = ax + b$와 y축과의 교점을 지나는**

직선에 의해 넓이가 이등분될 때,

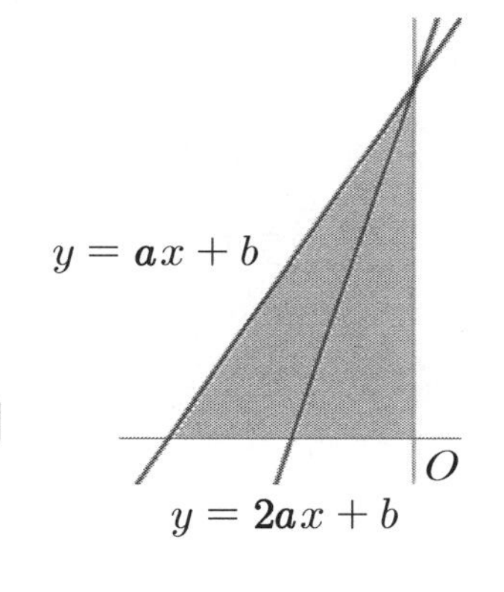

넓이를 이등분하는 직선은 $y = ax + b$에 비해 x의 값의 증가량이 $\frac{1}{2}$이므로

직선 $y = ax + b$의 기울기의 2배이고, y절편은 같다. 따라서

$y = ax + b$의 기울기가 a이므로 넓이를 이등분하는 직선의 기울기는 $2a$

[예] $y = 2x + 4$와 x축, y축으로 둘러싸인 도형의 넓이를

직선 $y = 2x + 4$와 y축과의 교점을 지나는 직선 $y = ax + b$가

이등분할 때, 상수 a의 값은 4, b의 값은 4 이다.

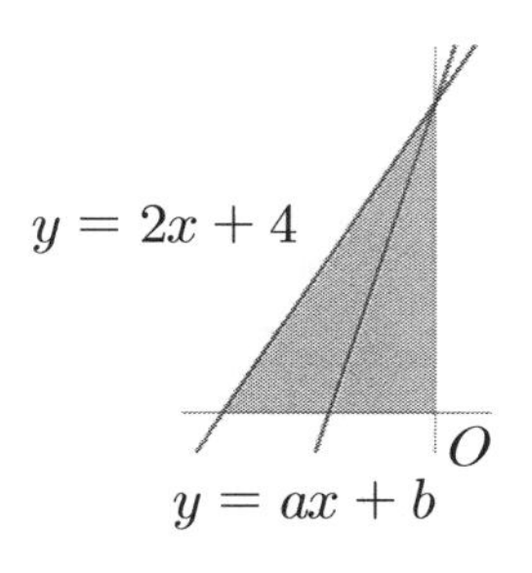

오른쪽 그림과 같이 직선 $y=ax+b$와 x축, y축으로 둘러싸인 **직각삼각형의 넓이**를 **직각인 꼭짓점을 지나는 직선 $y=kx$ 에 의해 넓이가 $m:n$ 으로 나누어질 때**,

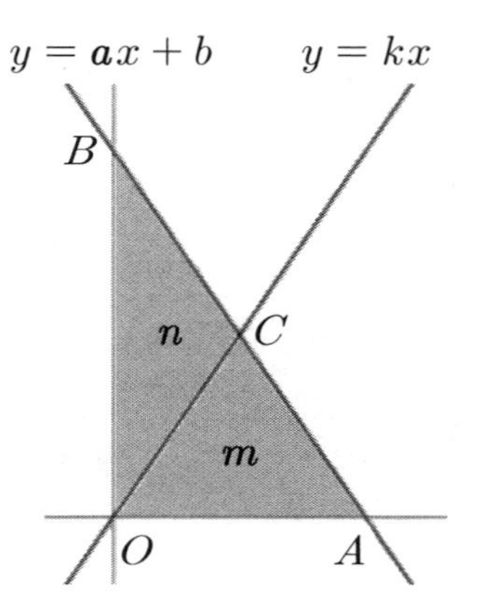

(1) 오른쪽 그림에서

$\triangle OAC$와 $\triangle OAB$의 밑변을 $\overline{OA}$라고 하면

$\triangle OAC$의 높이는 $\triangle OAB$의 높이 $\overline{OB}$ 길이의 $\dfrac{m}{m+n}$이다.

(2) $\triangle OAC$와 $\triangle OAB$의 밑변이 $\overline{OA}$로 같으므로 두 삼각형의 넓이비는 높이비와 같다. $\triangle OAC$의 넓이는 $\triangle OAB$의 넓이의 $\dfrac{m}{m+n}$ 이므로

(3) 꼭짓점 B와 C의 y좌표가 양수일 때, 꼭짓점 C의 y좌표는 꼭짓점 B의 y좌표의 $\dfrac{m}{m+n}$

(4) (3)에서 구한 꼭짓점 C의 y좌표를 $y=ax+b$에 대입하여 꼭짓점 C의 x좌표를 구한다.

(5) (3), (4)에서 구한 점 C의 좌표를 $y=kx$에 대입하여 k를 구한다.

※ $y=kx$는 정비례 관계이므로 (5)에서 $k=\dfrac{\text{점 } C\text{의 } y\text{좌표}}{\text{점 } C\text{의 } x\text{좌표}}$에 의해 k값을 구할 수 있다.

※ 보통 넓이를 $m:n$으로 나누는 문제는 계산의 단순화를 위해 밑변의 길이와 높이가 '$m+n$의 배수'로 나온다.

※ 앞의 내용이 제대로 이해가 되지 않으면 다음 예를 먼저 보도록 하자.

예제 01 오른쪽 그림과 같이 $y=\frac{1}{2}x+5$의 그래프가 x축, y축과 만나는 점을 각각 A, B라 한다. 직선 $y=\frac{1}{2}x+5$와 직선 $y=mx$의 교점을 C라고 할 때, $\triangle OAC$와 $\triangle OBC$ 넓이의 비가 $3:2$이다. 이 때 상수 m의 값을 구하시오.

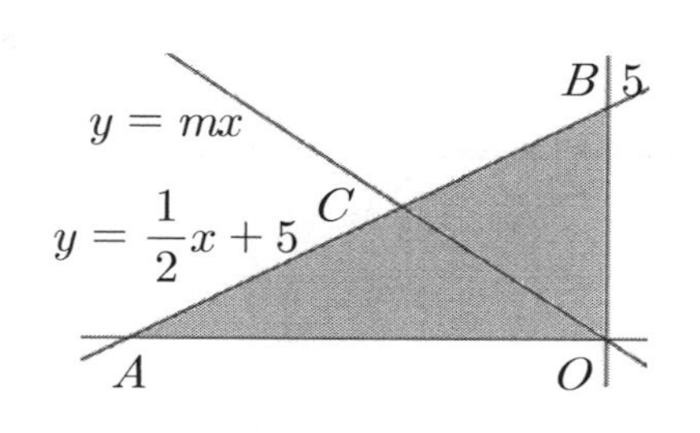

풀이

$\triangle OAC$와 $\triangle OBC$의 넓이의 비가 $3:2$이므로 $\triangle OAC$의 넓이는 $\triangle OAB$의 넓이의 $\frac{3}{5}$이다.

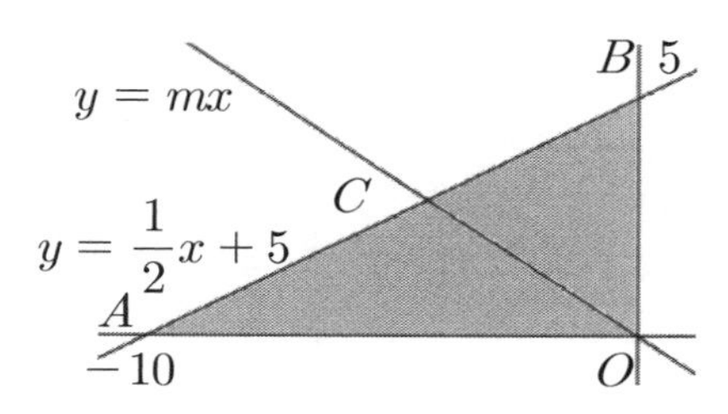

따라서 꼭짓점 C의 y좌표는 꼭짓점 B의 y좌표의 $\frac{3}{5}$이므로 3이다.

이를 $y=\frac{1}{2}x+5$에 대입하여 점 C의 x좌표를 구한다.

$\frac{1}{2}x+5=3$, $\therefore\ x=-4$

직선 $y=mx$가 점 $C(-4,\ 3)$을 지나므로 $-4m=3$, $\therefore\ m=-\frac{3}{4}$

※ 풀이에서 $\triangle OAB$의 밑변의 길이는 구할 필요가 없지만, $y=\frac{1}{2}x+5$의 x절편이 -10이므로 $\overline{OA}$의 길이가 10이고 이는 $\frac{2}{5}$의 분모 5의 배수이다.

높이 $\overline{OB}$의 길이 5도 분모 5의 배수이다.

※ $m=-\frac{3}{4}$에서 분모 -4는 점 C의 x좌표, 분자 3은 점 C의 y좌표이다.

연 습 문 제

해설과 풀이 p. 202

01 일차방정식 $ax+by+c=0$의 그래프가 제 1, 3, 4사분면만을 지날 때, 일차방정식 $bx-cy+a=0$의 그래프의 개형을 그리시오.

02 두 일차방정식 $2x+y+4=0$, $3x+4y+1=0$의 그래프의 교점의 좌표를 구하시오.

03 두 일차방정식 $2x+y=7$, $3x-5y=4$의 그래프의 교점을 지나고 점 $(-1,\ -1)$을 지나는 직선의 방정식을 구하시오.

04 다음 그림을 이용하여 연립방정식 $\begin{cases} x-2y-5=0 \\ x+y+1=0 \end{cases}$의 해를 구하시오.

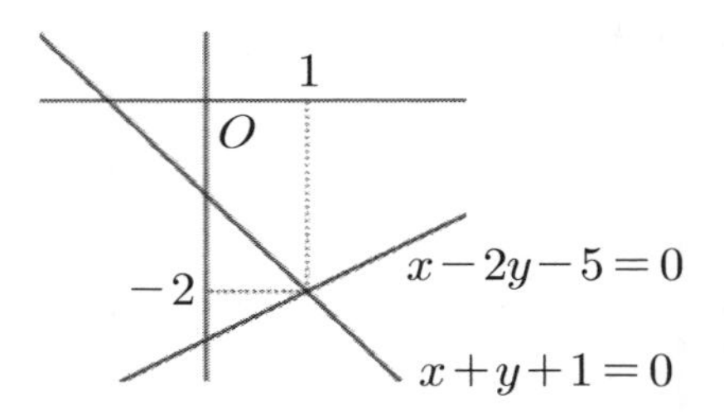

05 일차함수 $y=2ax-3$은 x의 값이 2만큼 증가할 때 y의 값은 3만큼 감소한다. 이 일차함수의 그래프가 $(2,\ b)$를 지날 때, 상수 a, b의 값을 구하시오.

06 방정식 $ax-by-6=0$의 그래프가 오른쪽 그림과 같을 때, 상수 a, b의 값을 구하시오.

07 두 일차방정식 $ax+6y-2=0$, $2x-by+1=0$의 그래프의 교점이 무수히 많을 때, 상수 a, b의 값을 구하시오.

08 일차방정식 $(a-2)x-y+a-b=0$의 그래프가 다음 그래프와 평행하고 제1사분면을 지나지 않을 때, a의 값과 b의 범위를 구하시오. (단, a, b는 상수이다.)

2
O
4

09 두 점 $(2a-1,\ a+3)$, $(1,\ -2a+5)$를 지나는 직선이 x축과 평행할 때, 상수 a의 값과 두 점을 지나는 직선의 방정식을 구하시오.

10 연립방정식 $\begin{cases} 3x-2y-5=0 \\ 2x-y-a=0 \end{cases}$의 각 일차방정식의 그래프의 교점의 y좌표가 2일 때, 상수 a의 값과 교점의 좌표를 구하시오.

11 두 일차방정식 $x+2y=3$, $x-3y=8$의 그래프의 교점을 지나고 y절편이 2인 직선의 방정식을 구하시오.

12 두 일차방정식 $2x+3y+1=0$, $x+4y-2=0$의 교점을 지나고 직선 $3x-y+2=0$과 평행한 직선의 방정식을 구하시오.

13 세 점 $(-2, 5)$, $(1, -1)$, $(7, k)$가 한 직선 위에 있을 때, 상수 k의 값을 구하시오.

14 두 일차방정식 $3x-2y+2=0$, $ax+3y-2=0$의 그래프의 교점이 없을 때, 상수 a의 값을 구하시오.

15 두 일차방정식 $2x-3y=5$, $ax+2y=3$의 그래프의 교점의 좌표가 $(b, 1)$일 때, ab의 값의 구하시오. (단, a, b는 상수)

16 두 일차방정식 $3x-4y=3$, $ax-3y=1$의 그래프의 교점의 x좌표가 5일 때, 상수 a의 값을 구하시오.

17 다음은 연립방정식 $\begin{cases} ax-y=-7 \\ x+by=1 \end{cases}$의 각 일차방정식의 그래프를 그린 것이다. 상수 a, b의 값을 구하시오.

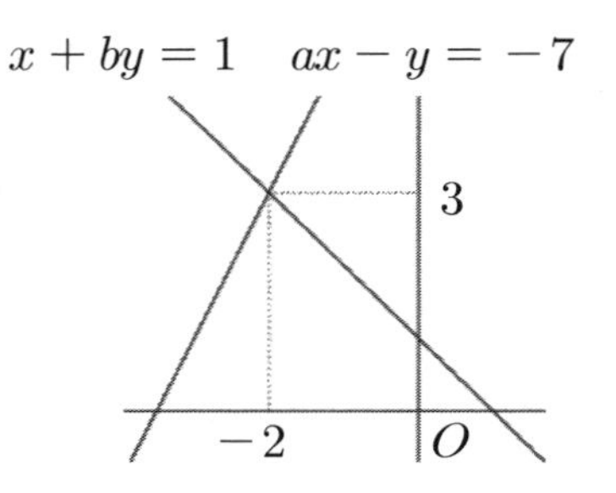

18 다음은 연립방정식 $\begin{cases} x-2y=5 \\ 3x+by=4 \end{cases}$의 각 일차방정식의 그래프를 그린 것이다. 상수 b의 값을 구하시오.

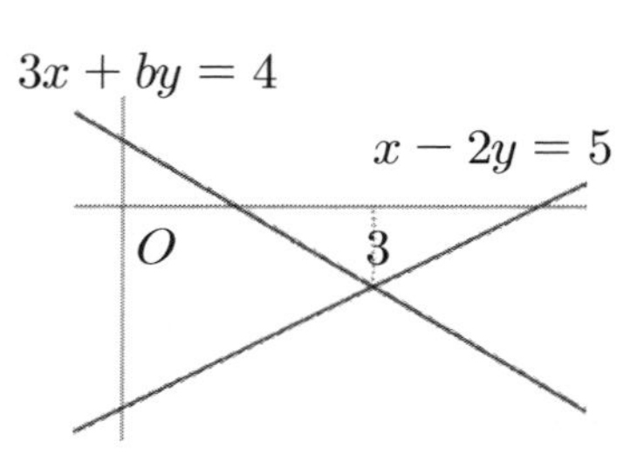

19 다음은 연립방정식 $\begin{cases} 4x+by=6 \\ ax+4y=1 \end{cases}$ 의 각 일차방정식의 그래프를 그린 것이다. 상수 a, b에 대하여 $2a+b$의 값을 구하시오.

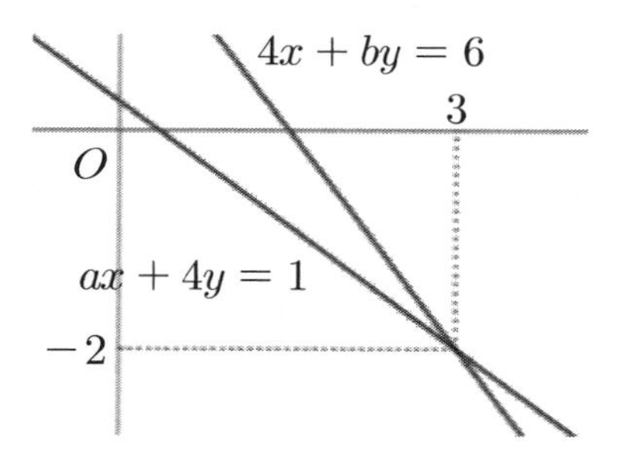

20 두 일차방정식 $4x-3y=-1$, $3x+2y=12$의 그래프의 교점의 좌표를 구하시오.

21 두 일차방정식 $x+3y=7$, $2x+y=4$의 그래프의 교점이 일차함수 $y=3x+b$의 그래프를 지날 때, 상수 b의 값을 구하시오.

22 두 직선 $x+3y=2$, $2x+7y=3$의 교점을 지나고 기울기가 3인 직선의 방정식을 구하시오.

23 두 직선 $3x-2y=5$, $2x+y=8$의 교점과 점 $(-1,\ 1)$을 지나는 직선의 방정식을 구하시오.

24 두 직선 $x+y-5=0$, $2x-3y+5=0$의 교점을 지나고 직선 $2x+y=3$과 평행한 직선의 방정식을 구하시오.

25 두 직선 $2ax-4y=b$, $5x+6y=3$의 교점이 2개 이상일 때, $3ab$의 값을 구하시오. (단, a, b는 상수)

26 직선 $3x+2y=-5$ 가 두 직선 $4x+5y=-2$, $x+ay=3$ 의 교점을 지날 때, 상수 a의 값을 구하시오.

27 직선 $ax+y=1$이 두 직선 $4x-y=3$, $7x-2y=4$ 의 교점을 지날 때, 상수 a의 값을 구하시오.

28 연립방정식 $\begin{cases} 3x+5y+a=0 \\ bx-10y+8=0 \end{cases}$ 의 해가 무수히 많을 때, 상수 a, b의 값을 구하시오.

29 연립방정식 $\begin{cases} ax-4y+(b-2)=0 \\ 3x+6y+(-2b+1)=0 \end{cases}$ 의 해가 없도록 하는 상수 a, b의 조건을 구하시오.

30 두 직선 $ax+4y-5=0$, $bx+6y+3=0$ 의 교점이 존재하지 않을 때, 가장 작은 양의 정수 a, b에 대하여 $a+b$의 값을 구하시오.

31 두 직선 $y=-2x+3$, $y=\frac{3}{2}x+3$과 x축으로 둘러싸인 도형의 넓이를 구하시오.

32 두 직선 $y=\frac{1}{2}x+3$, $y=-x+6$과 x축으로 둘러싸인 도형의 넓이를 구하시오.

33 다음 세 직선으로 둘러싸인 도형의 넓이를 구하시오.

$$y=\frac{4}{3}x,\ y=-2x+10,\ y=-3$$

34 두 직선 $y=-\frac{1}{2}x-1$, $y=2x+4$와 y축로 둘러싸인 도형의 넓이를 구하시오.

35 두 직선 $y=-x+4$, $y=\frac{4}{3}x-3$과 y축으로 둘러싸인 도형의 넓이를 구하시오.

36 일차함수 $y=ax+6$의 그래프와 x축, y축으로 둘러싸인 부분의 넓이가 9일 때, 양수 a의 값을 구하시오.

37 일차함수 $y = ax + 5a$ 와 x축, y축으로 둘러싸인 도형의 넓이가 10일 때, 양수 a의 값을 구하시오.

38 다음 세 직선으로 둘러싸인 도형의 넓이를 구하시오.

$3x + 2y = 13$, $3x - 4y = 1$, $x = -1$

39 다음 세 직선에 의해 삼각형이 만들어지지 않을 때, 상수 a의 값을 모두 구하시오.

$2x + 3y = 0$, $x - 2y = 7$, $ax + 2y = 3$

40 다음 세 직선으로 둘러싸인 도형의 넓이를 구하시오.

$y = \frac{5}{2}x - 3$, $y = \frac{1}{2}x + 1$, $y = -\frac{3}{2}x - 3$

41 다음 그림과 같이 $y = \frac{3}{2}x + 6$의 그래프와 x축, y축으로 둘러싸인 도형의 넓이를 $y = ax$가 이등분할 때, 상수 a의 값을 구하시오.

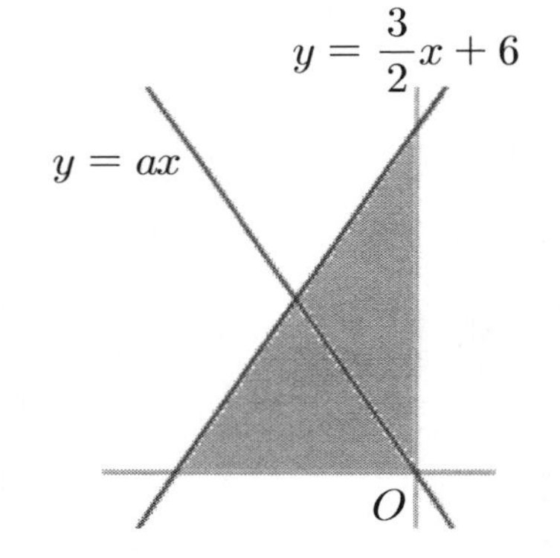

42 다음 그림과 같이 $y=-\frac{5}{3}x+10$의 그래프와 x축, y축으로 둘러싸인 도형의 넓이를 원점을 지나는 직선이 이등분할 때, 이 직선의 방정식을 구하시오.

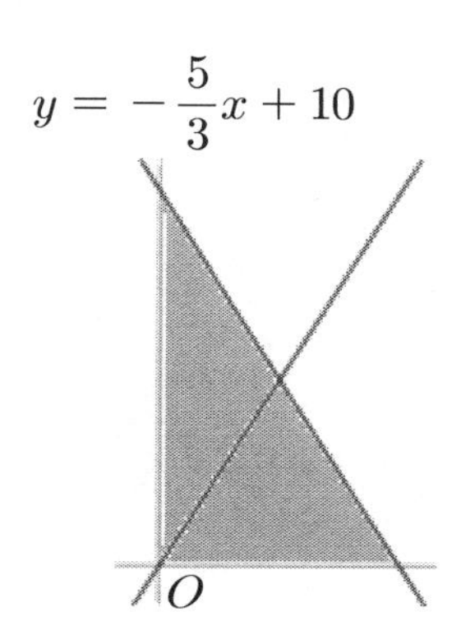

43 다음 그림과 같이 $y=\frac{3}{4}x+6$의 그래프가 x축, y축과 만나는 점을 각각 A, B라 한다. 점 A를 지나면서 $\triangle OAB$의 넓이를 이등분하는 직선의 방정식을 구하시오.

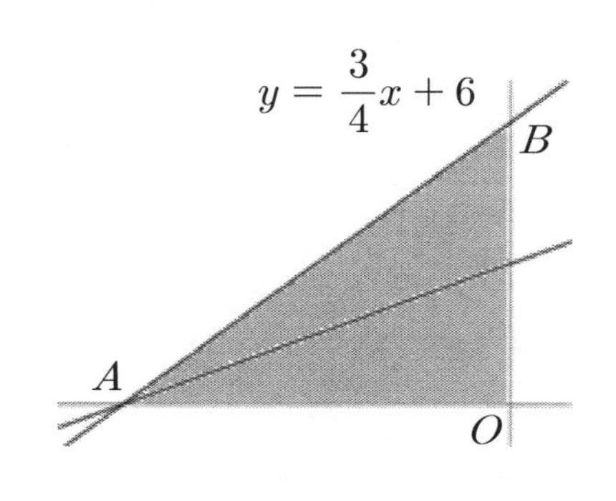

44 x축 위의 점 A에서 만나는 두 직선 $y=\frac{2}{3}x+4$, $y=ax+b$가 y축과 만나는 두 점을 각각 B, C라고 하자. $\triangle ABC$의 넓이가 15일 때, 상수 a, b의 값을 구하시오.

45 민서가 집에서 학교로 출발한지 10분 후에 태훈이 학교로 출발했다. 다음 그림은 민서가 출발한지 x분 후에 민서와 태훈이 집으로부터 떨어진 거리를 $y$km라고 할 때, x와 y 사이의 관계를 그래프로 나타낸 것이다. 민서와 태훈 각각 x와 y 사이의 관계식을 구하고 두 사람이 만나는 것은 태훈이 출발한지 몇 분후인지 구하시오.

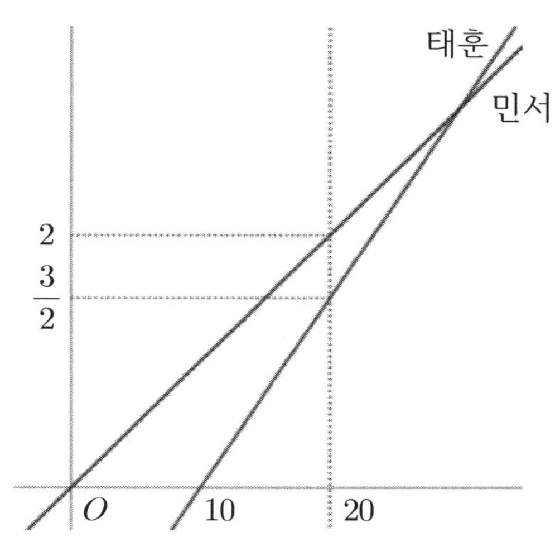

46 다음 그림과 같이 $y=-3x+9$의 그래프가 x축, y축과 만나는 점을 각각 A, B라 한다. 직선 $y=mx$가 직선 $y=-3x+9$와 만나는 점을 C라고 할 때, $\triangle OAC$와 $\triangle OBC$의 넓이의 비가 $1:2$이다. 이 때 상수 m의 값을 구하시오.

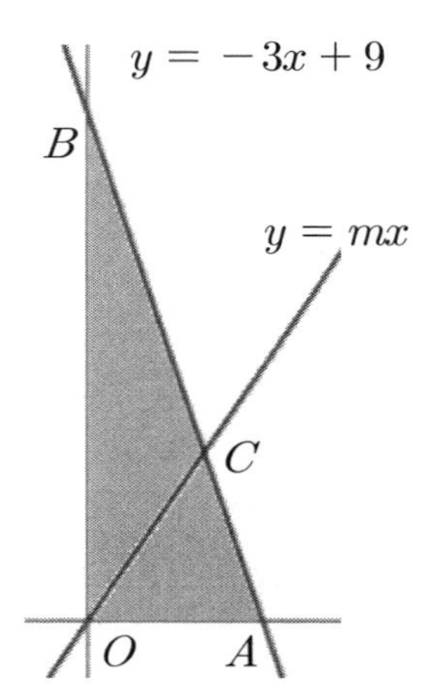

47 다음 그림과 같이 $y=ax+b$의 그래프와 x축, y축으로 둘러싸인 도형의 넓이를 $y=-\frac{3}{2}x$가 이등분한다. 두 직선의 교점의 좌표가 $(2m,\ -4m-2)$일 때, 상수 a, b의 값을 구하시오.

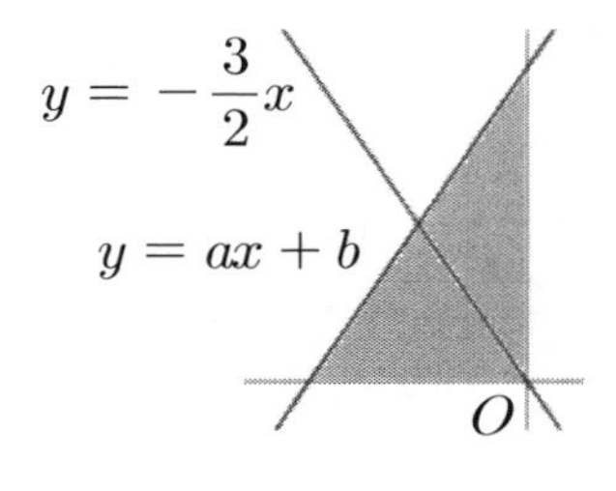

유제 풀이

$p.009$

유제 01

좌변 $f(x)$의 괄호 속 x에 4를 대입 $(x=4)$하면 $f(8)$이 되므로 우변에도 $x=4$를 대입한다.
따라서 $f(8)=3\times4+1=13$

유제 02

$-x+3=2$ 인 x의 값은 1이다.
따라서
$f(-1+3)=-2\times1+3,\ \therefore\ f(2)=1$

$p.021$

유제 01

일차함수 $y=\frac{1}{3}x$ 의 그래프를 y축의 방향으로 2만큼 평행이동한 일차함수의 식이 $y=\frac{1}{3}x+2$ 이므로 $a=\frac{1}{3}$, $b=2$, 따라서 $3ab=2$

유제 02

일차함수 $y=-3x+2$ 의 그래프를 y축의 방향으로 -4만큼 평행이동한 일차함수의 식은
$y=-3x+2-4=-3x-2$, 따라서 $a=-3$, $b=-2$, 따라서 $a+b=-5$

$p.031$

유제

(1)
① $\frac{3-(-1)}{2-(-1)}=\frac{4}{3}$
② $\frac{-1-3}{-1-2}=\frac{4}{3}$

(2)
① $\frac{-4-1}{1-(-2)}=-\frac{5}{3}$
② $\frac{1-(-4)}{-2-1}=-\frac{5}{3}$

(3)
① $\frac{-2-0}{3-0}=-\frac{2}{3}$
② $\frac{0-(-2)}{0-3}=-\frac{2}{3}$

(4)

① $\dfrac{3-0}{0-(-2)}=\dfrac{3}{2}$

② $\dfrac{0-3}{-2-0}=\dfrac{3}{2}$

(5)

① $\dfrac{2-3}{1-(-2)}=-\dfrac{1}{3}$

② $\dfrac{3-2}{-2-1}=-\dfrac{1}{3}$

(6)

① $\dfrac{3-1}{\dfrac{5}{2}-\left(-\dfrac{1}{2}\right)}=\dfrac{2}{3}$

② $\dfrac{1-3}{\left(-\dfrac{1}{2}\right)-\dfrac{5}{2}}=\dfrac{2}{3}$

p.032

유제

$\dfrac{f(5)-f(2)}{2-5}=-\dfrac{f(5)-f(2)}{5-2}$ 에서 $\dfrac{f(5)-f(2)}{5-2}$ 는 두 점 $(2,\ f(2))$, $(5,\ f(5))$를 지나는 직선의 기울기이므로 $-\dfrac{4}{5}$, 따라서 구하는 값은 $-\left(-\dfrac{4}{5}\right)=\dfrac{4}{5}$

p.037

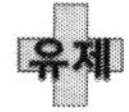

① 기울기의 정의 이용	② 덧셈을 통한 증가량 이용
$\dfrac{6-2}{4-1}=\dfrac{4}{3}$ 또는 $\dfrac{2-6}{1-4}=\dfrac{-4}{-3}=\dfrac{4}{3}$	(1) $(1,\ 2)\rightarrow(4,\ 6)$ $x\ (1\rightarrow4)$ 3증가 $y\ (2\rightarrow6)$ 4증가 $\Rightarrow \dfrac{4}{3}$ (2) $(4,\ 6)\rightarrow(1,\ 2)$ $x\ (4\rightarrow1)$ 3감소 $y\ (6\rightarrow2)$ 4감소 $\Rightarrow \dfrac{-4}{-3}=\dfrac{4}{3}$

p.040

유제

x의 값의 증가량 : $-4\rightarrow\dfrac{3}{2}$ 이므로 $\dfrac{11}{2}$, y의 값의 증가량 : $\dfrac{3}{2}\rightarrow5$ 이므로 $\dfrac{7}{2}$

따라서 기울기는 $\dfrac{7}{11}$

p.044

유제 01

x의 값의 증가량을 a라고 하면 $2=\dfrac{-6}{a}$, $\therefore\ a=-3$

비례식을 이용하면 $1:2=a:(-6)$, $\therefore\ a=-3$

유제 02

y의 값의 증가량을 b라고 하면 x의 값의 증가량은 $3-(-2)=5$이므로 $-\frac{3}{5}=\frac{b}{5}$, $\therefore\ b=-3$

※ 비례식을 이용하면 $(-5):3=5:b$ 또는 $5:(-3)=5:b$, $\therefore\ b=-3$

p. 045

① 기울기의 정의 이용

x의 값의 증가량을 a라고 하면 $-\frac{2}{5}=\frac{6-2}{a}=\frac{4}{a}$, $\therefore\ a=-10$

② 비례식 이용

$5:(-2)=a:4$ 또는 $(-5):2=a:4$, $\therefore\ a=-10$

※ '기울기 $-\frac{2}{5}$' 는 'x의 값의 증가량 : y의 값의 증가량 $=5:-2$ 또는 $-5:2$' 이고

y의 값의 증가량이 $4\ (=6-2)$ 이므로 x의 값의 증가량은 -10 $(-5:2=-10:4)$

p. 061

유제 01

두 일차함수의 그래프가 평행하므로 기울기가 같다. 따라서 $\frac{1}{3}a=-2$, $\therefore\ a=-6$

유제 02

두 일차함수의 그래프가 평행하므로 기울기가 같다. 따라서 $-a=3$, $\therefore\ a=-3$, $y=3x+2$

$y=3x+2$가 점 $(b,\ 5)$를 지나므로 대입하면 $3b+2=5$, $\therefore\ b=1$

따라서 $a-b=-3-1=-4$

p. 067

y절편의 절댓값 9는 기울기의 분자 3의 배수이다.

$\frac{3}{4}=\frac{9}{12}$ 이고, 기울기와 y절편의 부호가 다르므로 x절편의 부호는 양수. 따라서 x절편은 12

※ $y=\frac{3}{4}x-9\ \rightarrow\ y=\frac{9}{12}x-9$

유제 02

기울기는 정수이고, y절편 -8은 기울기 2의 배수이다.

$\frac{2}{1} = \frac{8}{\mathbf{4}}$이고, 기울기와 y절편의 부호가 다르므로 x절편의 부호는 양수. 따라서 x절편은 4

유제 03

y절편의 절댓값 12는 기울기(의 절댓값)의 분자 4의 배수이다.

$\frac{4}{7} = \frac{12}{\mathbf{21}}$이고, 기울기와 y절편의 부호가 같으므로 x절편의 부호는 음수. 따라서 x절편은 -21

p. **073**

유제

점 $(2,\ 3)$에서 y축 위의 점 $(0,\ 3)$으로 이동하면 x값은 2만큼 감소하고, 기울기가 1이므로 y의 값도 2만큼 감소한다. 따라서 $(0,\ 1)$이 되므로 y절편은 1이다.

p. **079**

유제

기울기가 3이고 y절편이 2인 일차함수의 식은 $y = 3x + 2$이다. 이 식에 점 $(a,\ -4)$를 대입하면 $3a + 2 = -4$, $\therefore\ a = -2$

p. **080**

유제 01

일차함수 $y = -\frac{3}{2}x + 4$의 그래프와 평행하므로 $y = -\frac{3}{2}x + b$로 두고 점 $(4,\ -1)$을 대입하면

$-6 + b = -1$, $\therefore\ b = 5$, 따라서 $y = -\frac{3}{2}x + 5$

유제 02

풀이 01 [일반적인 풀이]

$y = -x + b$에 점 $(-4,\ 6)$을 대입

$6 = -(-4) + b$, $\therefore\ b = 2$

따라서 $y = -x + 2$ ⋯ ①

①에 점 $(k,\ 3)$을 대입하면

$-k + 2 = 3$, $\therefore\ k = -1$

풀이 02 ※ 기울기가 -1이므로 지나는 점의 x좌표와 y좌표의 합이 일정

점 $(-4,\ 6)$의 x좌표와 y좌표의 합이 2이므로

y절편 $b = 2$

점 $(k,\ 3)$의 x좌표와 y좌표의 합이 2이므로 $k = -1$

풀이 01 **[연립방정식의 풀이 이용]**

$y=ax+b$ 에 두 점 $(2,\ -2)$, $(-4,\ 1)$을 각각 대입하면

$$\begin{cases} 2a+b=-2 & \cdots \text{①} \\ -4a+b=1 & \cdots \text{②} \end{cases}$$

① - ② 하면 $6a=-3$, $\therefore\ a=-\dfrac{1}{2}\ \cdots$ ③

③을 ①에 대입하면 $2\times\left(-\dfrac{1}{2}\right)+b=-2$, $\therefore\ b=-1$

따라서 $y=-\dfrac{1}{2}x-1$

풀이 02 **[기울기의 정의 이용]**

기울기 $=\dfrac{1-(-2)}{-4-2}=-\dfrac{1}{2}$ (또는 $\dfrac{-2-1}{2-(-4)}=-\dfrac{1}{2}$) 이므로 $y=-\dfrac{1}{2}x+b$

$(2,\ -2)$를 $y=-\dfrac{1}{2}x+b$ 에 대입하면 $-2=-\dfrac{1}{2}\times 2+b$, $\therefore\ b=-1$

따라서 $y=-\dfrac{1}{2}x-1$

※ $(-4,\ 1)$을 $y=-\dfrac{1}{2}x+b$ 에 대입해도 된다. $1=-\dfrac{1}{2}\times(-4)+b$, $\therefore\ b=-1$

※ 덧셈을 이용하여 x의 값의 증가량과 y의 값의 증가량을 구해 기울기를 구해도 된다.

$(2,\ -2)$ $\xrightarrow{x:\ -6,\ y:\ 3}$ $(-4,\ 1)$ 이므로 기울기는 $-\dfrac{1}{2}$ 또는 $(-4,\ 1)$ $\xrightarrow{x:\ 6,\ y:\ -3}$ $(2,\ -2)$ 이므로 기울기는 $-\dfrac{1}{2}$

유제 01

b는 $y=-2x+b$의 그래프가 점 $A(-1,\ 1)$을 지날 때 최소,
점 $B(1,\ 5)$를 지날 때 최대가 된다.
점 $A(-1,\ 1)$ 대입, $1=2+b$ 이므로 $b=-1$,
점 $B(1,\ 5)$ 대입, $5=-2+b$ 이므로 $b=7$
따라서 b의 범위는 $-1 \le b \le 7$

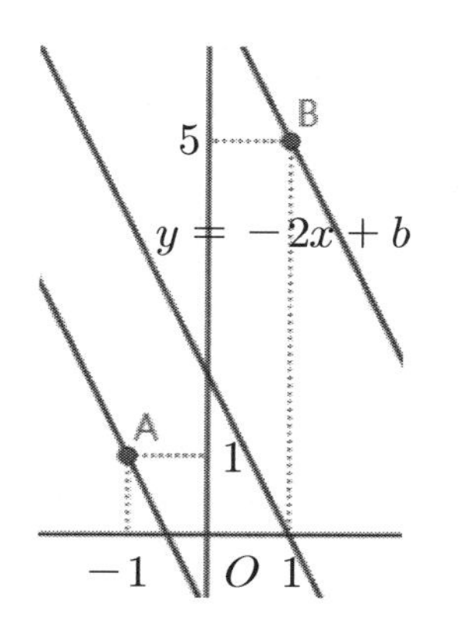

유제 02

※ 일차함수 $y=ax-2$의 그래프가 점 $(0,\ -2)$를 중심으로 회전하면서 점 $A(3,\ -1)$을 지날 때 기울기 a가 최소가 되고, 점 $B(2,\ 5)$를 지날 때 a가 최대가 된다.

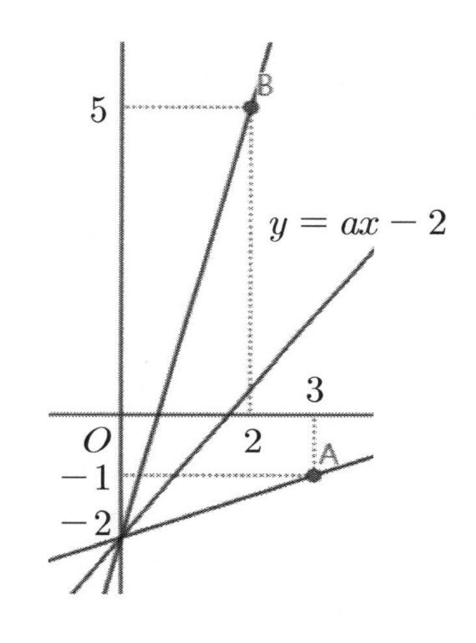

풀이 01 **※ 두 점을 이용하여 기울기를 구한다.**

a의 최솟값 : 두 점 $(0,\ 1)$, $A(2,\ -1)$을 지나는 직선의 기울기
$\rightarrow$ x의 값이 2증가할 때 y의 값은 2감소하므로 $a=-1$
a의 최댓값 : 두 점 $(0,\ 1)$, $B(5,\ 4)$를 지나는 직선의 기울기
$\rightarrow$ x의 값이 5증가할 때 y의 값은 3증가하므로 $a=\dfrac{3}{5}$
따라서 a의 범위는 $-1 \le a \le \dfrac{3}{5}$

풀이 02 **※ 지나는 점을 대입한다.**

a가 최소일 때, $y=ax+1$에 점 $A(2,\ -1)$ 을 대입 : $-1=2a+1 \quad \therefore\ a=-1$
a가 최대일 때, $y=ax+1$에 점 $B(5,\ 4)$ 를 대입 : $4=5a+1 \quad \therefore\ a=\dfrac{3}{5}$
따라서 a의 범위는 $-1 \le a \le \dfrac{3}{5}$

p. 127

연립방정식 $\begin{cases} y = -x+3 \\ y = x-5 \end{cases}$ 를 풀면 $x=4$, $y=-1$이므로 교점의 좌표는 $(4,\ -1)$

p. 136

일차함수의 그래프와 x축, y축으로 둘러싸인 도형은 직각삼각형이다.

x절편은 $-\dfrac{2}{3}x-4=0$에서 $x=-6$이므로 -6, y절편은 -4이다. 따라서

밑변의 길이는 x절편의 절댓값 $|-6|=6$, 높이는 y절편의 절댓값 $|-4|=4$

따라서 삼각형의 넓이는 $\dfrac{1}{2}\cdot 6\cdot 4=12$

유제 02

풀이 01

x절편은 $ax+6=0$, $x=-\dfrac{6}{a}$ 이므로 $-\dfrac{6}{a}$, y절편은 6이다.

따라서 밑변의 길이는 x절편의 절댓값인 $\left|-\dfrac{6}{a}\right|=\dfrac{6}{a}$ $(a>0$이므로), 높이는 y절편의 절댓값인 6이다.

삼각형의 넓이는 $\dfrac{1}{2}\cdot\dfrac{6}{a}\cdot 6=10$이므로 $a=\dfrac{9}{5}$

풀이 02

y절편이 6이므로 x절편을 m이라고 하면 $am+6=0$, $\therefore\ m=-\dfrac{6}{a}$

따라서 밑변의 길이는 x절편의 절댓값인 $\left|-\dfrac{6}{a}\right|=\dfrac{6}{a}$ $(a>0$이므로), 높이는 y절편의 절댓값인 6이다.

도형의 넓이는 $\dfrac{1}{2}\cdot\dfrac{6}{a}\cdot 6=10$이므로 $a=\dfrac{9}{5}$

$ax+by-3=0$에서 $by=-ax+3$, $\therefore\ y=-\frac{a}{b}x+\frac{3}{b}$

그래프의 기울기가 양이므로 $-\frac{a}{b}>0$, 따라서 $\frac{a}{b}<0$ $\cdots$ ①

y절편도 양이므로 $\frac{3}{b}>0$, 따라서 $b>0$이고 ①에서 $a<0$ 이다.

유제
02

$ax-by+c=0$에서 $by=ax+c$, $\therefore\ y=\frac{a}{b}x+\frac{c}{b}$

그래프의 기울기가 양이므로 $\frac{a}{b}>0$ $\cdots$ ①, y절편이 음이므로 $\frac{c}{b}<0$ $\cdots$ ②

$bx+cy=a$에서 $cy=-bx+a$, $\therefore\ y=-\frac{b}{c}x+\frac{a}{c}$ $\cdots$ Ⓐ

①에서 a와 b의 부호는 같고, ②에서 b와 c의 부호는 다르다.
따라서 a와 c의 부호는 다르다.

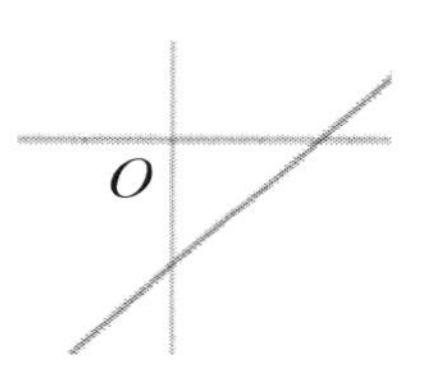

따라서 Ⓐ의 기울기 $-\frac{b}{c}>0$, y절편 $\frac{a}{c}<0$ 이므로

그래프의 개형은 오른쪽 그림과 같다.

01

$$f(3)+f(-1) = (9-5)+(-3-5) \\ = -4$$

02

$$f(-3)+g(4) = (6+1)+3 \\ = 10$$

03

$y = ax-2x-3$ 에서
$\quad = (a-2)x-3$

$a-2 \neq 0$

$\therefore\ a \neq 2$

04

$f(3) = 3a-3 = 9$ 에서

$3a = 12$

$\therefore\ a = 4$

따라서 $f(x) = 4x-3$

따라서 $f(2) = 4\times 2-3 = 5$

05

$$f(3)+f(-6) = (-2+3)+(4+3) \\ = 8$$

06

$f(a) = a+3 = -2$ 에서

$a = -5$

07

(1) (○) (2) (×) (3) (×)

(4) (○) (5) (○) (6) (×)

08

$f(3) = 3a+2a = -a+6$ 에서 $6a = 6$

$\therefore\ a = 1$

09

$f(3m) = -2(3m)+5 = -6m+5 = -7$ 에서

$-6m = -12$

$\therefore\ m = 2$

10

$$f(3)-2f(1) = (15-2)-2(5-2) \\ = 7$$

11

$f(2a) = f(3)+12$ 에서

$4(2a)+3 = (4\times 3+3)+12$

$8a+3 = 27$

$8a = 24$

$\therefore\ a = 3$

12

$f\left(\dfrac{a}{6}\right) = 2a-1$ 에서 $-3\left(\dfrac{a}{6}\right)+4 = 2a-1$

$\dfrac{5}{2}a = 5$

$\therefore\ a = 2$

13

$y = ax-2$ 에 점 $(3,\ a)$를 대입하면

$a = 3a-2,\ 2a = 2$

$\therefore\ a = 1$, 따라서 $y = x-2$

$y=x-2$ 에 점 $(3b,\ b+2)$를 대입하면

$b+2=3b-2,\ 2b=4$

$\therefore\ b=2$

따라서 $2a+b=2+2=4$

14

$f(x)=-3x-1$에 점 $(2m,\ 11)$을 대입

$11=-6m-1,\ 6m=-12,\ \therefore\ m=-2$

$f(x)=-3x-1$에 점 $(n+2,\ -m)$을 대입

$-m=-3(n+2)-1,\ 2=-3n-7$

$3n=-9,\ \therefore\ n=-3$

15

9이하의 소수는 2, 3, 5, 7이므로 4개, 17이하의 소수는 2, 3, 5, 7, 11, 13, 17이므로 7개

따라서 $f(9)+f(17)=4+7=11$

16

$$\begin{aligned} y &= 6x+a(2x-3) \\ &= 6x+2ax-3a \\ &= (2a+6)x-3a \end{aligned}$$ 에서

$2a+6\neq 0,\ \therefore\ a\neq -3$

17

③ $2\times\left(-\frac{1}{4}\right)-3=-\frac{7}{2}$

18

$y=\frac{2}{3}x+5$에 점 $(p,\ 2)$를 대입

$\frac{2}{3}p+5=2,\ \frac{2}{3}p=-3,\ \therefore\ p=-\frac{9}{2}$

$y=\frac{2}{3}x+5$에 점 $(-2,\ q)$를 대입

$q=-\frac{4}{3}+5=\frac{11}{3}$

따라서 $2p+3q=-9+11=2$

19

$y=2ax-3$에 점 $(3,\ 9)$를 대입

$6a-3=9,\ \therefore\ a=2$, 따라서 $y=4x-3$

$y=4x-3$에 점 $(b,\ -7)$을 대입

$4b-3=-7,\ \therefore\ b=-1$

20

점 $(a,\ 5)$를 $y=3x-4$에 대입

$3a-4=5,\ \therefore\ a=3$

21

점 $(3,\ 2a-3)$을 $y=2x+1$에 대입

$2a-3=7,\ \therefore\ a=5$

22

$y=\frac{3}{2}x-b$에 점 $(4,\ 2)$를 대입

$6-b=2,\ \therefore\ b=4$, 따라서 $y=\frac{3}{2}x-4$

$y=\frac{3}{2}x-4$에 점 $(2a,\ 4)$를 대입

$3a-4=4,\ \therefore\ a=\frac{8}{3}$

따라서 $3a-b=8-4=4$

23

$n=f(4)=8-3=5$이므로 $g(4)=5$

$g(4)=-4+b=5$

$\therefore\ b=9,\ n=5$

A.

01 x절편 : 2, y절편 : -4

02 x절편 : -2, y절편 : 2

03 x절편 : $-\frac{15}{2}$, y절편 : 3

04 x절편 : $\frac{3}{5}$, y절편 : -1

05 x절편 : 3, y절편 : $\frac{3}{5}$

06 x절편 : -10, y절편 : -6

07 x절편 : $-\frac{2}{3}$, y절편 : -2

08 x절편 : $\frac{3}{4}$, y절편 : $\frac{3}{2}$

09 x절편 : $\frac{3}{4}$, y절편 : $-\frac{1}{2}$

10 x절편 : $-\frac{3}{4}$, y절편 : $\frac{3}{7}$

B.

01

$y=-\frac{4}{3}x-2$를 y축의 방향으로 3만큼 평행이동하면 $y=-\frac{4}{3}x-2+3=-\frac{4}{3}x+1$

점 $(2,\ p)$를 대입하면

$p=-\frac{8}{3}+1=-\frac{5}{3}$

02

$y=ax-2$를 y축의 방향으로 q만큼 평행이동하면 $y=ax+(q-2)$

$y=\frac{1}{5}x+3$과 $y=ax+(q-2)$는 같으므로

$a=\frac{1}{5}$, $q-2=3$, $\therefore\ q=5$

03

x절편이 10이므로 $x=10$, $y=0$을

$y=\frac{3}{5}x+b$에 대입

$6+b=0$, $\therefore\ b=-6$

04

$y=2x$ 를 y축의 방향으로 -3만큼 평행이동한 그래프의 식은 $y=2x-3$

05

$y=-3x-2$의 그래프를 y축의 방향으로 4만큼 평행이동하면 $y=-3x-2+4$

$\therefore\ y=-3x+2$

06

$y=3x-5$의 그래프를 y축의 방향으로 3만큼 평행이동하면 $y=3x-5+3$, $y=3x-2$

$y=3x-2$에 점 $(3, b)$를 대입하면 $b=7$

07

일차함수 $y=ax+2$의 그래프를 y축의 방향으로 -5만큼 평행이동하면

$$\begin{aligned} y &= ax+\ 2-5 \\ &= ax-3 \end{aligned}$$

위 식에 점 $(2, -1)$을 대입하면

$2a-3=-1$, $\therefore\ a=1$

08

일차함수 $y=-2x+3$의 그래프를 y축의 방향으로 k만큼 평행이동하면

$y\ =-2x+3+k$

위 식에 점 $(-3, 2)$를 대입하면

$6+3+k=2$, $\therefore\ k=-7$

09

일차함수 $y=ax+1$의 그래프를 y축의 방향으로 b만큼 평행이동하면

$y=ax+1+b$ ⋯ ㉠

$i)$ ㉠에 점 $(2, -3)$을 대입

$2a+1+b=-3$, $\therefore\ 2a+b=-4$ ⋯ ①

$ii)$ ㉠에 점 $(5, 3)$을 대입

$5a+1+b=3$, $\therefore\ 5a+b=2$ ⋯ ②

①, ②를 연립하면 $a=2$, $b=-8$

따라서 $3a+b=-2$

10

※ 두 일차함수의 그래프가 x축에서 만나므로 x절편이 같다. $y=0$을 대입하여 x절편을 구한다.

$y=2x-3$에서 $2x-3=0$, $\therefore\ x=\dfrac{3}{2}$

$y=-3x+b$에서 $3x-b=0$, $\therefore\ x=\dfrac{b}{3}$

따라서 x절편이 각각 $\dfrac{3}{2}$, $\dfrac{b}{3}$이므로 $\dfrac{3}{2}=\dfrac{b}{3}$

$2b=9$, $\therefore\ b=\dfrac{9}{2}$

※ (1)에서 구한 x의 값을 (2)에 대입하여 b를 구해도 된다.

(2) $-3\times\dfrac{3}{2}+b=0$, $\therefore\ b=\dfrac{9}{2}$

11

일차함수 $y=-2x-3$의 그래프를 y축의 방향으로 m만큼 평행이동하면

$y=-2x-3+m$

x절편이 1이므로 위 식에 점 $(1, 0)$을 대입한다.

$-2-3+m=0$, $\therefore\ m=5$

12

일차함수 $y=\frac{2}{5}x+1$의 그래프를 y축의 방향으로 3만큼 평행이동하면 $y=\frac{2}{5}x+4$

$y=0$일 때, $\frac{2}{5}p+4=0$, $\therefore\ p=-10$

$x=0$일 때, $q=4$

따라서 $-\frac{5q}{2p}=1$

13

일차함수 $y=3x-6$에 $y=0$을 대입하면

$0=3x-6$에서 $x=2$, 따라서 $A(2,\ 0)$

$\overline{AB}=6$이므로 $B(-4,\ 0)$ 또는 $B(8,\ 0)$

$i)$ $B(-4,\ 0)$을 $y=-2x+b$에 대입하면

$0=8+b$, $\therefore\ b=-8$

$ii)$ $B(8,\ 0)$을 $y=-2x+b$에 대입하면

$0=-16+b$, $\therefore\ b=16$

따라서 -8, 16

14

x절편이 $\frac{1}{4}$이므로

$0=2(3a-2)\times\frac{1}{4}-5$

$3a-2=10$

$\therefore\ a=4$

연습문제

p.048

A.

01 $\frac{5}{4-1}=\frac{5}{3}$

02 $\frac{-4}{3}=-\frac{4}{3}$

03 $\frac{-3}{2}=-\frac{3}{2}$

04 $\frac{3-(-2)}{7}=\frac{5}{7}$

05 $\frac{1-(-3)}{-3}=-\frac{4}{3}$

06 $\frac{2}{-3}=-\frac{2}{3}$

07 $\frac{4-2}{-3-2}=-\frac{2}{5}$

08 $\frac{5-2}{4}=\frac{3}{4}$

09 $\frac{6}{-3}=-2$

10 $\frac{-3}{1-4}=1$

B.

01 $\frac{7-4}{2-(-1)}=1$

02 $\frac{5-2}{6-2}=\frac{3}{4}$

03 $\frac{-5-(-1)}{3-(-2)}=-\frac{4}{5}$

04 $\frac{-2-0}{2-0}=-1$

05 $\frac{3-2}{1-(-3)}=\frac{1}{4}$

06 $\frac{8-3}{2-(-4)}=\frac{5}{6}$

07 $\frac{-5-(-3)}{3-1}=-1$

08 $\frac{0-(-4)}{3-(-2)}=\frac{4}{5}$

09 $\frac{2-5}{2-0}=-\frac{3}{2}$

10 $\frac{-2-3}{0-(-4)}=-\frac{5}{4}$

11 $\frac{4-(-1)}{2-(-2)}=\frac{5}{4}$

12 $\frac{-2-(-4)}{3-2}=2$

13 $\frac{-1-2}{4-3}=-3$

14 $\frac{-2-4}{1-(-3)}=-\frac{3}{2}$

15 $\frac{0-3}{3-0}=-1$

16 $\frac{-2-2}{3-0}=-\frac{4}{3}$

17 $\frac{1-5}{3-(-1)}=-1$

18 $\frac{-2-0}{3-0}=-\frac{2}{3}$

19 $\frac{-1-0}{2-(-3)}=-\frac{1}{5}$

20 $\frac{5-4}{2-(-3)}=\frac{1}{5}$

C.

01

(1) y의 값의 증가량을 b라고 하면

$$-3=\frac{b}{5-2}=\frac{b}{3},\ \therefore\ b=-9$$

(2) x의 값의 증가량을 a라고 하면

$$-3=\frac{-2-4}{a}=-\frac{6}{a},\ \therefore\ a=2$$

02

(1) y의 값의 증가량을 b라고 하면

$$\frac{2}{3}=\frac{b}{3},\ \therefore\ b=2$$

(2) x의 값의 증가량을 a라고 하면

$$\frac{2}{3}=\frac{-4}{a},\ \therefore\ a=-6$$

03

(1) y의 값의 증가량을 b라고 하면

$$-\frac{1}{2}=\frac{b}{-4},\ \therefore\ b=2$$

(2) x의 값의 증가량을 a라고 하면

$$-\frac{1}{2}=\frac{1-(-2)}{a}=\frac{3}{a},\ \therefore\ a=-6$$

04

※ 주어진 조건을 이용하여 기울기 a를 먼저 구한다.

$$a=\frac{-4}{4-(-2)}=-\frac{2}{3}$$

(1) y의 값의 증가량을 b라고 하면

$$-\frac{2}{3}=\frac{b}{3},\ \therefore\ b=-2$$

(2) x의 값의 증가량을 a라고 하면

$$-\frac{2}{3}=\frac{6}{a},\ \therefore\ a=-9$$

05 두 점 $(3,\ -1)$, $(-1,\ 2)$를 지나는 직선의 기울기는 $\dfrac{-1-2}{3-(-1)}=-\dfrac{3}{4}$

※ 덧셈을 통한 증가량을 이용하여 구해도 된다.

x의 값의 증가량 $-1\rightarrow 3\ (+4)$,

y의 값의 증가량 $2\rightarrow -1\ (-3)$, 기울기는 $-\dfrac{3}{4}$

06

$\dfrac{f(4)-f(-1)}{4+1}=\dfrac{f(4)-f(-1)}{4-(-1)}$는 $(-1,\ f(-1))$과 $(4,\ f(4))$를 지나는 일차함수의 기울기를 나타내므로 일차항의 계수 2가 답이다.

07

$$\frac{f(6b)-f(3a)}{2b-a}=\frac{f(6b)-f(3a)}{3(2b-a)}\times 3$$

$$=\frac{f(6b)-f(3a)}{6b-3a}\times 3\ \cdots\ ①$$

$\dfrac{f(6b)-f(3a)}{6b-3a}$는 두 점 $(3a,\ f(3a))$, $(6b,\ f(6b))$를 이은 직선의 기울기이므로 $\dfrac{3}{2}$

따라서 ① 의 값은 $\dfrac{3}{2}\times 3=\dfrac{9}{2}$

08

$\dfrac{f(6)-f(3)}{6-3}$ 은 $(3,\ f(3))$, $(6,\ f(6))$을 지나는 직선의 기울기다. 두 점 $(2,\ -1)$, $(5,\ -7)$을 지나는 직선의 기울기는 $\dfrac{-7-(-1)}{5-2}=-2$이므로

$\dfrac{f(6)-f(3)}{6-3}=-2$

09

기울기의 정의에 의해 $2=\dfrac{n-4}{-1-2}=\dfrac{n-4}{-3}$,

$n-4=-6$, $\therefore\ n=-2$

※ 일차방정식 또는 일차부등식을 풀 때, 일차항의 계수가 양수가 되도록 이항하는 것이 계산 단축, 실수 줄이기에 유리하다.

10

두 점 $A(1,\ -2)$, $B(4,\ 2)$를 지나는 직선의 기울기와 두 점 $A(1,\ -2)$, $C(a-1,\ 2a-4)$를 지나는 직선의 기울기가 같다. (두 점 B, C를 지나는 직선의 기울기를 이용해도 된다.)

두 점 $A(1,\ -2)$, $B(4,\ 2)$를 지나는 직선의 기울기는 $\dfrac{4}{3}$, 두 점 $A(1,\ -2)$, $C(a-1,\ 2a-4)$를 지나는 직선의 기울기는 $\dfrac{2a-2}{a-2}$

두 기울기가 같으므로 $\dfrac{2a-2}{a-2}=\dfrac{4}{3}$

따라서 $a=-1$

11

기울기의 부호, y절편의 부호 또는 값(0)에 따라

(1) 제 1, 2, 4 사분면 (2) 제 1, 3 사분면

(3) 제 1, 3, 4 사분면 (4) 제 2, 3, 4 사분면

(5) 제 1, 2, 3 사분면 (6) 제 2, 4 사분면

12

$ab>0$ 이므로 a와 b는 부호가 같다.

$a+b<0$ 이므로 (같은 부호의) 합이 음수다.

따라서 a, b는 모두 음수이다.

(1)

기울기 $a<0$,

y절편 $b<0$

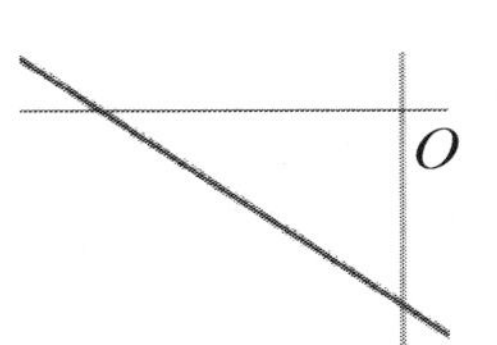

(2)

기울기 $a<0$,

y절편 $-b>0$

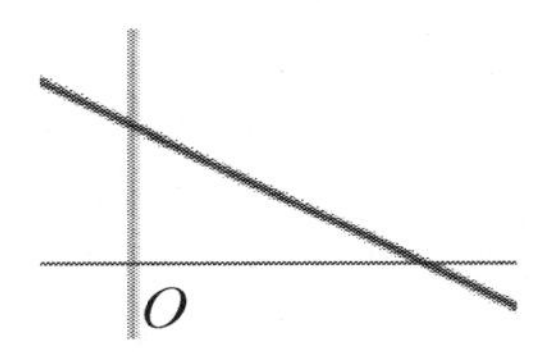

(3)

기울기 $-a>0$,

y절편 $b<0$

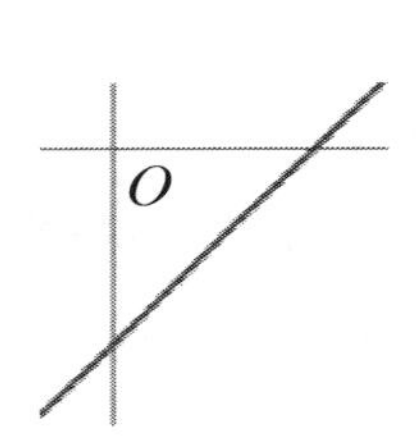

(4)

기울기 $-a>0$,

y절편 $-b>0$

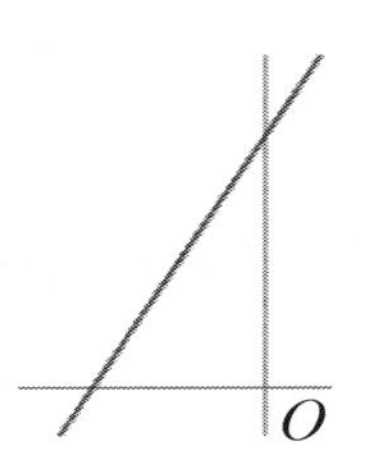

13

$ab < 0$ 이므로 a와 b는 부호가 서로 다르고, $a-b<0$ 이므로 $a<b$

따라서 a는 음수 $(a<0)$, b는 양수 $(b>0)$다.

(1) $y=ax+b$

기울기 $a<0$

y절편 $b>0$

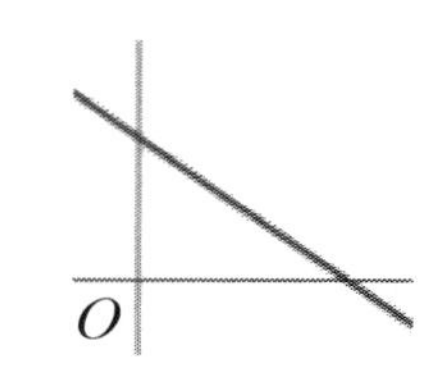

(2) $y=ax-b$

기울기 $a<0$

y절편 $-b<0$

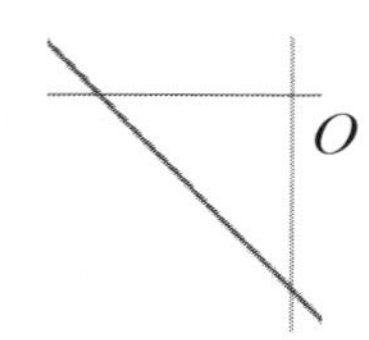

(3) $y=-ax+b$

기울기 $-a>0$

y절편 $b>0$

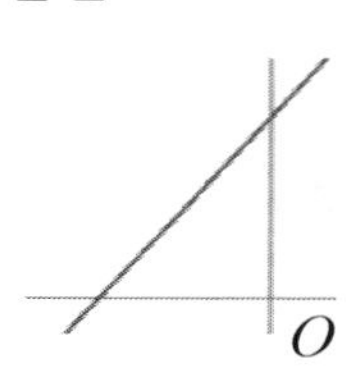

(4) $y=-ax-b$

기울기 $-a>0$

y절편 $-b<0$

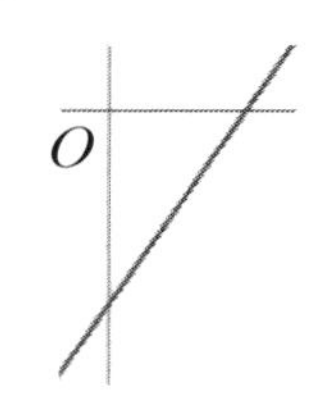

(5) $y=(a-2b)x-a$

기울기 $a-2b<0$

y절편 $-a>0$

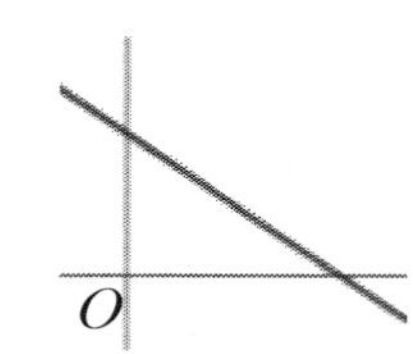

(6) $y=\frac{a}{b}x+a$

기울기 $\frac{a}{b}<0$

y절편 $a<0$

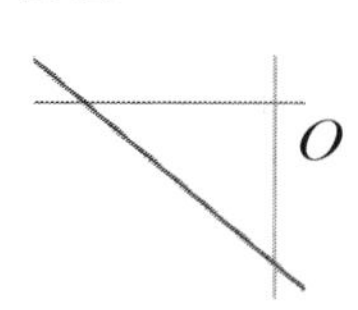

※ **(5)** $a-2b=(a-b)-b$ **에서** $a-b<0$, $b>0$ **이므로** $(a-b)-b<0$

14

문제의 그래프는 기울기가 양수이므로 $a>0$,

y절편이 양수이므로 $-b>0$, $\therefore b<0$

따라서 $ab<0$, $-\frac{b}{a}>0$이므로

일차함수 $y=abx-\frac{b}{a}$의

기울기는 음수,

y절편은 양수다.

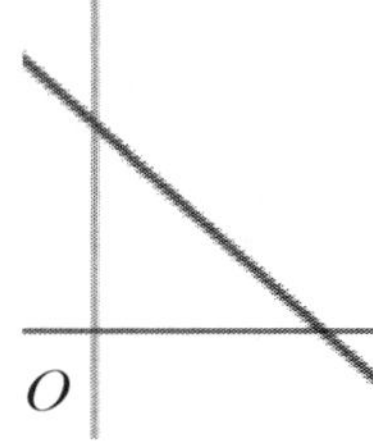

15

제2사분면을 지나지 않으려면 오른쪽 그림과 같이 기울기가 양수고, <u>y절편은 0보다 작거나 같으면 된다.</u>

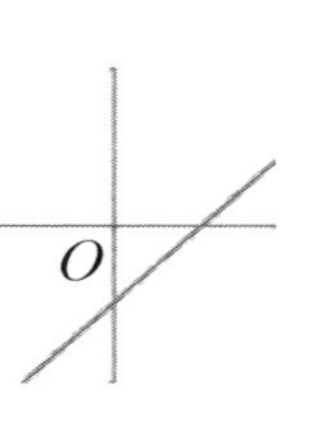

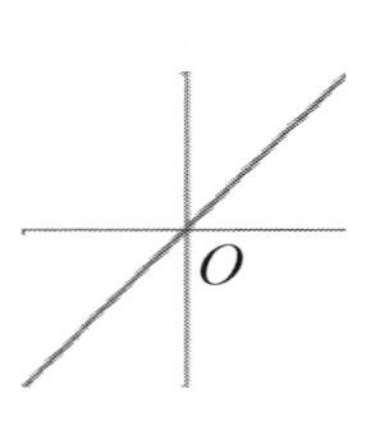

따라서 $a+2>0$에서 $a>-2$

$-2b+1\le 0$에서 $b\ge \frac{1}{2}$

A.

01

① 그래프가 x축과 이루는 예각의 크기가 $45°$보다 크고, 오른쪽 위로 향하므로 기울기 $a>1$

② 그래프와 y축의 교점이 x축 아래에 있으므로 y절편 $b<0$

02

① 그래프가 x축과 이루는 예각의 크기가 $45°$보다 크고, 오른쪽 위로 향하므로 기울기 $a>1$

② 그래프와 y축의 교점이 x축 아래에 있으므로 y절편 $b<0$

03

① 그래프가 x축과 이루는 예각의 크기가 $45°$보다 작고, 오른쪽 아래로 향하므로
기울기 $-1<a<0$

② 그래프와 y축의 교점이 x축 아래에 있으므로
y절편 $b<0$

04

① 그래프가 x축과 이루는 예각의 크기가 $45°$보다 크고, 오른쪽 아래로 향하므로
기울기 $a<-1$

② 그래프와 y축의 교점이 x축 위에 있으므로
y절편 $b>0$

05

① 그래프가 x축과 이루는 예각의 크기가 $45°$보다 작고, 오른쪽 위로 향하므로
기울기 $0<a<1$

② 그래프와 y축의 교점이 x축 아래에 있으므로
y절편 $b<0$

06

① 그래프가 x축과 이루는 예각의 크기가 $45°$이고, 오른쪽 위로 향하므로 기울기 $a=1$

② 그래프와 y축의 교점이 x축 위에 있으므로
y절편 $b>0$

07

① 그래프가 x축과 이루는 예각의 크기가 $45°$보다 크고, 오른쪽 위로 향하므로 기울기 $a>1$

② 그래프와 y축의 교점이 x축 위에 있으므로
y절편 $b>0$

08

① 그래프가 x축과 이루는 예각의 크기가 $45°$이고, 오른쪽 아래로 향하므로 기울기 $a=-1$

② 그래프와 y축의 교점이 x축 위에 있으므로
y절편 $b>0$

09

① 그래프가 x축과 이루는 예각의 크기가 45° 보다 작고, 오른쪽 위로 향하므로
기울기 $0 < a < 1$

② 그래프와 y축의 교점이 x축 아래에 있으므로 y절편 $b < 0$

10

① 그래프가 x축과 이루는 예각의 크기가 45° 보다 작고, 오른쪽 아래로 향하므로
기울기 $-1 < a < 0$

② 그래프가 원점을 지나므로 y절편 $b = 0$

11

① 그래프가 x축과 이루는 예각의 크기가 45° 보다 작고, 오른쪽 아래로 향하므로
기울기 $-1 < a < 0$

② 그래프와 y축의 교점이 x축 아래에 있으므로
y절편 $b < 0$

12

① 그래프가 x축과 이루는 예각의 크기가 45° 보다 작고, 오른쪽 위로 향하므로
기울기 $0 < a < 1$

② 그래프와 y축의 교점이 x축 아래에 있으므로
y절편 $b < 0$

13

① 그래프가 x축과 이루는 예각의 크기가 45° 이고, 오른쪽 아래로 향하므로 기울기 $a = -1$

② 그래프와 y축의 교점이 x축 위에 있으므로
y절편 $b > 0$

14

① 그래프가 x축과 이루는 예각의 크기가 45° 보다 크고, 오른쪽 위로 향하므로 기울기 $a > 1$

② 그래프가 원점을 지나므로 y절편 $b = 0$

15

① 그래프가 x축과 이루는 예각의 크기가 45° 보다 크고, 오른쪽 위로 향하므로 기울기 $a > 1$

② 그래프와 y축의 교점이 x축 아래에 있으므로
y절편 $b < 0$

16

① 그래프가 x축과 이루는 예각의 크기가 45° 보다 크고, 오른쪽 위로 향하므로 기울기 $a > 1$

② 그래프와 y축의 교점이 x축 위에 있으므로
y절편 $b > 0$

17

① 그래프가 x축과 이루는 예각의 크기가 45° 이고, 오른쪽 위로 향하므로 기울기 $a = 1$

② 그래프와 y축의 교점이 x축 위에 있으므로 y절편 $b > 0$

18

① 그래프가 x축과 이루는 예각의 크기가 $45°$보다 크고, 오른쪽 아래로 향하므로
기울기 $a < -1$

② 그래프와 y축의 교점이 x축 아래에 있으므로 y절편 $b < 0$

19

① 그래프가 x축과 이루는 예각의 크기가 $45°$보다 크고, 오른쪽 아래로 향하므로
기울기 $a < -1$

② 그래프와 y축의 교점이 x축 위에 있으므로 y절편 $b > 0$

20

① 그래프가 x축과 이루는 예각의 크기가 $45°$이고, 오른쪽 아래로 향하므로 기울기 $a = -1$

② 그래프와 y축의 교점이 x축 아래에 있으므로 y절편 $b < 0$

21

① 그래프가 x축과 이루는 예각의 크기가 $45°$보다 작고, 오른쪽 위로 향하므로
기울기 $0 < a < 1$

② 그래프와 y축의 교점이 x축 아래에 있으므로 y절편 $b < 0$

22

① 그래프가 x축과 이루는 예각의 크기가 $45°$보다 작고, 오른쪽 아래로 향하므로
기울기 $-1 < a < 0$

② 그래프와 y축의 교점이 x축 아래에 있으므로 y절편 $b < 0$

23

① 그래프가 x축과 이루는 예각의 크기가 $45°$보다 작고, 오른쪽 아래로 향하므로
기울기 $-1 < a < 0$

② 그래프와 y축의 교점이 x축 위에 있으므로 y절편 $b > 0$

24

① 그래프가 x축과 이루는 예각의 크기가 $45°$보다 작고, 오른쪽 위로 향하므로
기울기 $0 < a < 1$

② 그래프와 y축의 교점이 x축 위에 있으므로 y절편 $b > 0$

25

① 그래프가 x축과 이루는 예각의 크기가 $45°$보다 작고, 오른쪽 위로 향하므로
기울기 $0 < a < 1$

② 그래프와 y축의 교점이 x축 위에 있으므로 y절편 $b > 0$

26

① 그래프가 x축과 이루는 예각의 크기가 $45°$보다 크고, 오른쪽 아래로 향하므로
기울기 $a < -1$

② 그래프와 y축의 교점이 x축 아래에 있으므로 y절편 $b < 0$

27

① 그래프가 x축과 이루는 예각의 크기가 $45°$이고, 오른쪽 아래로 향하므로 기울기 $a = -1$

② 그래프와 y축의 교점이 x축 아래에 있으므로 y절편 $b < 0$

28

① 그래프가 x축과 이루는 예각의 크기가 $45°$보다 작고, 오른쪽 위로 향하므로
기울기 $0 < a < 1$

② 그래프와 y축의 교점이 x축 아래에 있으므로 y절편 $b < 0$

29

① 그래프가 x축과 이루는 예각의 크기가 $45°$보다 작고, 오른쪽 위로 향하므로
기울기 $0 < a < 1$

② 그래프와 y축의 교점이 x축 아래에 있으므로 y절편 $b < 0$

30

① 그래프가 x축과 이루는 예각의 크기가 $45°$보다 작고, 오른쪽 아래로 향하므로
기울기 $-1 < a < 0$

② 그래프와 y축의 교점이 x축 아래에 있으므로 y절편 $b < 0$

31

① 그래프가 x축과 이루는 예각의 크기가 $45°$보다 작고, 오른쪽 아래로 향하므로 기울기 $-1 < a < 0$

② 그래프와 y축의 교점이 x축 위에 있으므로 y절편 $b > 0$

32

① 그래프가 x축과 이루는 예각의 크기가 $45°$보다 작고, 오른쪽 위로 향하므로 기울기 $0 < a < 1$

② 그래프와 y축의 교점이 x축 아래에 있으므로 y절편 $b < 0$

33

① 그래프가 x축과 이루는 예각의 크기가 $45°$이고, 오른쪽 위로 향하므로 기울기 $a = 1$

② 그래프와 y축의 교점이 x축 위에 있으므로 y절편 $b > 0$

A.

01

두 일차함수의 그래프가 평행하므로 기울기가 같다. 따라서 $3a-1=-2$, $\therefore a=-\frac{1}{3}$

02

두 일차함수 그래프가 일치하므로 기울기가 같고, y절편도 같다.

(1) 기울기 $a=3$

(2) y절편 $-2b=2$, $\therefore b=-1$

03

두 일차함수의 그래프가 일치하므로 기울기가 같고, y절편도 같다.

(1) 기울기 $3a-2=b$, $3a-b=2$

(2) y절편 $a-2=1$, $\therefore a=3$, $b=7$

04

(1) 일차함수 $y=ax-3$은 일차함수 $y=-3x+2b$와 일치하므로 기울기와 y절편이 같다.

① 기울기 $a=-3$

② $2b=-3$, $\therefore b=-\frac{3}{2}$

(2) 일차함수 $y=ax-3$이 일차함수 $y=cx+2$와 x축 위에서 만나므로 x절편이 같다.

$a=-3$이므로 $y=-3x-3$에서 $x=-1$

$(-1, 0)$을 $y=cx+2$에 대입하면

$-c+2=0$, $\therefore c=2$

따라서 $a-2b-c=-2$

05

그래프는 두 점 $(-3, 1)$, $(1, 4)$를 지나므로

기울기 $a=\frac{3}{4}$

$y=\frac{3}{4}x+b$의 그래프가 점 $\left(2, \frac{1}{2}\right)$을 지나므로

대입하면 $\frac{3}{2}+b=\frac{1}{2}$, $\therefore b=-1$

따라서 $4a+2b=1$

06

두 점 $(-1, 2)$, $(3, 8)$을 지나는 직선의 기울기가 a이므로 $a=\frac{8-2}{3-(-1)}=\frac{3}{2}$

07

$y=-ax+2b$의 그래프를 y축의 방향으로 3만큼 평행이동하면 $y=-ax+2b+3$

두 그래프 $y=-ax+2b+3$, $y=3x+5$가 일치하므로 기울기와 y절편이 같다.

(1) 기울기 $-a=3$, $\therefore a=-3$

(2) y절편 $2b+3=5$, $\therefore b=1$

따라서 $a+b=-2$

08

일차함수 $y=\frac{1}{2}ax+1$의 그래프를 y축의 방향으로 k만큼 평행이동하면 $y=\frac{1}{2}ax+1+k$

두 그래프 $y=\frac{1}{2}ax+1+k$, $y=(a-1)x+3$이 일치하므로

$\frac{1}{2}a=a-1$, $\therefore a=2$

$1+k=3$, $\therefore k=2$

09

x의 값이 1에서 4까지 3만큼 증가할 때, y의 값은 3에서 9까지 6만큼 증가하므로 기울기 $a=2$

$y=2x+3$의 그래프가 점 $(-2, n)$을 지나므로 대입하면 $n=-4+3=-1$

따라서 $an=-2$

연 습 문 제

*p.*074

A.

※ 그래프는 x절편을 구한 다음 y절편과 함께 그린다. [그림 1]

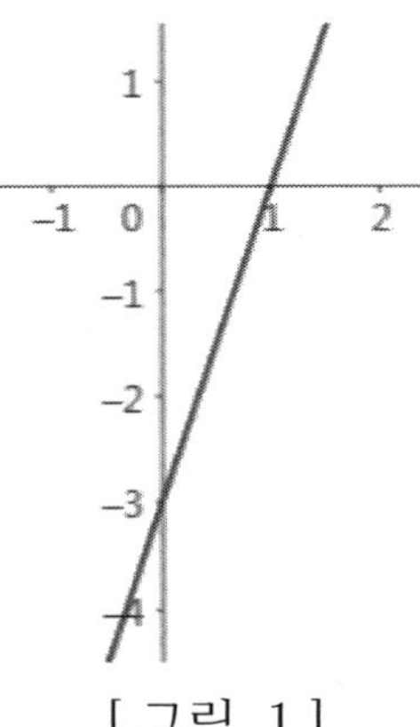

[그림 1]

01 $y = 3x - 3$

(1) x절편 구하기 ①

기울기 3, y절편의 절댓값도 3으로 같으므로 x절편의 절댓값은 1, 기울기와 y절편의 부호가 다르므로 x절편은 1

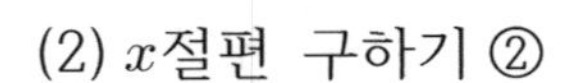

(2) x절편 구하기 ②

'기울기 3은 양수, y절편은 음수이므로 x축과 y축으로 움직이는 거리의 비를 1 : 3에 맞춰 오른쪽 위로 움직인다. 점 A에서 점 B를 거쳐 점 C까지. ([그림 2])

위로 3만큼 움직일 때, 오른쪽으로 1만큼 움직이므로 x절편은 1

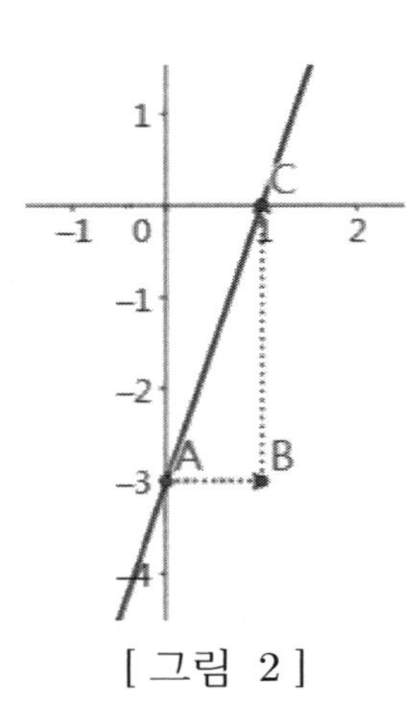

[그림 2]

02 $y = \dfrac{2}{3}x + 4$

(1) x절편 구하기 ①

기울기 $\dfrac{2}{3} = \dfrac{4}{6}$ 이므로 x절편의 절댓값은 6, 기울기와 y절편의 부호가 같으므로 x절편은 -6

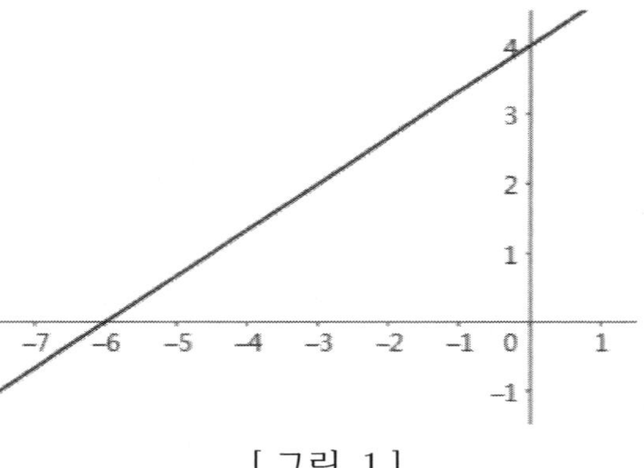

[그림 1]

(2) x절편 구하기 ②

'기울기 $\frac{2}{3}$는 양수, y절편도 양수이므로 x축과 y축으로 움직이는 거리의 비를 3 : 2에 맞춰 왼쪽 아래로 움직인다. 점 A에서 점 B를 거쳐 점 C까지. ([그림 2])

아래로 2만큼 2번 움직일 때, 왼쪽으로 3만큼 움직이므로 2번 움직이므로 x절편은 -6

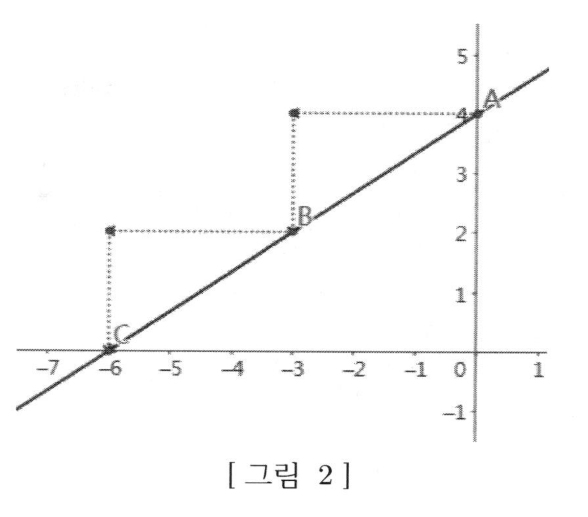

[그림 2]

03 $y=-\frac{3}{4}x+3$

(1) x절편 구하기 ①

기울기의 절댓값이 $\frac{3}{4}$이므로 x절편은 절댓값은 4, 기울기와 y절편의 부호가 다르므로 x절편은 4

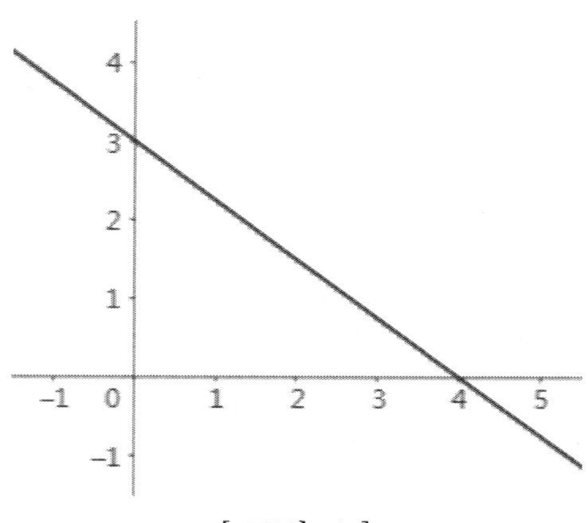

[그림 1]

(2) x절편 구하기 ②

'기울기 $-\frac{3}{4}$은 음수, y절편은 양수이므로 x축과 y축으로 움직이는 거리의 비를 4 : 3에 맞춰 오른쪽 아래로 움직인다. 점 A에서 점 B까지.([그림 2])

아래로 3만큼 움직일 때, 오른쪽으로 4만큼 움직이므로 x절편은 4

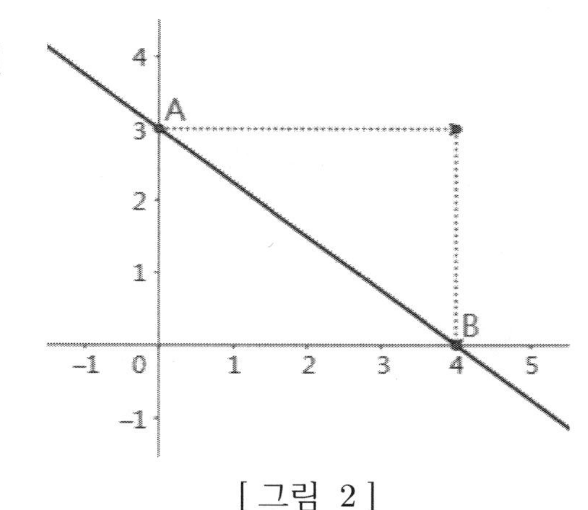

[그림 2]

04 $y=-\frac{3}{2}x-3$

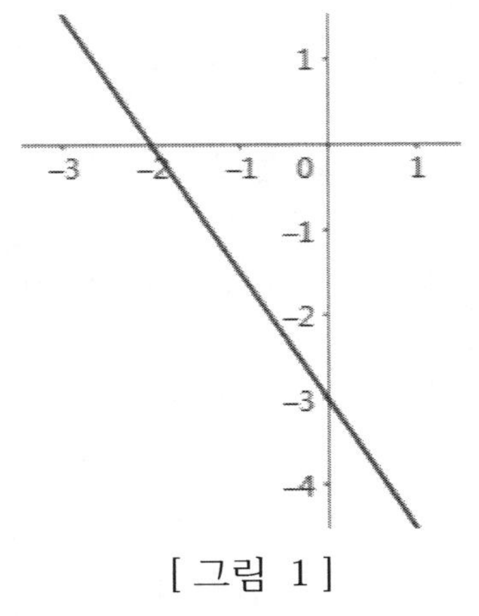

[그림 1]

(1) x절편 구하기 ①

기울기의 절댓값이 $\frac{3}{2}$이므로 x절편의 절댓값은 2, 기울기와 y절편의 부호가 같으므로 x절편은 -2

(2) x절편 구하기 ②

'기울기 $-\frac{3}{2}$은 음수, y절편도 음수이므로 x축과 y축으로 움직이는 거리의 비를 $2:3$에 맞춰 왼쪽 위로 움직인다. 점 A에서 점 B까지. ([그림 2])

위로 3만큼 움직일 때, 왼쪽으로 2만큼 움직이므로 x절편은 -2

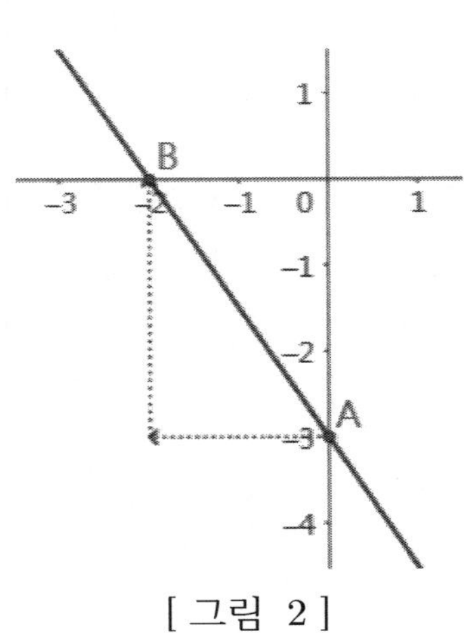

[그림 2]

05 $y=\frac{2}{5}x+4$

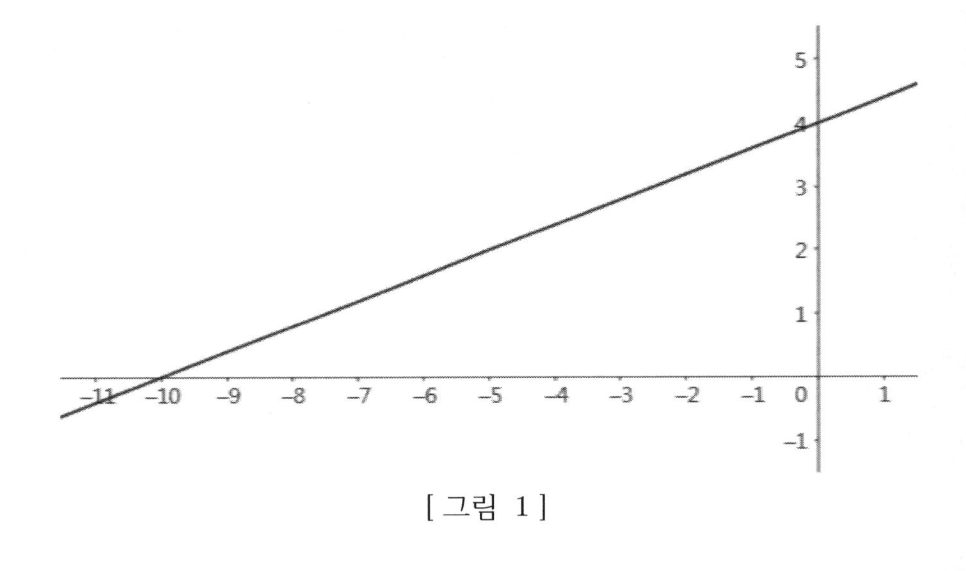

[그림 1]

(1) x절편 구하기 ①

기울기 $\frac{2}{5}=\frac{4}{10}$이므로 x절편의 절댓값은 10, 기울기와 y절편의 부호가 같으므로 x절편은 -10

(2) x절편 구하기 ②

'기울기 $\frac{2}{5}$는 양수, y절편도 양수이므로 x축과 y축으로 움직이는 거리의 비를 5 : 2에 맞춰 왼쪽 아래로 움직인다. 점 A에서 점 B를 거쳐 점 C까지. ([그림 2])

아래로 2만큼 2번 움직일 때, 왼쪽으로 5만큼 2번 움직이므로 x절편은 -10

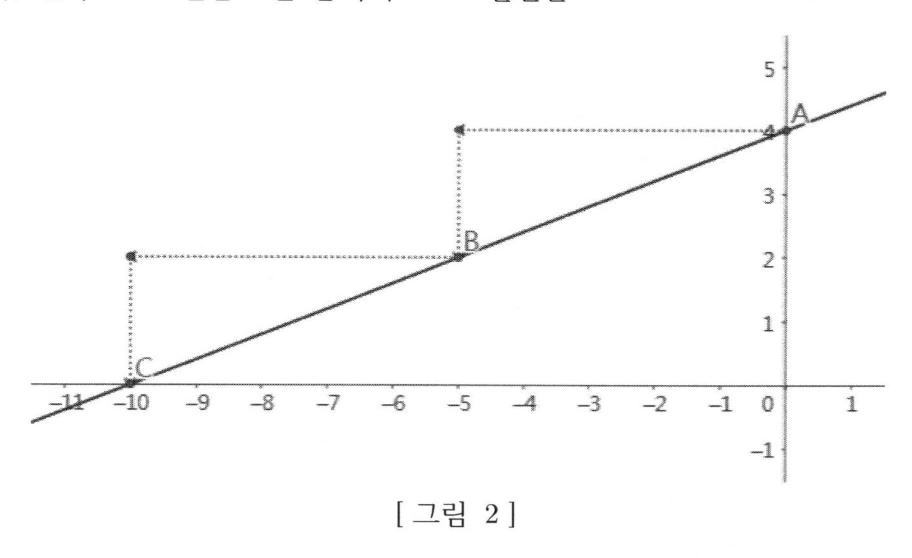

[그림 2]

06 $y=-\frac{1}{3}x+3$

(1) x절편 구하기 ①

기울기의 절댓값 $\frac{1}{3}=\frac{3}{9}$이므로 x절편의 절댓값은 9, 기울기와 y절편의 부호가 다르므로 x절편은 9

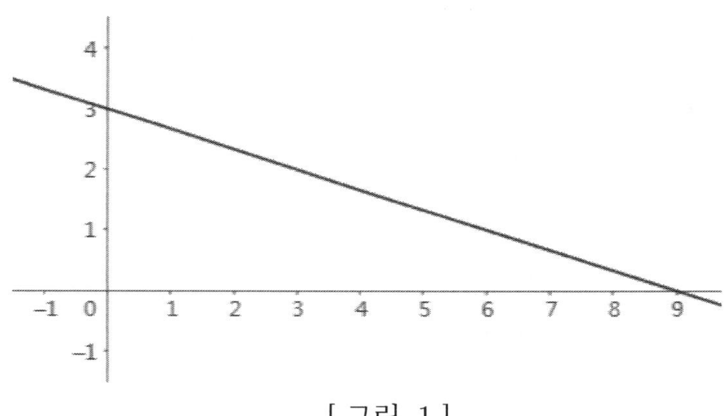

[그림 1]

(2) x절편 구하기 ②

'기울기 $-\frac{1}{3}$은 음수, y절편은 양수이므로 x축과 y축으로 움직이는 거리의 비를 3 : 1에 맞춰 오른쪽 아래로 움직인다. 점 A에서 점 B, C를 거쳐 점 D까지. ([그림 2])

아래로 1만큼 3번 움직일 때, 오른쪽으로 3만큼 3번 움직이므로 x절편은 9

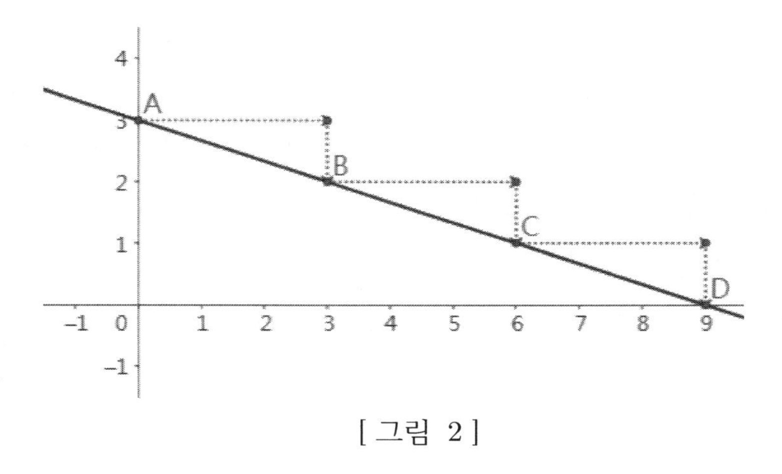

[그림 2]

07 $y=\frac{1}{2}x-3$

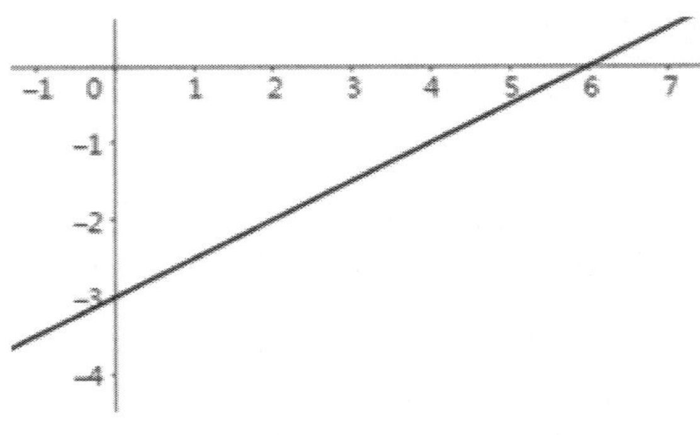

[그림 1]

(1) x절편 구하기 ①

기울기 $\frac{1}{2}=\frac{3}{6}$이므로 x절편의 절댓값은 6, 기울기와 y절편의 부호가 다르므로 x절편은 6

(2) x절편 구하기 ②

'기울기 $\frac{1}{2}$은 양수, y절편은 음수이므로 x축과 y축으로 움직이는 거리의 비를 $2:1$에 맞춰 오른쪽 위로 움직인다. 점 A에서 점 B, C를 거쳐 점 D까지. ([그림 2])

위로 1만큼 3번 움직일 때, 오른쪽으로 2만큼 3번 움직이므로 x절편은 6

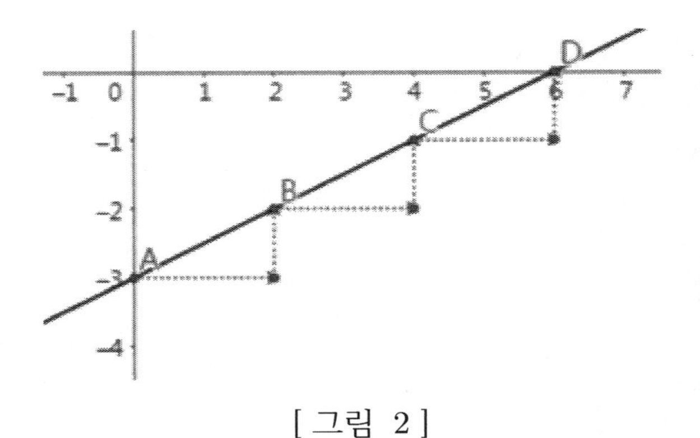

[그림 2]

08 $y=\frac{4}{3}x-4$

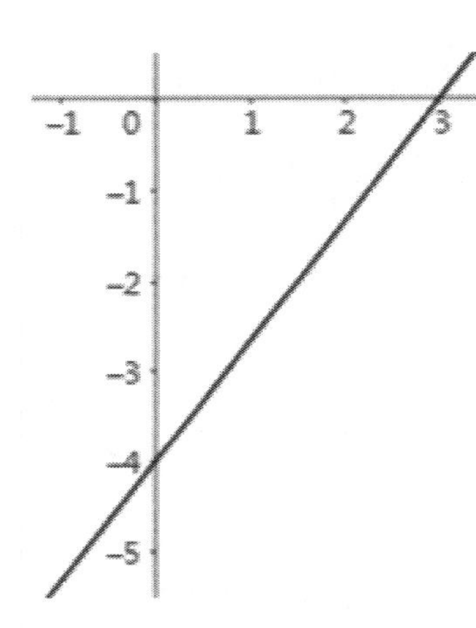

[그림 1]

(1) x절편 구하기 ①

기울기가 $\frac{4}{3}$이므로 x절편의 절댓값은 3, 기울기와 y절편의 부호가 다르므로 x절편은 3

(2) x절편 구하기 ②

'기울기 $\frac{4}{3}$는 양수, y절편은 음수이므로 x축과 y축으로 움직이는 거리의 비를 $3:4$에 맞춰 오른쪽 위로 움직인다. 점 A에서 점 B까지. ([그림 2])

위로 4만큼 움직일 때, 오른쪽으로 3만큼 움직이므로 x절편은 3

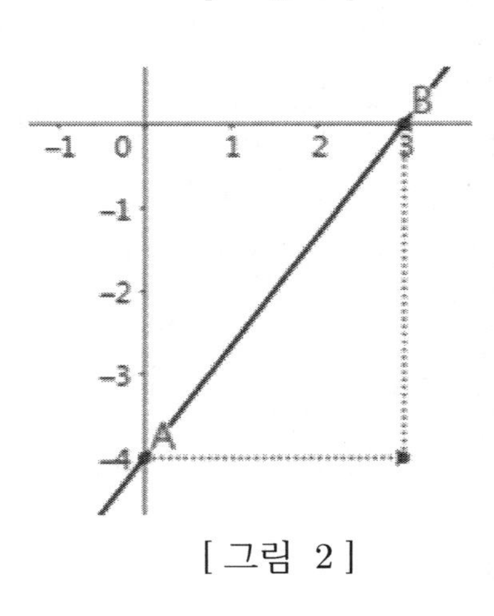

[그림 2]

09 $y=-\frac{2}{3}x-6$

(1) x절편 구하기 ①

기울기의 절댓값 $\frac{2}{3}=\frac{6}{9}$이므로 x절편의 절댓값은 9, 기울기와 y절편의 부호가 같으므로 x절편은 -9

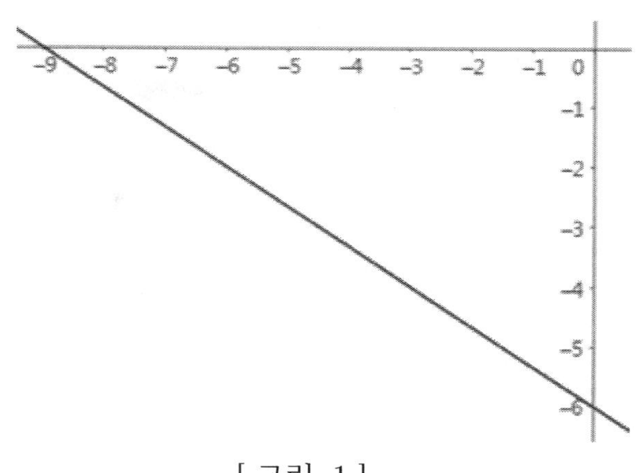

[그림 1]

(2) x절편 구하기 ②

'기울기 $-\frac{2}{3}$는 음수, y절편도 음수이므로 x축과 y축으로 움직이는 거리의 비를 $3:2$에 맞춰 왼쪽 위로 움직인다. 점 A에서 점 B, C를 거쳐 점 D까지. ([그림 2])

위로 2만큼 3번 움직일 때, 왼쪽으로 3만큼 3번 움직이므로 x절편은 -9

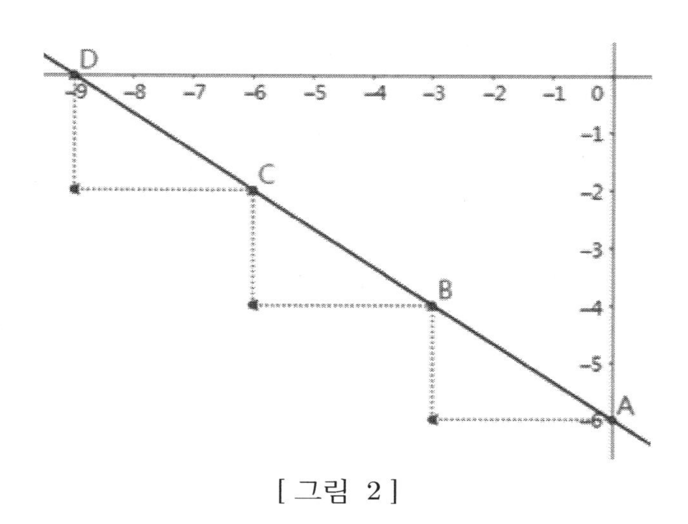

[그림 2]

10 $y=\frac{1}{3}x+2$

(1) x절편 구하기 ①

기울기 $\frac{1}{3}=\frac{2}{6}$이므로 x절편의 절댓값은 6, 기울기와 y절편의 부호가 같으므로 x절편은 -6

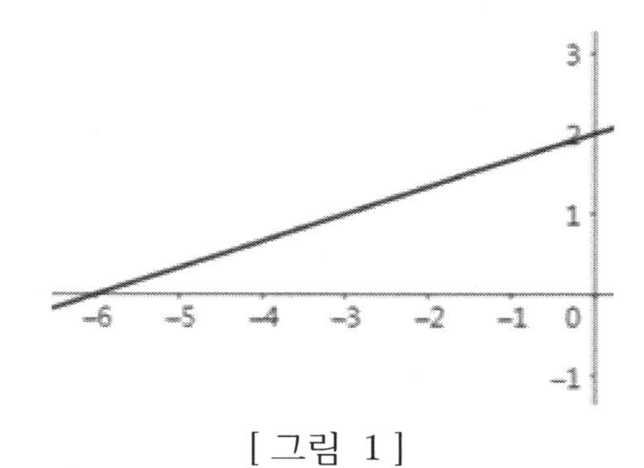

[그림 1]

(2) x절편 구하기 ②

'기울기 $\frac{1}{3}$는 양수, y절편도 양수이므로 x축과 y축으로 움직이는 거리의 비를 $3:1$에 맞춰 왼쪽 아래로 움직인다. 점 A에서 점 B를 거쳐 점 C까지. ([그림 2])

아래로 1만큼 2번 움직일 때, 왼쪽으로 3만큼 2번 움직이므로 x절편은 -6

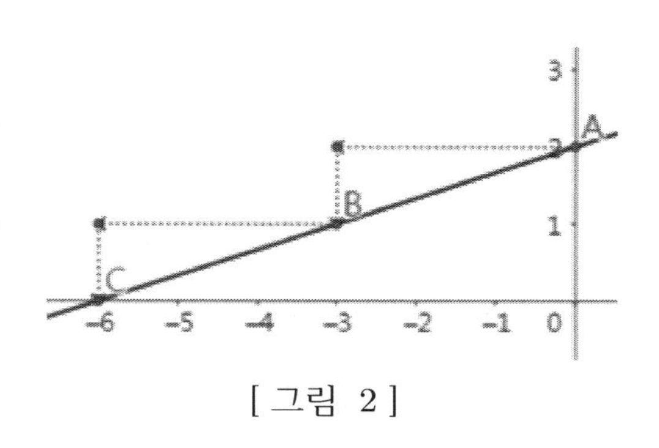

[그림 2]

A.

01

점 $(0, -2)$에서 점 $(5, 0)$까지 x의 값의 증가량이 5, y의 값의 증가량이 2이므로

기울기는 $\frac{2}{5}$, 따라서 $y=\frac{2}{5}x-2$

02

점 $(-3, 0)$에서 점 $(0, 2)$까지 x의 값의 증가량이 3, y의 값의 증가량이 2이므로

기울기는 $\frac{2}{3}$, 따라서 $y=\frac{2}{3}x+2$

03

점 $(0, 3)$에서 점 $(4, 0)$까지 x의 값의 증가량이 4, y의 값의 증가량이 -3이므로

기울기는 $-\frac{3}{4}$, 따라서 $y=-\frac{3}{4}x+3$

04

점 $(-2, 0)$에서 점 $(0, -3)$까지 x의 값의 증가량이 2, y의 값의 증가량이 -3이므로

기울기는 $-\frac{3}{2}$, 따라서 $y=-\frac{3}{2}x-3$

B.

01

점 $A(-3, 2)$에서 점 $B(1, -1)$까지 x의 값의 증가량이 4, y의 값의 증가량이 -3이므로

기울기는 $-\frac{3}{4}$이다. 따라서

일차함수의 식을 $y=-\frac{3}{4}x+b$로 둔다.

일차함수의 식에 점 $B(1, -1)$을 대입하면

$-\frac{3}{4}+b=-1$, $\therefore b=-\frac{1}{4}$

따라서 일차함수의 식은 $y=-\frac{3}{4}x-\frac{1}{4}$

02

점 $A(-2, 1)$에서 점 $B(1, 2)$까지 x의 값의 증가량이 3, y의 값의 증가량이 1이므로

기울기는 $\frac{1}{3}$

따라서 일차함수의 식을 $y=\frac{1}{3}x+b$로 둔다.

일차함수의 식에 점 $B(1, 2)$를 대입하면

$\frac{1}{3}+b=2$, $\therefore b=\frac{5}{3}$

따라서 일차함수의 식은 $y=\frac{1}{3}x+\frac{5}{3}$

03

점 $A(-1,\ 4)$에서 점 $B(1,\ 1)$까지 x의 값의 증가량이 2, y의 값의 증가량이 -3이므로

기울기는 $-\frac{3}{2}$

따라서 일차함수의 식을 $y=-\frac{3}{2}x+b$로 둔다.

일차함수의 식에 점 $B(1,\ 1)$을 대입하면

$-\frac{3}{2}+b=1$, $\therefore\ b=\frac{5}{2}$

따라서 일차함수의 식은 $y=-\frac{3}{2}x+\frac{5}{2}$

04

점 $A(-3,\ -2)$에서 점 $B(3,\ 3)$까지 x의 값의 증가량이 6, y의 값의 증가량이 5이므로

기울기는 $\frac{5}{6}$

따라서 일차함수의 식을 $y=\frac{5}{6}x+b$로 둔다.

일차함수의 식에 점 $B(3,\ 3)$을 대입하면

$\frac{5}{2}+b=3$, $\therefore\ b=\frac{1}{2}$

따라서 일차함수의 식은 $y=\frac{5}{6}x+\frac{1}{2}$

C.

01

x의 값이 4만큼 증가할 때 y의 값은 3만큼 감소하므로 기울기는 $-\frac{3}{4}$, x절편이 -3이므로 점 $(-3,\ 0)$을 지난다.

$y=-\frac{3}{4}x+b$에 점 $(-3,\ 0)$을 대입하면

$0=\frac{9}{4}+b$, $\therefore\ b=-\frac{9}{4}$

따라서 $y=-\frac{3}{4}x-\frac{9}{4}$

02

일차함수 $y=2x-3$과 평행하므로 기울기가 같다. $y=2x+b$ ⋯ ①

①에 $(-2,\ -3)$을 대입하면 $-4+b=-3$,

$\therefore\ b=1$

따라서 $y=2x+1$

03

x의 값이 1만큼 증가할 때 y의 값은 2만큼 증가하므로 기울기는 2이다. $y=2x+b$로 두고

점 $(1,\ -2)$를 대입하면 $-2=2+b$,

$\therefore\ b=-4$

따라서 $y=2x-4$

04

구하고자 하는 일차함수의 식은 일차함수

$y=\frac{2}{3}x+2$와 평행하므로 $y=\frac{2}{3}x+b$ ⋯ ①

$y=-2x+3$과 x축 위에서 만나므로

$0=-2x+3$에서 $x=\frac{3}{2}$, 따라서 $\left(\frac{3}{2},\ 0\right)$에서 만난다.

①에 대입하면 $1+b=0$, $\therefore\ b=-1$

따라서 $y=\frac{2}{3}x-1$

05

기울기가 3이므로 $y = 3x + b$ ⋯ ①

①에 점 $(1, 5)$를 대입하면 $3 + b = 5$

$\therefore\ b = 2$, 따라서 $y = 3x + 2$ ⋯ ②

②에 점 $(3, k)$를 대입하면 $k = 9 + 2 = 11$

06

기울기가 5이므로 $y = 5x + b$ ⋯ ①

①에 점 $(2, -3)$을 대입하면

$-3 = 10 + b$, $\therefore\ b = -13$

따라서 $y = 5x - 13$ ⋯ ②

②에 $y = 0$을 대입하면 $x = \frac{13}{5}$

따라서 x절편 $\frac{13}{5}$, y절편 -13

07

x절편이 2이므로 $(2, 0)$, y절편이 3이므로 $(0, 3)$을 지난다. 따라서 점 $(0, 3)$에서 점 $(2, 0)$까지 x의 값의 증가량이 2, y의 값의 증가량이 -3이므로 기울기는 $-\frac{3}{2}$

따라서 일차함수의 식은 $y = -\frac{3}{2}x + 3$ ⋯ ①

①에 $(4, n)$을 대입하면 $n = -6 + 3 = -3$

※ x절편이 2, y절편이 3이므로

$y = -\frac{3}{2}x + 3$ **또는** $\frac{x}{2} + \frac{y}{3} = 1$

08

x절편이 3, y절편이 -4이므로 기울기는 $\frac{4}{3}$

$y = \frac{4}{3}x - 4$ ⋯ ①

① 을 y축 방향으로 2만큼 평행이동하면

$y = \frac{4}{3}x - 2$ ⋯ ②

②에 $y = 0$을 대입하면

$0 = \frac{4}{3}x - 2$, $\therefore\ x = \frac{3}{2}$, x절편은 $\frac{3}{2}$

09

기울기가 -2이고 y절편이 3인 직선의 방정식은

$y = -2x + 3$ ⋯ ①

①에 점 $(2a+3, -3a+1)$을 대입하면

$-3a+1 = -4a-6+3$, $\therefore\ a = -4$

10

점 $(3a-2, 0)$을 지나므로

$0 = -\frac{3}{2}x + 6$ 에서 $x = 4$이므로 $3a - 2 = 4$

따라서 $a = 2$

점 $(0, 2b-2)$를 지나므로 $2b - 2$가 y절편이다.

따라서 $2b - 2 = 6$이므로 $b = 4$

※ 두 점을 각각 일차함수의 식에 대입하여 a, b의 값을 구해도 된다.

점 $(3a-2, 0)$을 대입하면

$0 = -\frac{3}{2}(3a - 2) + 6$**에서** $a = 2$

11

x절편이 3이므로 $(3,\ 0)$을 대입하면

$-6+b=0,\ \therefore\ b=6$

12

두 점 $(-2,\ 1)$, $(1,\ 10)$을 지나는 직선의 기울기가 3이므로 $y=3x+b\ \cdots$ ①

①에 점 $(-2,\ 1)$을 대입하면

$1=-6+b,\ \therefore\ b=7,\ y=3x+7\ \cdots$ ②

②를 y축의 방향으로 k만큼 평행이동하면

$y=3x+7+k\ \cdots$ ③

③에 점 $(-3,\ 2)$를 대입하면

$2=-9+7+k,\ \therefore\ k=4$

13

x절편이 6, y절편이 -4이므로 기울기는 $\frac{2}{3}$

따라서 $y=\frac{2}{3}x-4\ \cdots$ ①

①에 점 $(3,\ b)$를 대입하면

$b=2-4=-2$

14

x절편이 2, y절편이 4이므로 기울기는 -2

$y=-2x+4\ \cdots$ ①

①을 y축의 방향으로 2만큼 평행이동하면

$y=-2x+4+2=-2x+6\ \cdots$ ②

②에 $y=0$을 대입하면

$0=-2x+6,\ \therefore\ x=3$

x절편은 3이다.

A.

※ **정비례 관계인 06, 11, 14, 18 에서 ②의 경우, x절편과 y절편이 모두 0이므로 점이 $(0,\ 0)$ 1개 밖에 없어 그래프를 그릴 수 없다.**

01 $y=\dfrac{2}{3}x+3$

① $(0,\ 3)$, $(3,\ 5)$

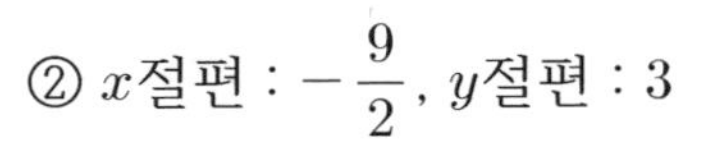
② x절편 : $-\dfrac{9}{2}$, y절편 : 3

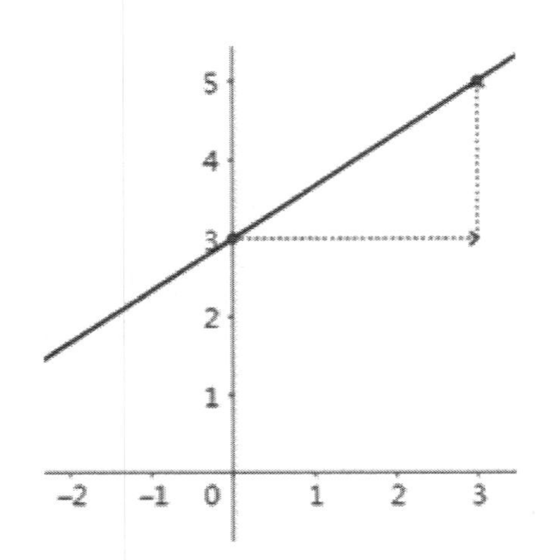

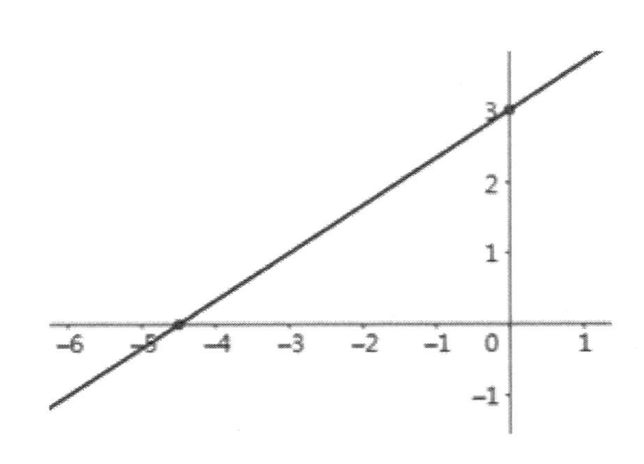

③

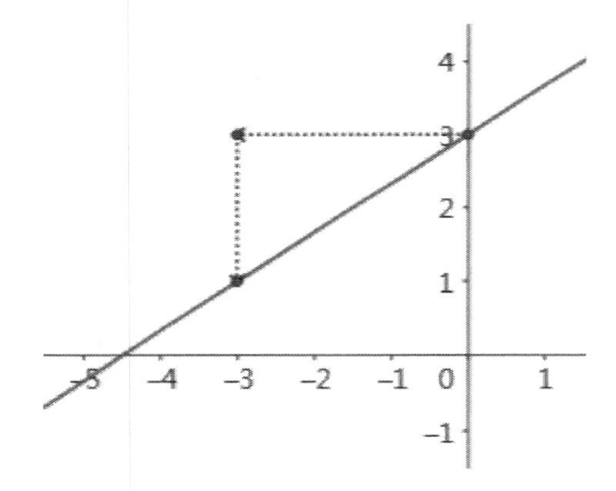

④

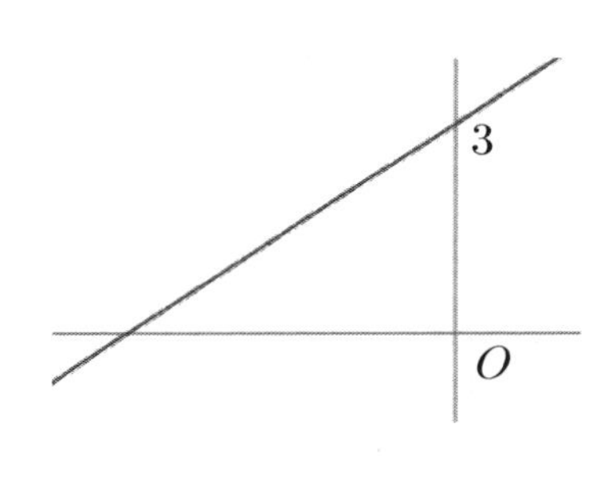

※ **①의 경우 y절편 기준 왼쪽으로 움직이는 것이 x축과 가까워져서 좋다(③번처럼). 오른쪽으로 움직이면 위의 그래프처럼 x축과 멀어지므로 그래프를 그리는 면적을 많이 차지한다.**

02 $y=2x-1$

① $(0,\ -1)$, $(1,\ 1)$ ② x절편 : $\frac{1}{2}$, y절편 : -1 ③ 

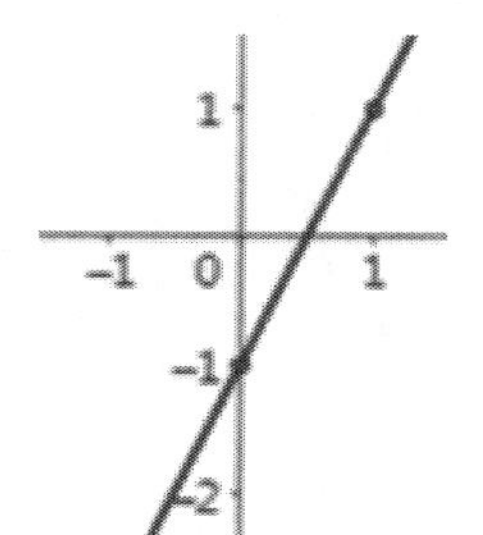

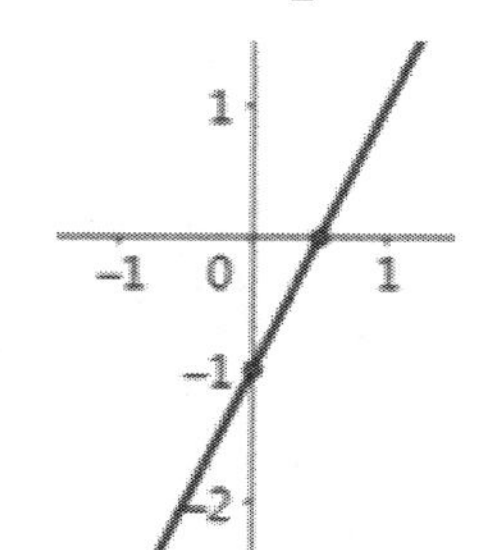

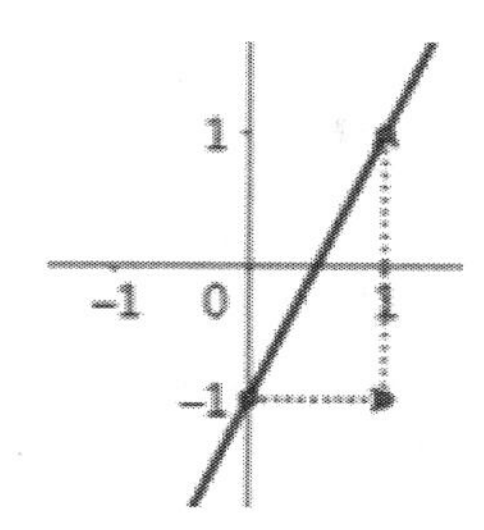

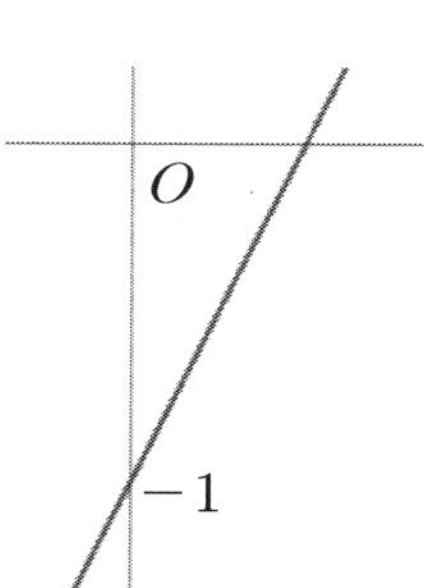

03 $y=x+\frac{2}{3}$

① $\left(0,\ \frac{2}{3}\right)$, $\left(1,\ \frac{5}{3}\right)$ ② x절편 : $-\frac{2}{3}$, y절편 : $\frac{2}{3}$ ③ ④

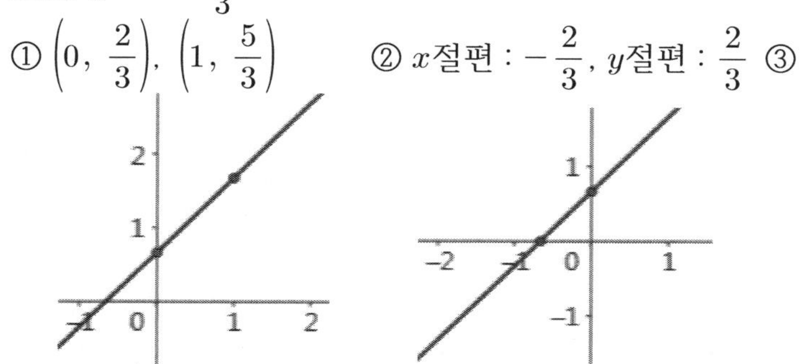

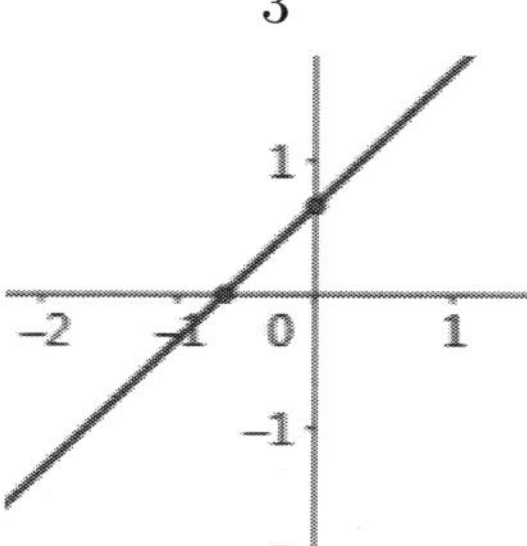

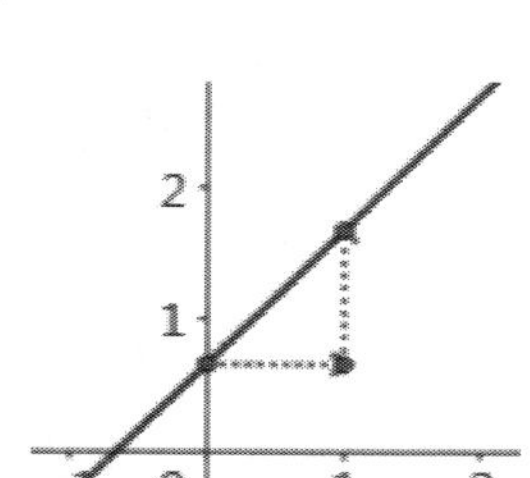

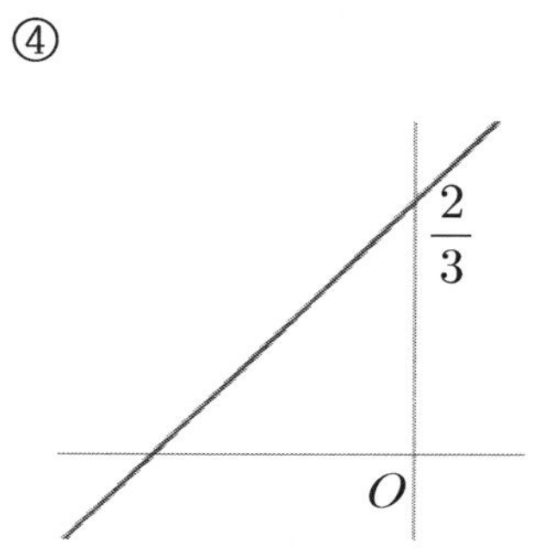

04 $y=\frac{3}{4}x-2$

① $(0,\ -2)$, $\left(1,\ -\frac{5}{4}\right)$

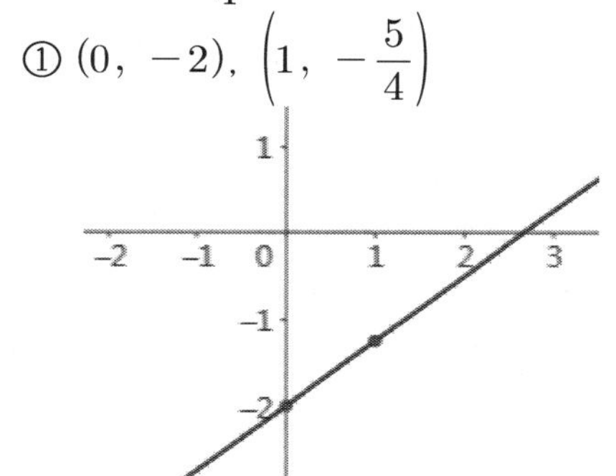

② x절편 : $\frac{8}{3}$, y절편 : -2

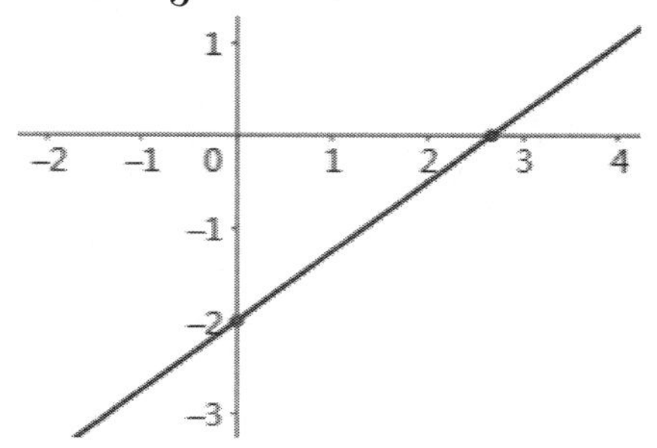

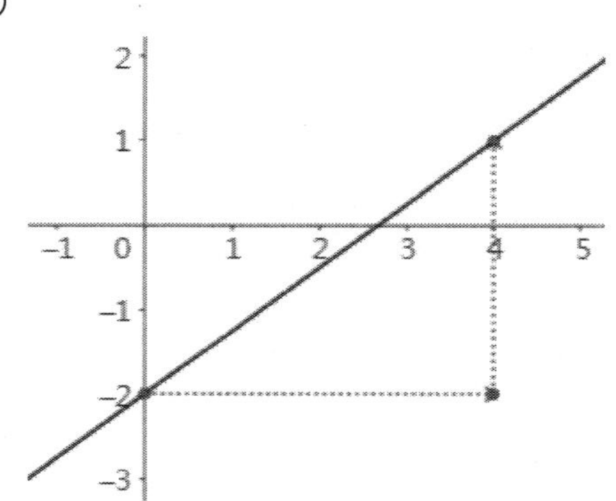

④

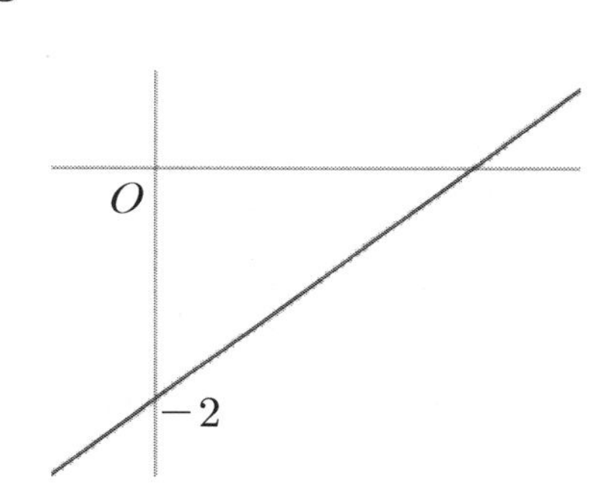

05 $y=3x+1$

① $(0,\ 1)$, $(1,\ 4)$　　② x절편 : $-\dfrac{1}{3}$, y절편 : 1　③　　④

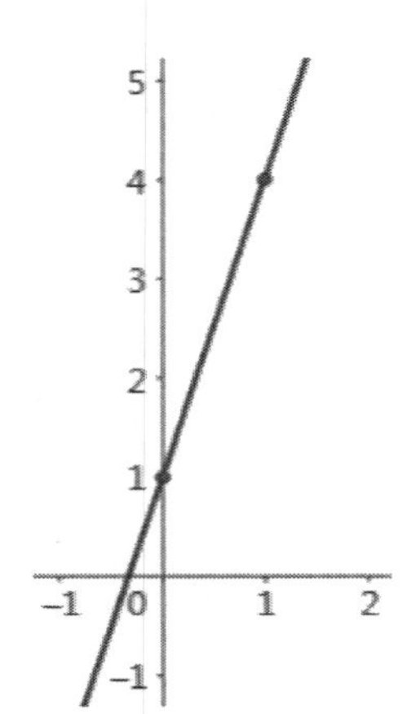

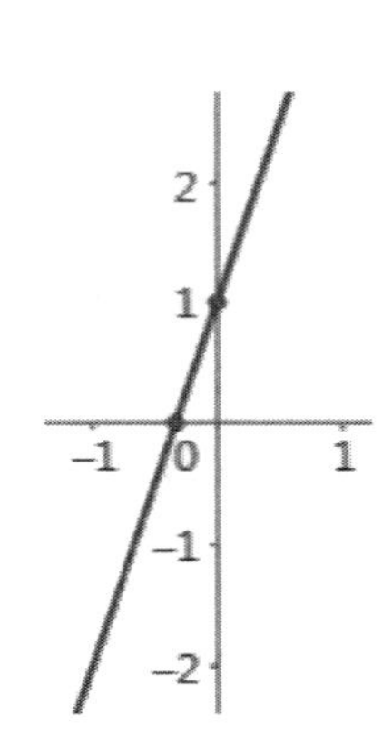

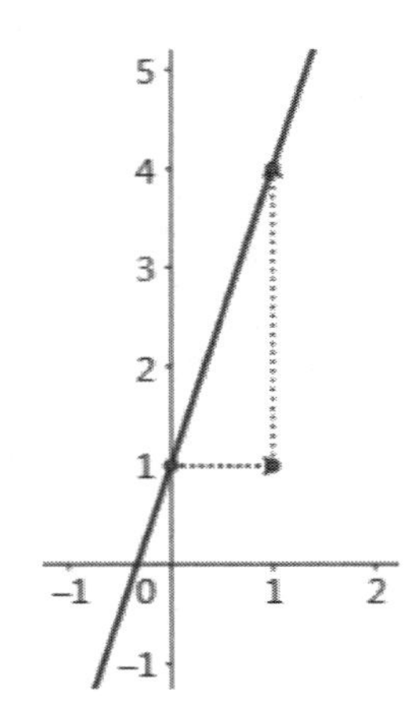

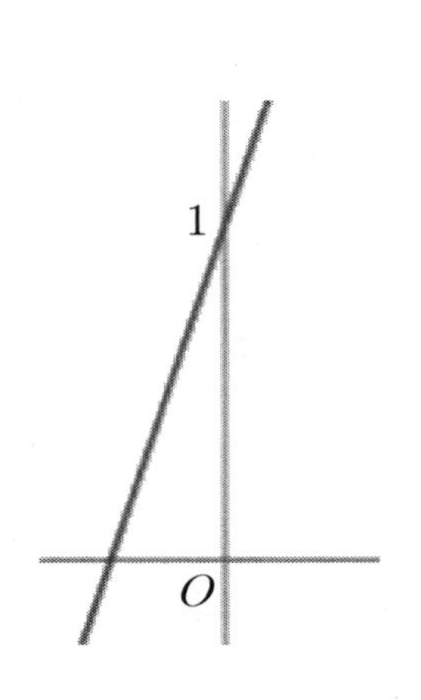

06 $y=2x$

① $(0,\ 0)$, $(1,\ 2)$　　③　　④

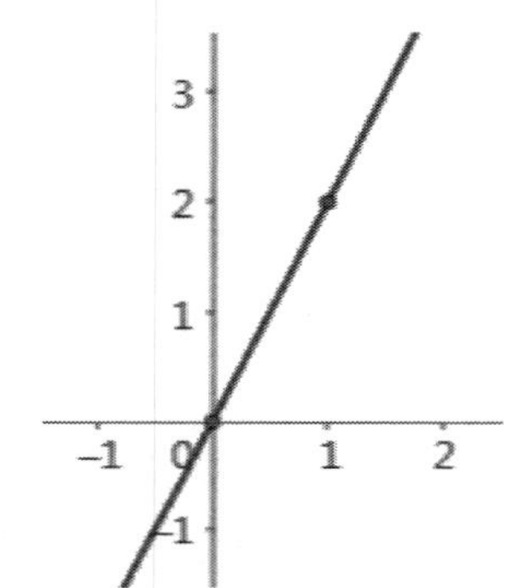

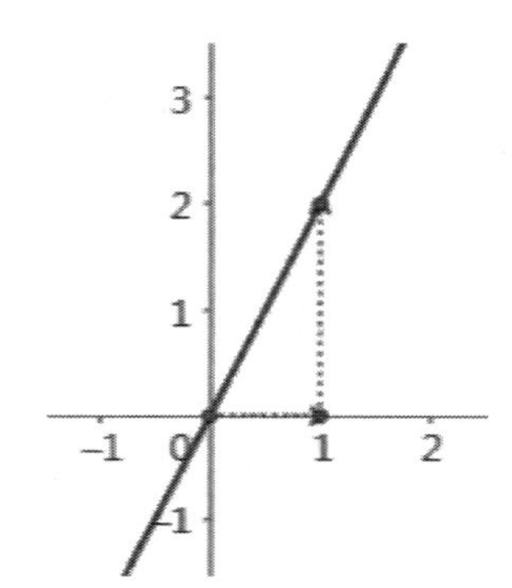

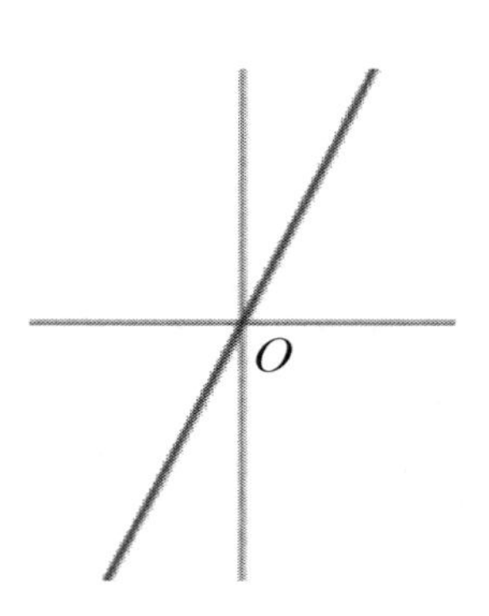

07 $y=-3x+4$

① $(0,\ 4)$, $(1,\ 1)$　　② x절편 : $\dfrac{4}{3}$, y절편 : 4　③　　④

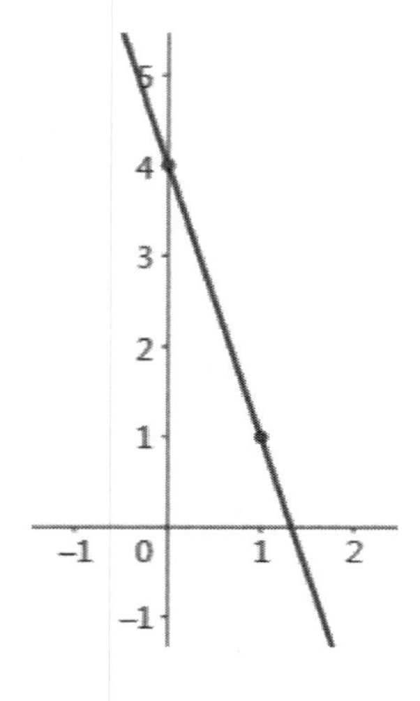

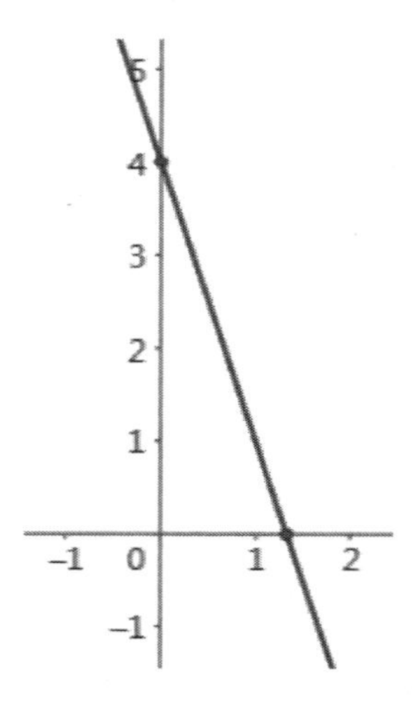

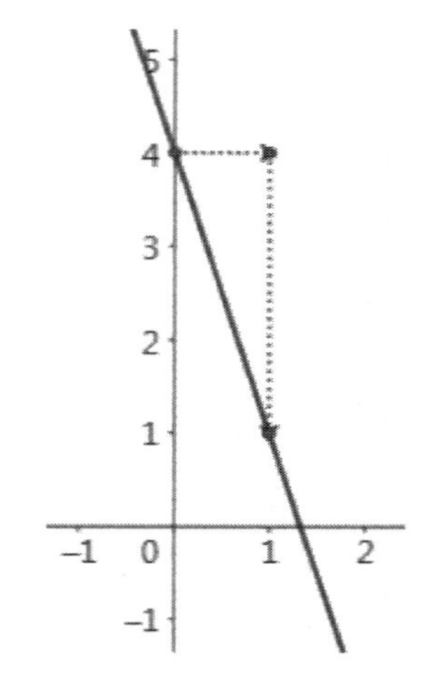

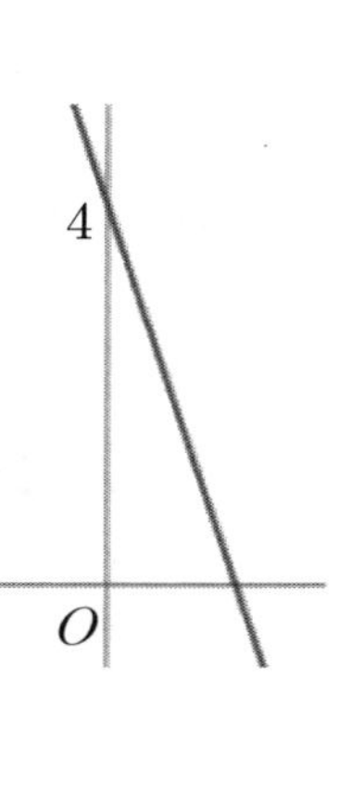

08 $y=-\frac{1}{4}x+3$

① $(0,\ 3)$, $\left(1,\ \frac{11}{4}\right)$ ③ ④

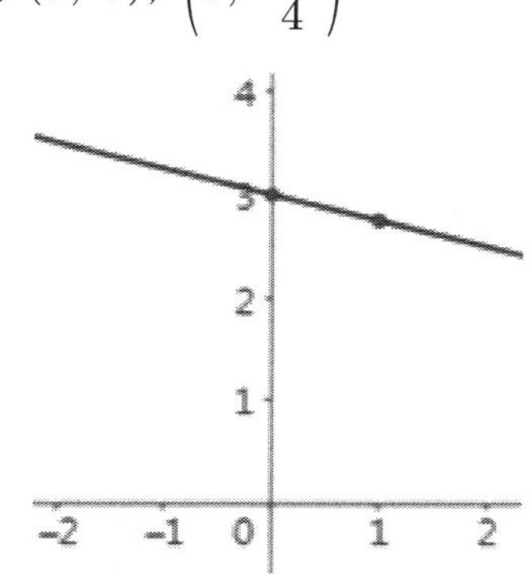

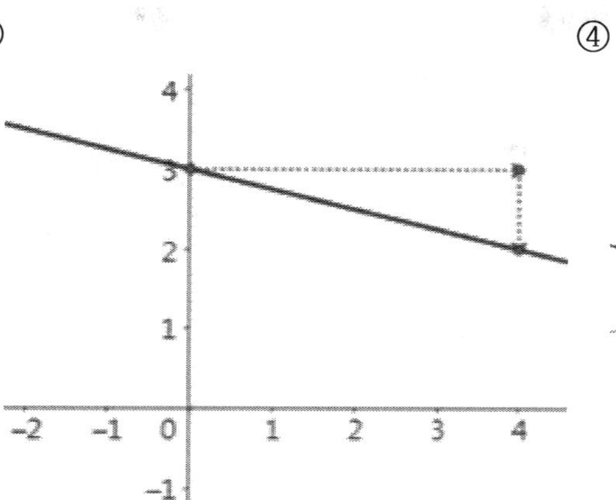

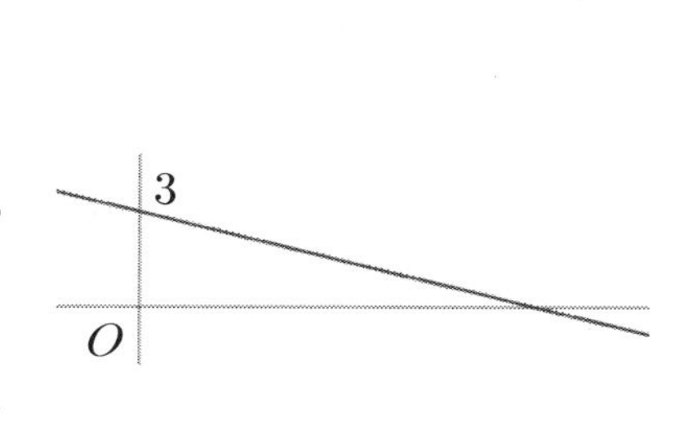

② x절편 : 12, y절편 : 3

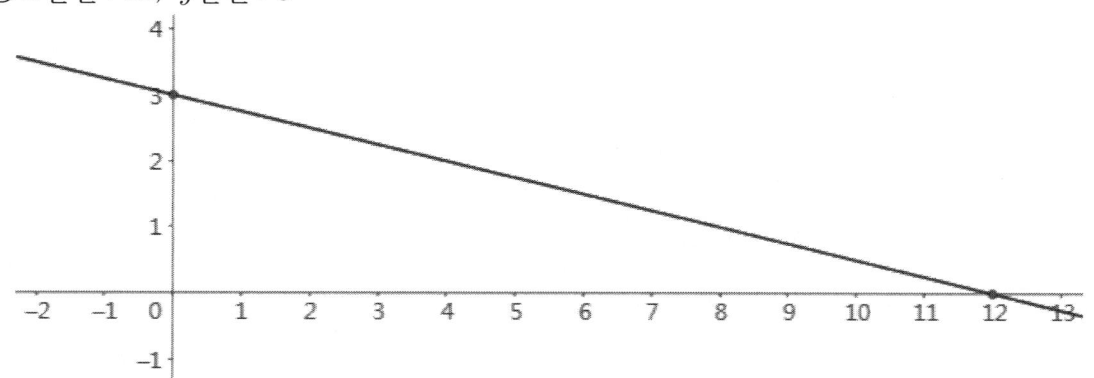

09 $y=3x-\frac{3}{2}$

① $\left(0,\ -\frac{3}{2}\right)$, $\left(1,\ \frac{3}{2}\right)$ ② x절편 : $\frac{1}{2}$, y절편 : $-\frac{3}{2}$ ③ 

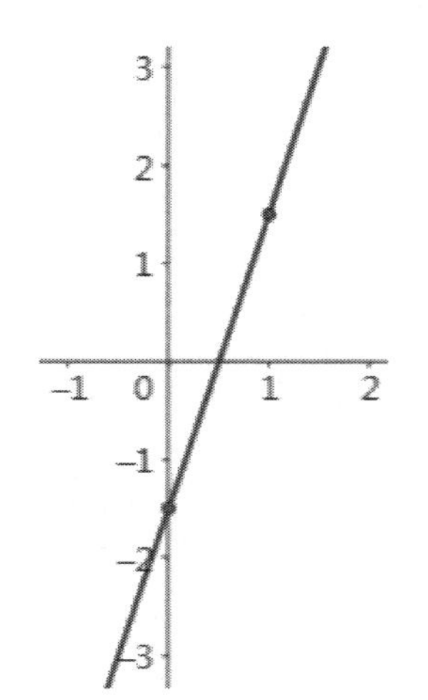

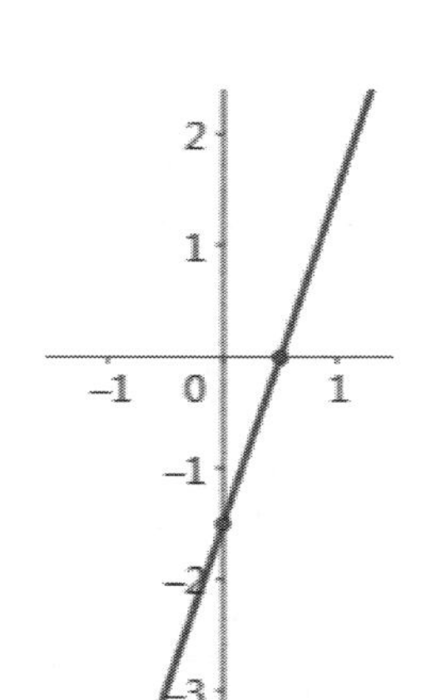

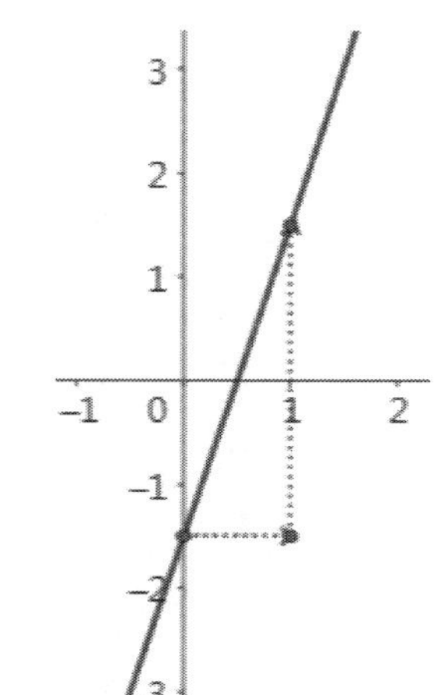

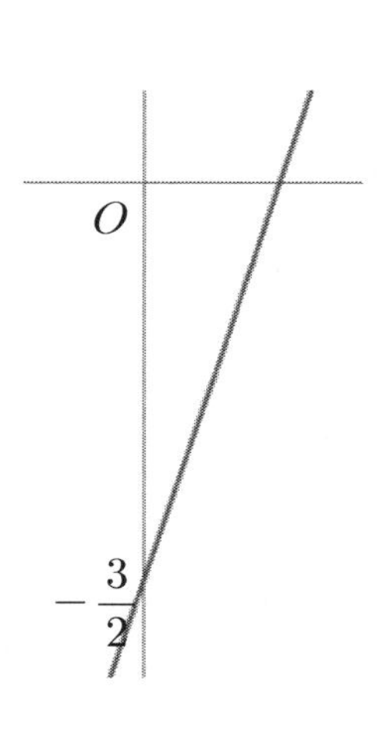

10 $y=-2x-1$

① $(0,\ -1)$, $(1,\ -3)$ ② x절편 : $-\frac{1}{2}$, y절편 : -1 ③ ④

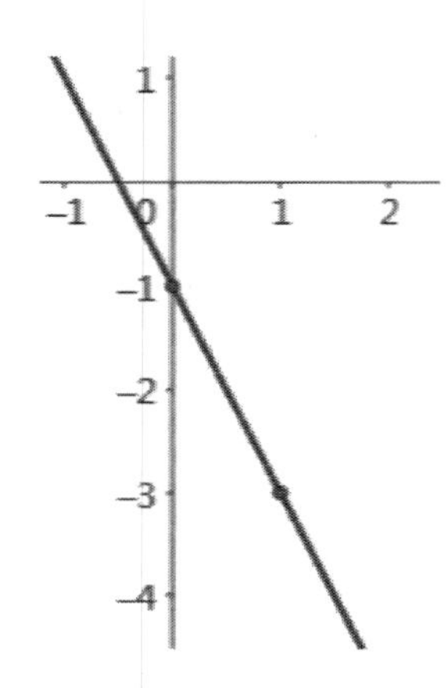

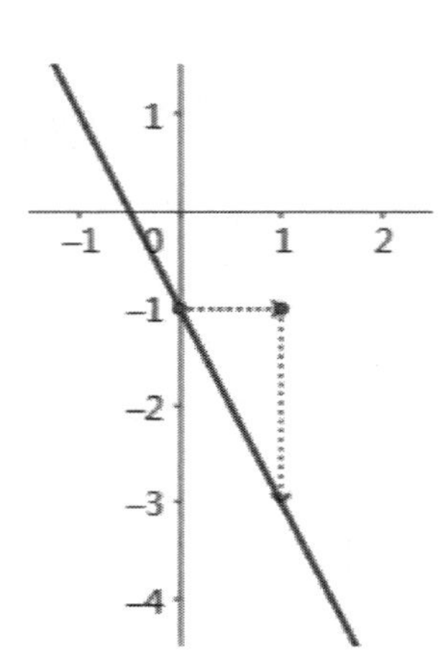

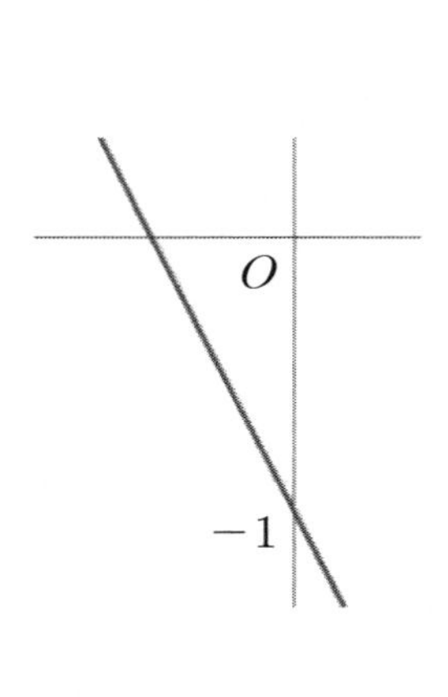

11 $y=-3x$

① $(0,\ 0)$, $(1,\ -3)$ ③ ④

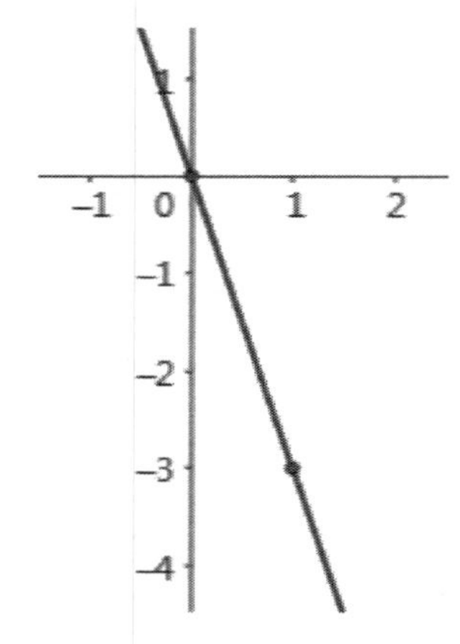

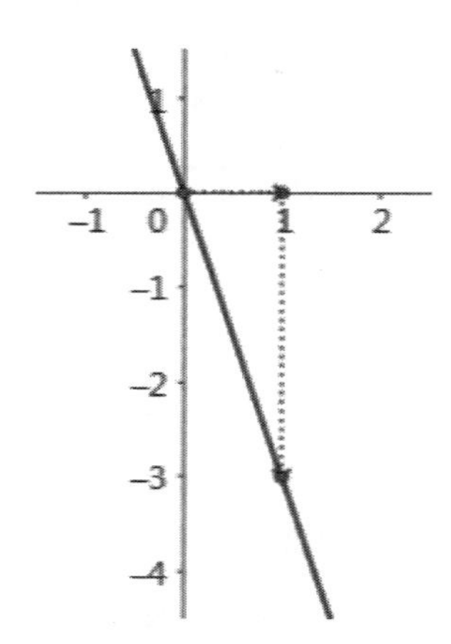

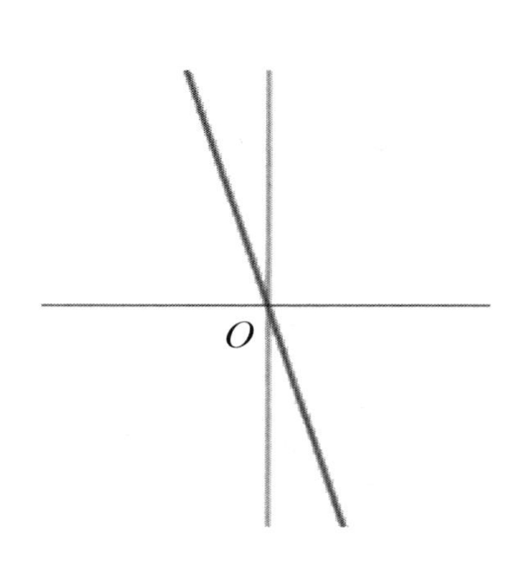

12 $y=-\frac{4}{3}x+2$

① $(0,\ 2)$, $\left(1,\ \frac{2}{3}\right)$ ② x절편 : $\frac{3}{2}$, y절편 : 2 ③ 

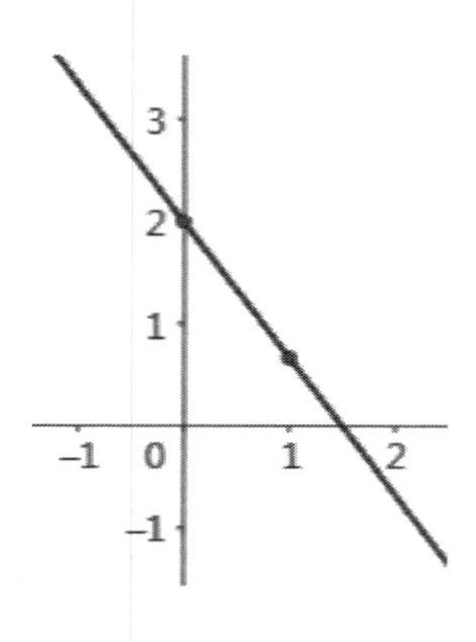

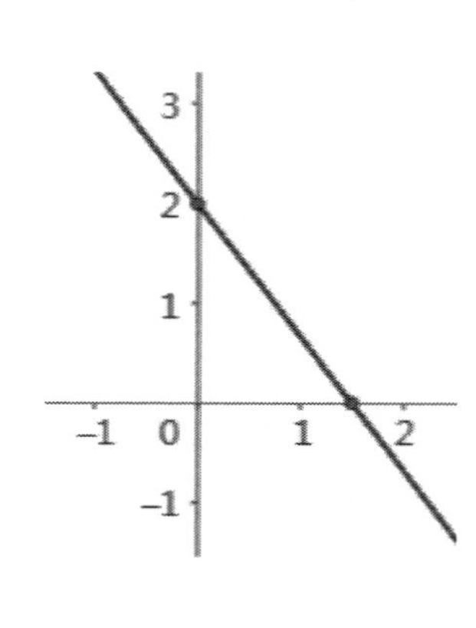

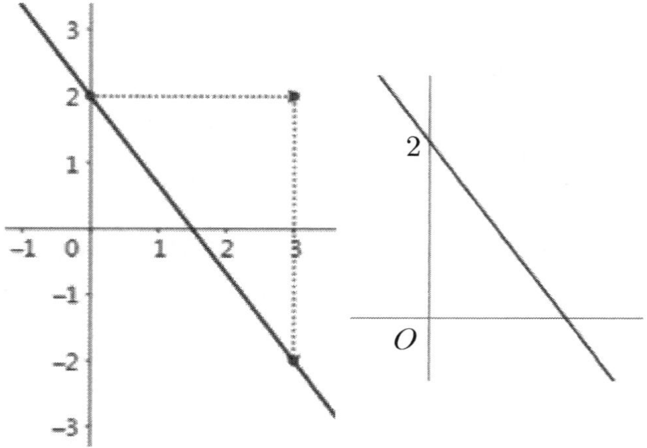

13 $y=-x-\frac{3}{4}$

① $\left(0,\ -\frac{3}{4}\right)$, $\left(1,\ -\frac{7}{4}\right)$ ② x절편 : $-\frac{3}{4}$, y절편 : $-\frac{3}{4}$ ③ ④

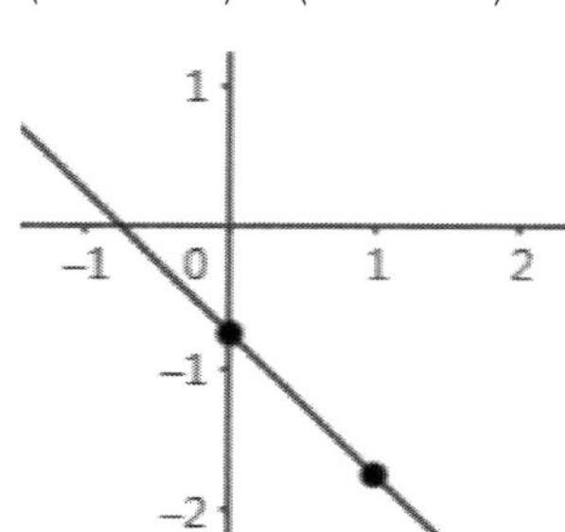

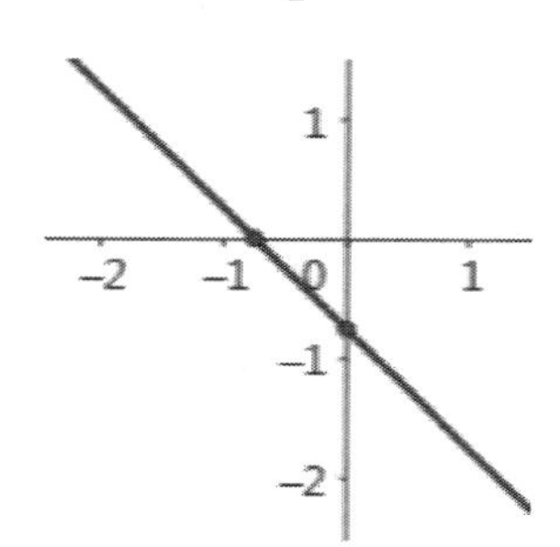

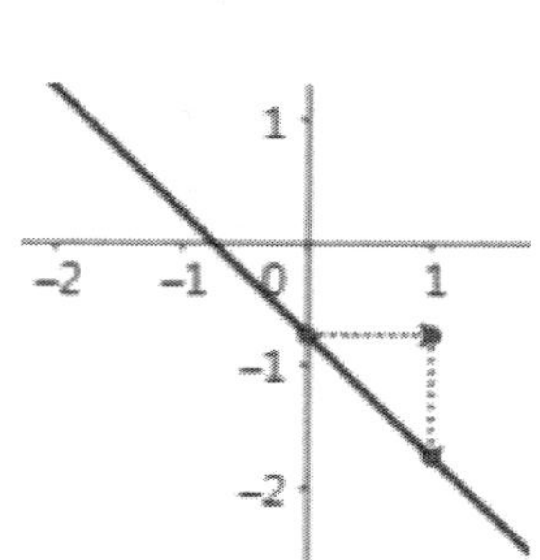

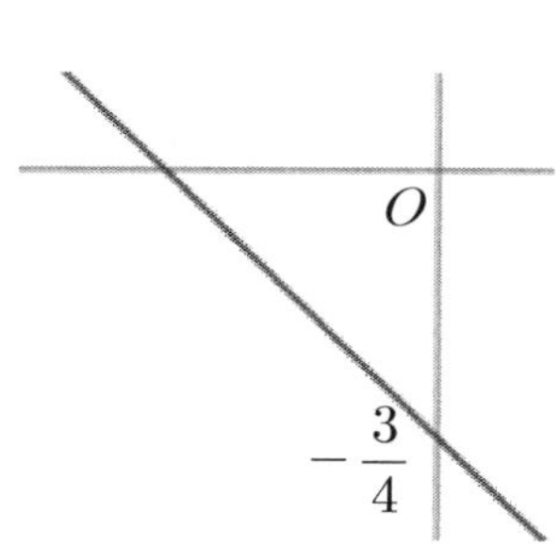

14 $y=-\frac{1}{2}x$

① (0, 0), (2, −1) ③ ④

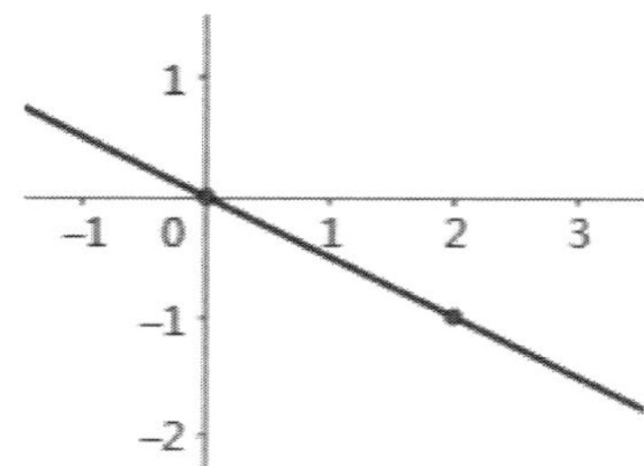

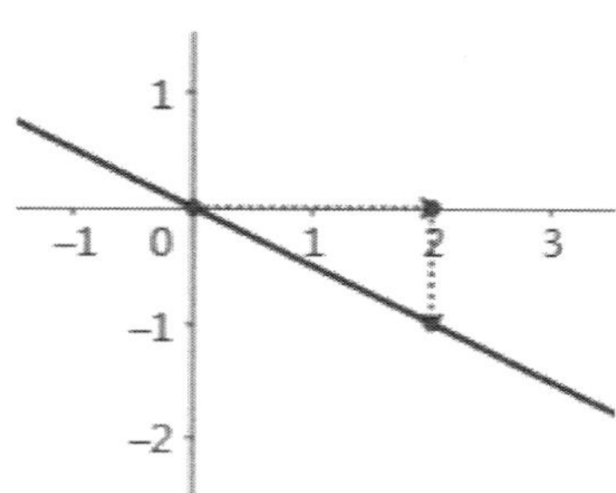

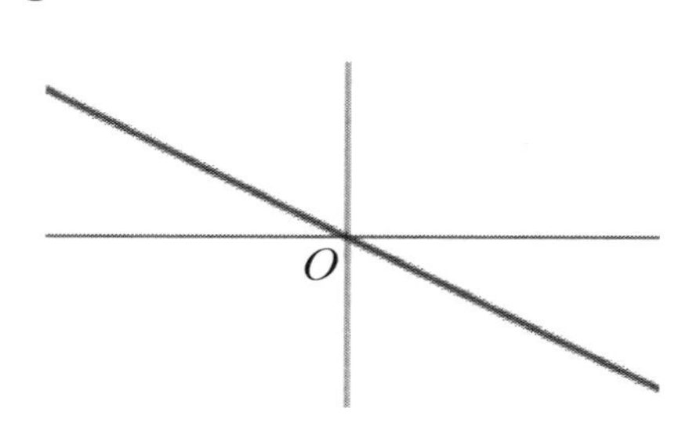

15 $y=-\frac{3}{4}x-1$

① (0, −1), (4, −4) ② x절편 : $-\frac{4}{3}$, y절편 : -1

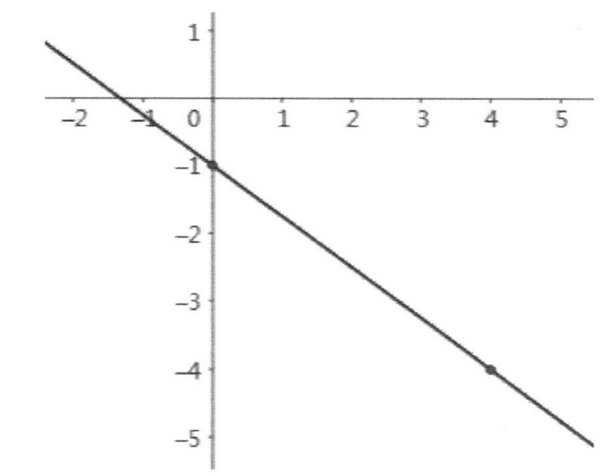

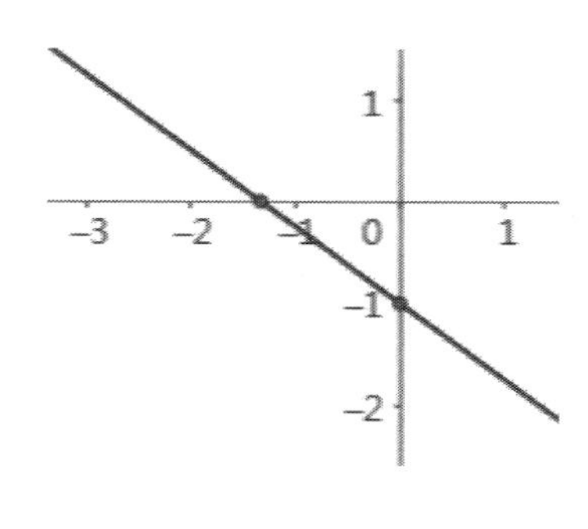

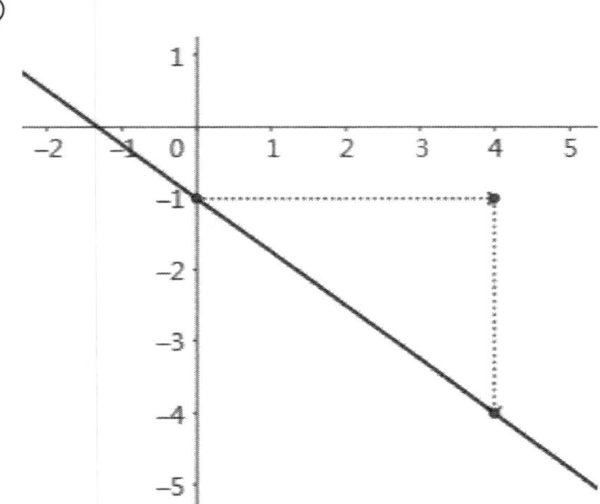

④

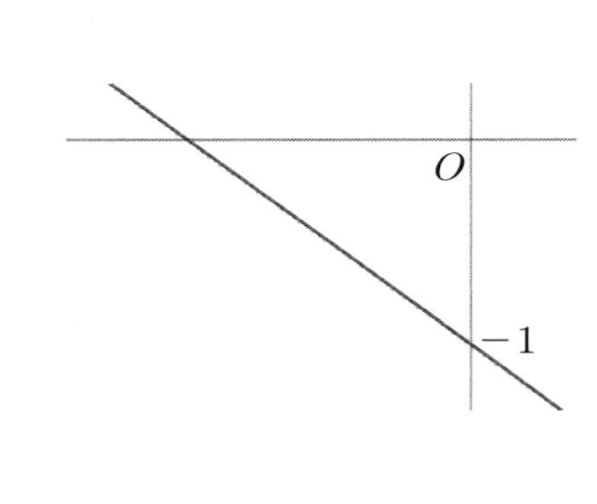

16 $y=\frac{4}{3}x-2$

① (0, −2), (3, 2) ② x절편 : $\frac{3}{2}$, y절편 : −2 ③ 

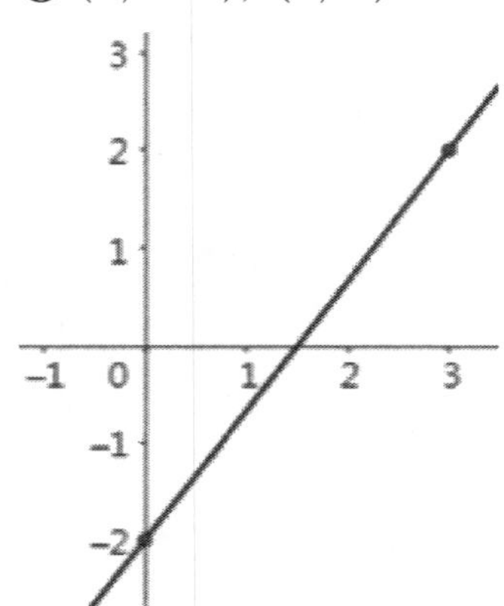

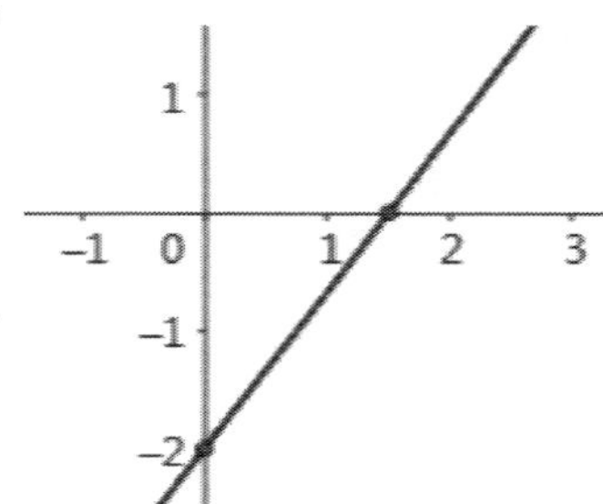

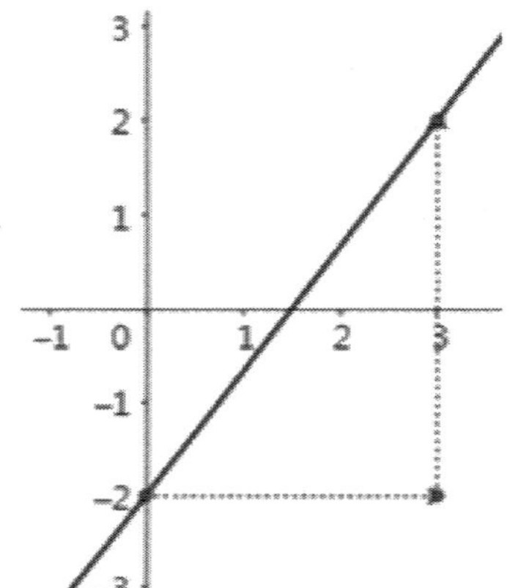

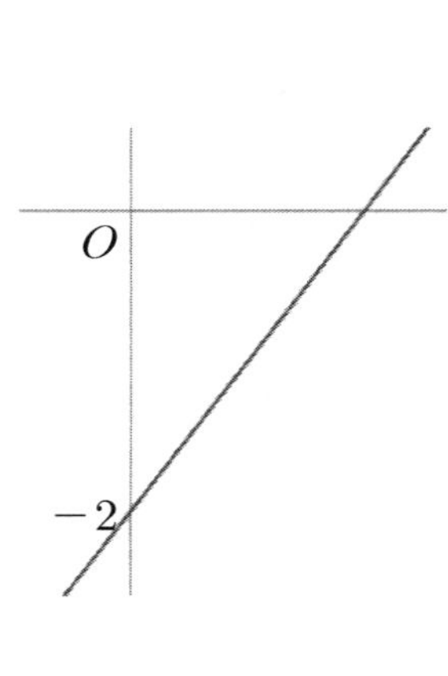

17 $y=-4x+3$

① (0, 3), (1, −1) ② x절편 : $\frac{3}{4}$, y절편 : 3 ③ 

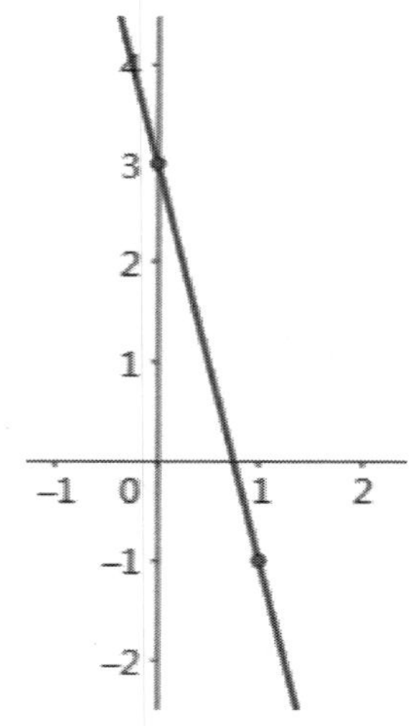

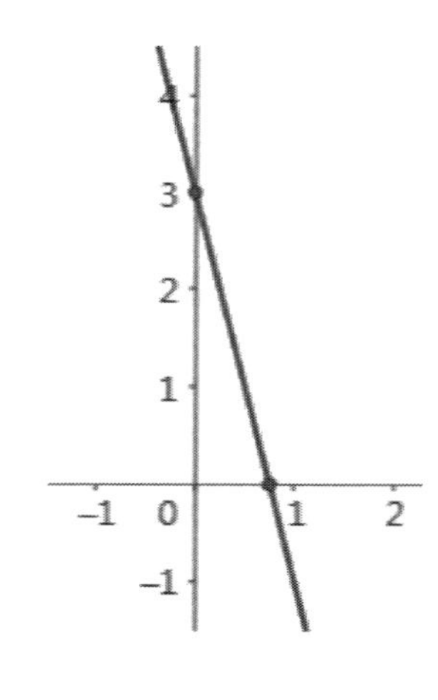

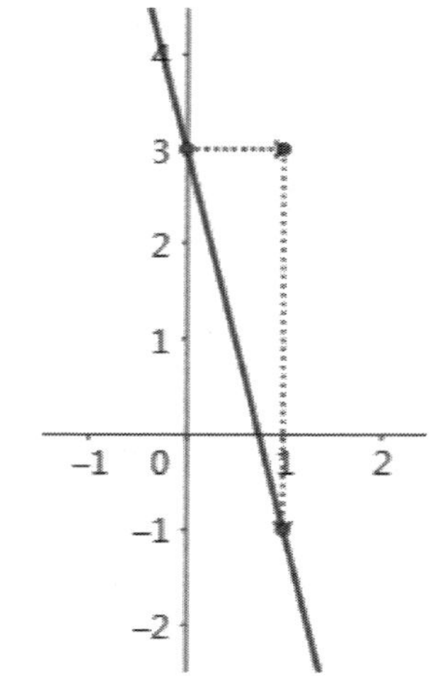

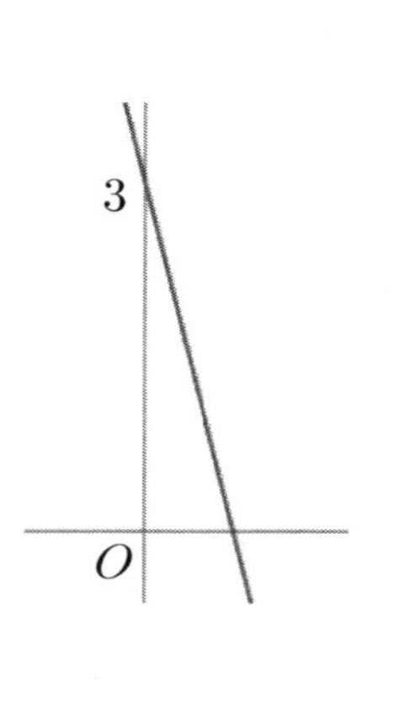

18 $y=\dfrac{2}{3}x$

① $(0,\ 0),\ (3,\ 2)$ ③ ④

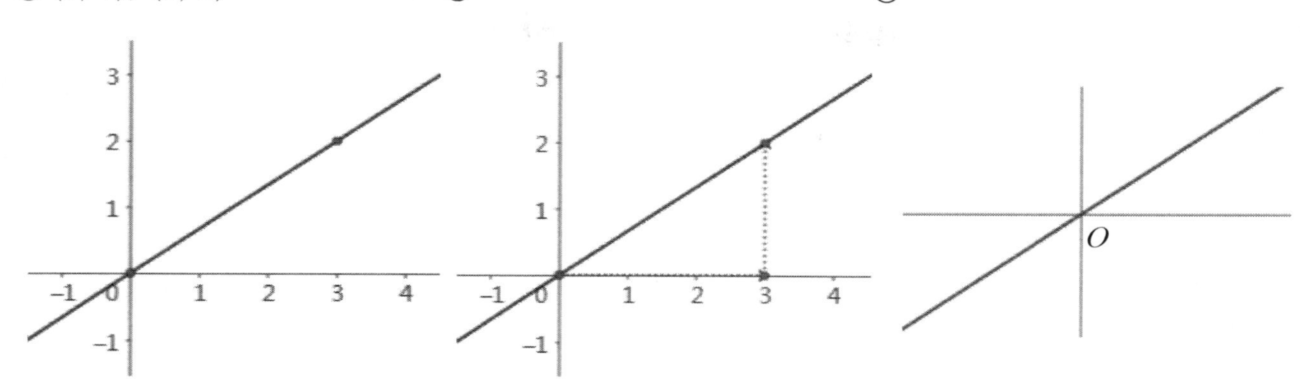

19 $y=-\dfrac{3}{2}x-1$

① $(0,\ -1),\ (-2,\ 2)$ ② x절편 : $-\dfrac{2}{3}$, y절편 : -1 ③ ④

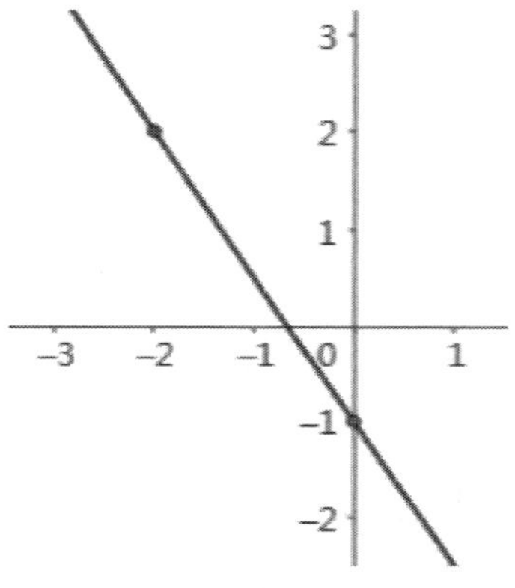

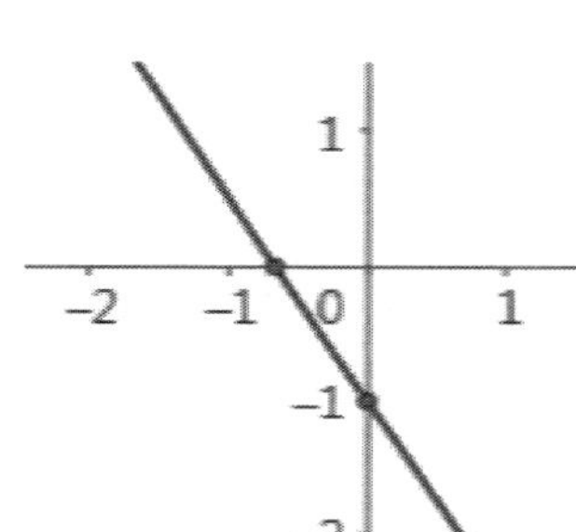

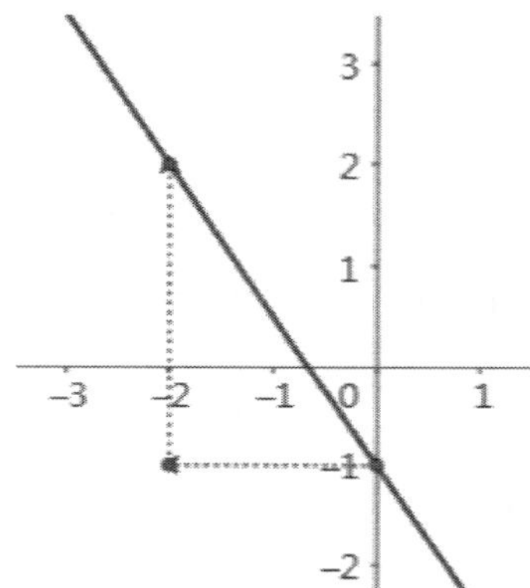

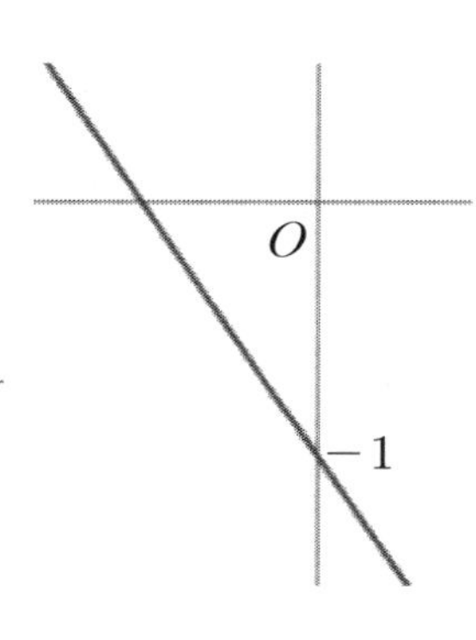

20 $y=-2x+\dfrac{5}{2}$

① $\left(0,\ \dfrac{5}{2}\right),\ \left(1,\ \dfrac{1}{2}\right)$ ② x절편 : $\dfrac{5}{4}$, y절편 : $\dfrac{5}{2}$ ③ ④

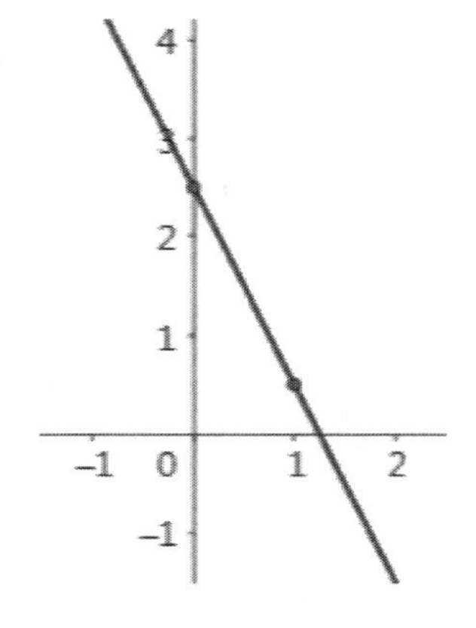

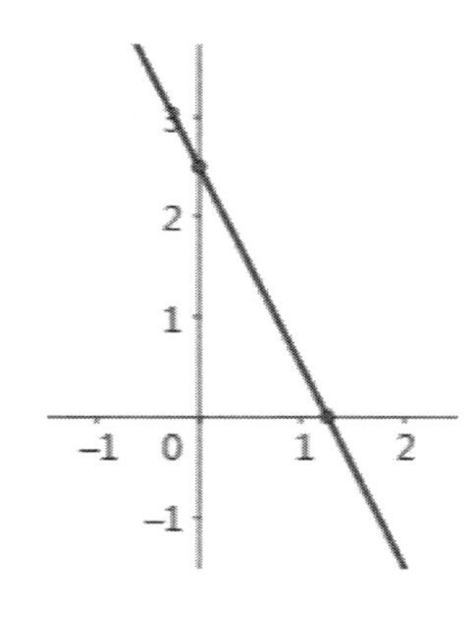

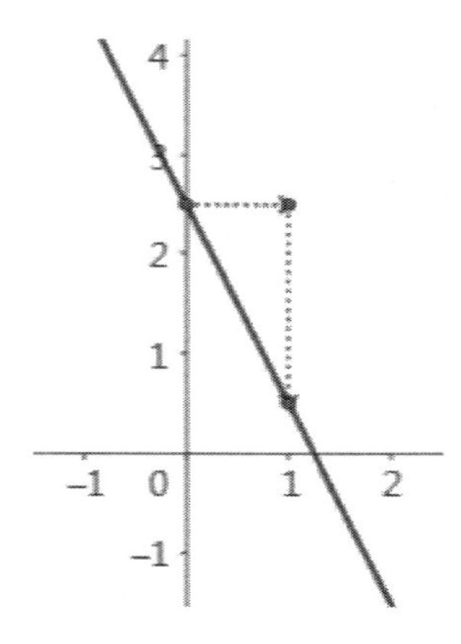

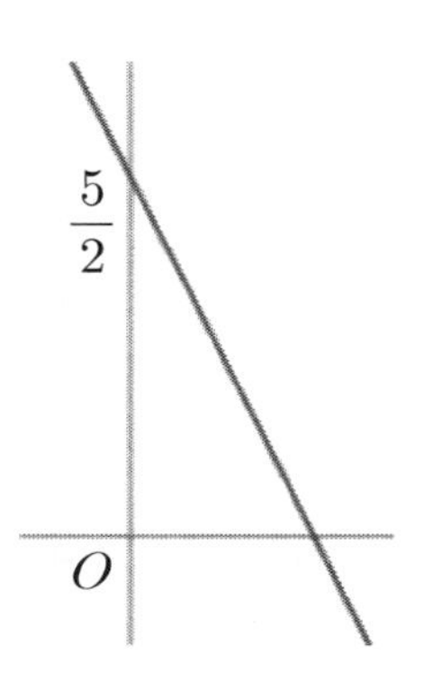

B.

※ 02, 03의 경우 아래의 풀이는 점을 대입하였으나 $p.101$ 의 예제 02 에서처럼 덧셈을 통한 증가량을 이용하여 기울기를 구해도 된다.

01

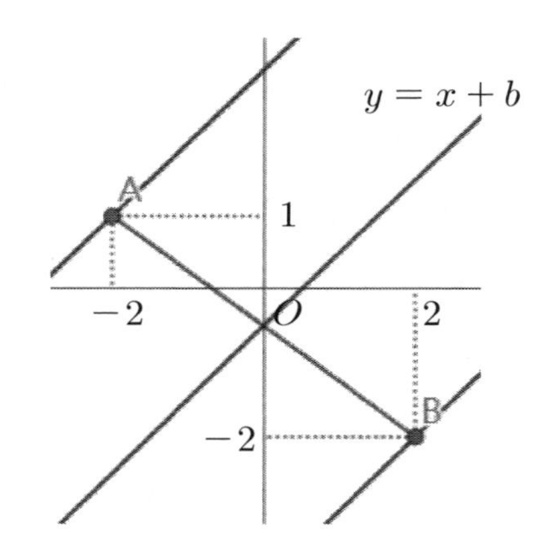

오른쪽 그림처럼 y절편 b는 $y = x + b$의 그래프가 점 $A(-2,\ 1)$을 지날 때 최대가 되고, 점 $B(2,\ -2)$를 지날 때 최소가 된다.

$A(-2,\ 1)$ 대입, $-2 + b = 1$ 이므로 $b = 3$

$B(2,\ -2)$ 대입, $2 + b = -2$ 이므로 $b = -4$

따라서 b의 범위는 $-4 \le b \le 3$

02

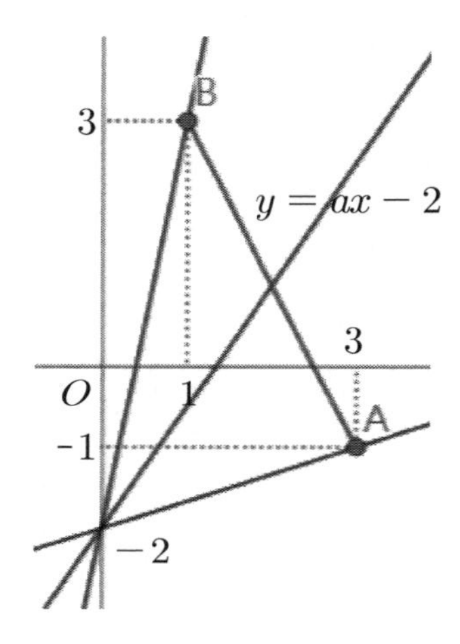

일차함수 $y = ax - 2$의 그래프가 $(0,\ -2)$를 중심으로 회전하면서 점 $A(3,\ -1)$을 지날 때 기울기 a가 최소가 되고, 점 $B(1,\ 3)$을 지날 때 a가 최대가 된다.

$A(3,\ -1)$ 대입, $3a - 2 = -1$ 이므로 $a = \frac{1}{3}$

$B(1,\ 3)$ 대입, $a - 2 = 3$ 이므로 $a = 5$

따라서 a의 범위는 $\frac{1}{3} \le a \le 5$

03

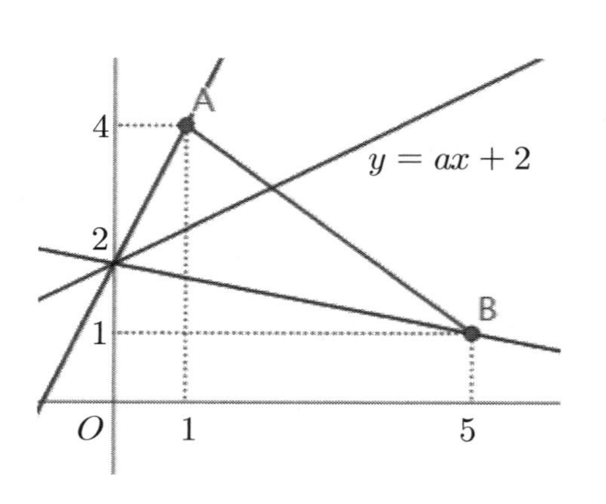

일차함수 $y = ax + 2$의 그래프가 $(0,\ 2)$를 중심으로 회전하면서 점 $A(1,\ 4)$를 지날 때 기울기 a가 최대가 되고, 점 $B(5,\ 1)$을 지날 때 a가 최소가 된다.

$A(1,\ 4)$ 대입, $a + 2 = 4$ 이므로 $a = 2$

$B(5,\ 1)$ 대입, $5a + 2 = 1$ 이므로 $a = -\frac{1}{5}$

따라서 a의 범위는 $-\frac{1}{5} \le a \le 2$

04

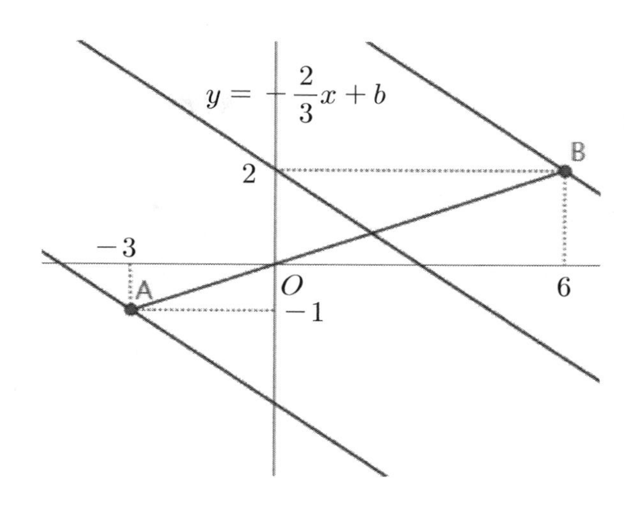

오른쪽 그림처럼 y절편 b는 $y=-\frac{2}{3}x+b$의 그래프가 점 $A(-3,\ -1)$을 지날 때 최소가 되고, 점 $B(6,\ 2)$를 지날 때 최대가 된다.

$A(-3,\ -1)$ 대입, $2+b=-1$ 이므로 $b=-3$

$B(6,\ 2)$ 대입, $-4+b=2$ 이므로 $b=6$

따라서 b의 범위는 $-3 \le b \le 6$

01

지면으로부터 $100m$ 높아질 때마다 기온이 $0.6^{\circ}C$ 씩 내려가므로 $1km$ 높아질 때마다 기온이 $6^{\circ}C$ 씩 내려간다. 따라서 지면으로부터 xkm일 때의 기온을 $y^{\circ}C$ 라고 하면

$y=-6x+b\,({}^{\circ}C)$

지면 $(x=0)$의 온도가 $25^{\circ}C$ 이므로 $b=25$

따라서 $y=-6x+25\,({}^{\circ}C)$,

$x=5$를 대입하면 $y=-30+25=-5\,({}^{\circ}C)$

02

3분에 $6L$의 비율로 물이 흘러 나가므로 1분에 $2L$의 물이 흘러나간다. 물이 흘러 나간 지 x분 후에 남아있는 물의 양을 yL라고 하면

$y=-2x+50$

$y=30$이면 $-2x+50=30$, $\therefore\ x=10$

따라서 10분

03

(1) 연료 $5L$로 $40km$를 달리므로 연료 $32L$로 가는 거리를 a라고 하면

$5:40=32:a$, $5a=40\times32$, $\therefore\ a=256\,(km)$

(2) 연료 $5L$로 $40km$를 달리므로 $1km$를 가는데 $\frac{1}{8}L$의 연료를 사용한다. xkm를 달린 후 남은 연료의 양을 yL라고 하면 $y=-\frac{1}{8}x+60$

$x=432$이면 $y=-\frac{1}{8}\times432+60=6$

따라서 $6L$의 연료가 남아있다.

04

무게가 $10g$을 달 때마다 용수철의 길이가 $3cm$씩 늘어나므로 $1g$을 달 때마다 $0.3cm$씩 늘어난다. 무게 xg을 달 때 용수철의 길이를 ycm라고 하면

$y=0.3x+20\ (cm)$

(1) $x=50$이면 $y=15+20=35\,(cm)$

(2) $y=26$이면 $0.3x+20=26$, $\therefore\ x=20\ (g)$

05

기온이 $3^{\circ}C$ 올라갈 때마다 소리의 속력은 초속 $1.8m$씩 증가하므로 $1^{\circ}C$ 올라갈 때마다 속력은 초속 $0.6m$씩 증가한다. 기온이 $x^{\circ}C$ 올라갈 때 소리의 속력을 초속 ym라고 하면, 기온이 $0^{\circ}C$일 때 초속 $331m$이므로

$y=0.6x+331\ (m)$

(1) $x=20$이면 $y=12+331=343$이므로 초속 $343m$이다.

(2) $y=340$이면 $0.6x+331=340$, $\therefore\ x=15$ 따라서 $15^{\circ}C$이다.

06

5분마다 $30L$의 물이 들어가므로 1분마다 $6L$의 물이 들어간다. 따라서

$y=6x+20$, $y=62$이면 $6x+20=62$

$\therefore\ x=7$, 7분

07

3분마다 $12L$의 물이 들어가므로 1분마다 $4L$의 물이 들어가고, 4분마다 $8L$의 물이 빠져나가므로 1분마다 $2L$의 물이 빠져나간다. 따라서 1분마다 $2L$의 물이 들어간다. 따라서

$y = 2x + 35$

$x = 10$이면 $y = 20 + 35 = 55$, $55L$

08

초속 $3m$의 일정한 속력으로 올라가는 엘리베이터가 $16m$ 높이에 멈춰있으므로

$y = 3x + 16$

$y = 52$이면 $3x + 16 = 52$, $\therefore\ x = 12$, 12초

09

(1) $x = 9$이면 $y = -15 + 25 = 10$, $10cm$

(2) $y = 0$이면 $-\frac{5}{3}x + 25 = 0$, $\therefore\ x = 15$

15분 후

10

x초 후 물의 높이를 ycm라고 하면

수조에 일정한 속력으로 물을 넣고 있으므로

$y = ax + b$ ⋯ ①로 둔다.

①은 다음의 두 점을 지난다.

5초 후의 물의 높이는 $20cm$이므로 $(5, 20)$,

8초 후의 물의 높이는 $29cm$이므로 $(8, 29)$

①에 $(5, 20)$을 대입 $5a + b = 20$

①에 $(8, 29)$를 대입 $8a + b = 29$

위 두 방정식을 연립하여 풀면

$a = 3$, $b = 5$, 따라서 $y = 3x + 5$ ⋯ ②

②에 $x = 20$을 대입하면

$y = 65$, $65cm$

11

(1) 빵 5개를 만드는데 사용되는 밀가루의 양이 $120g$이므로 빵 1개를 만드는데 사용되는 밀가루의 양은 $24g$이다. 따라서 $y = -24x + 540$

(2) $x = 16$이면 $y = -384 + 540 = 156$, $156g$

(3) $y = 0$으로 두면 $-24x + 540 = 0$

$\therefore\ x = 22.5$

따라서 최대 22개의 빵을 만들 수 있다.

12

물의 온도가 3분마다 $10^\circ C$ 씩 올라가므로 1분마다 물의 온도는 $\frac{10}{3}{}^\circ C$ 씩 올라간다. $25^\circ C$의 물을 데우기 시작한 후의 x분 후의 물의 온도를 $y^\circ C$라 하면

$y = \frac{10}{3}x + 25$

위 식에 $y = 75$를 대입하면

$75 = \frac{10}{3}x + 25$, $\therefore\ x = 15$, 15분 걸린다.

13

초롱은 분속 $40m$, 소담은 분속 $20m$의 속력으로 상대방을 향해 걸어가므로 두 사람사이의 거리는 1분 동안 $60m$ 줄어든다. 따라서

$y = -60x + 900\ (m)$

(1) $x = 9$이면 $y = -540 + 900 = 360$, $360m$

(2) 두 사람사이의 거리가 $0m$이므로 $y = 0$

$-60x + 900 = 0$, $\therefore\ x = 15$, 15분

(3) 초롱 : 분속 $40m$의 속력으로 15분 동안 걸었으므로 $40 \times 15 = 600$, $600m$

소담 : 분속 $20m$의 속력으로 15분 동안 걸었으므로 $20 \times 15 = 300$, $300m$

※ 움직인 거리는 속력에 비례하므로 비례배분을 이용하여 걸은 거리를 구할 수도 있다.

초롱과 소담의 속력비는 $40 : 20 = 2 : 1$이므로

초롱이 움직인 거리 : $900 \times \frac{2}{2+1} = 600(m)$

소담이 움직인 거리 : $900 \times \frac{1}{2+1} = 300(m)$

14

5분 동안 물의 높이가 $15cm$ 낮아졌으므로 1분 동안 $3cm$씩 낮아진다. 물을 빼기 시작한지 x분 후의 수조의 높이를 ycm, 처음 수조에 들어있는 물의 높이를 b라고 하면

$y = -3x + b$ ⋯ ①

① 에 $x = 10$, $y = 60$을 대입하면

$60 = -30 + b$, $\therefore b = 90$

따라서 ①은 $y = -3x + 90$ ⋯ ②

②에 $y = 0$을 대입하면

$0 = -3x + 90$, $\therefore x = 30$

따라서 30분이 걸린다.

※ 조건을 맞는 점 2개를 정하여 연립방정식을 푼다.

$y = ax + b$라고 두면 (10, 60), (15, 45)를 만족한다. 각각 대입하여 연립방정식을 세우면

$\begin{cases} 10a + b = 60 \\ 15a + b = 45 \end{cases}$, 연립방정식을 풀면

$a = -3$, $b = 90$, 따라서 $y = -3x + 90$

15

$\overline{BP} = 2x$ 이므로 $y = \frac{1}{2} \times 2x \times 12 = 12x$

$(0 < x < 8)$

(1) $x = 5$일 때, $\triangle ABP = 12 \times 5 = 60(cm^2)$

(2) $y = 78$일 때, $78 = 12x$, $\therefore x = \frac{13}{2}$

따라서 $\frac{13}{2}$초 후

16

점 P가 점 B를 출발한지 x초 후의 $\overline{BP} = 2x$, $\overline{PC} = 12 - 2x$ $(0 < x < 6)$이고 $\triangle ABP$고 와 $\triangle DPC$의 넓이의 합을 ycm^2 라 하면

$y = \frac{1}{2} \times 2x \times 6 + \frac{1}{2} \times (12 - 2x) \times 10$

$\therefore y = -4x + 60$

$y = 40$일 때, $40 = -4x + 60$, $\therefore x = 5$

따라서 5초 후

17

점 P가 점 A를 출발한지 x초 후의 $\overline{AP} = 3x$, $\overline{PD} = 24 - 3x$ $(0 < x < 8)$이므로 $\square PBCD$의 넓이 $y = \frac{1}{2} \times (24 - 3x + 24) \times 20$

$\therefore y = -30x + 480$

(1) $x = 5$ 일 때, $y = -150 + 480 = 330(cm^2)$

(2) $y = 150$일 때, $150 = -30x + 480$, $\therefore x = 11$

따라서 11초 후

01

$ax+3y-b=0$에서 $3y=-ax+b$

$\therefore\ y=-\frac{a}{3}x+\frac{b}{3}\ \cdots$ ①

①과 $y=\frac{2}{3}x-2$의 그래프가 같으므로

$-\frac{a}{3}=\frac{2}{3},\ \frac{b}{3}=-2$

따라서 $a=-2,\ b=-6$

02

$ax+(3b+1)y+4=0$에서

$y=-\frac{a}{3b+1}-\frac{4}{3b+1}$

기울기 $-\frac{a}{3b+1}=\frac{3}{2}$에서

$-2a=9b+3\ \cdots$ ①

y절편 $-\frac{4}{3b+1}=2$에서 $b=-1$을 ①에 대입하면 $-2a=-6,\ \therefore\ a=3$

03

(1) x절편이 -4, y절편이 3이므로 기울기는 $\frac{3}{4}$,

$y=\frac{3}{4}x+3$, 양변에 4를 곱하면 $4y=3x+12$,

$4y$를 우변으로 이항하면 $3x-4y+12=0$

따라서 $a=3,\ b=-4,\ \therefore\ a+b=-1$

(2) $ax+by+12=0$에 점 $(-4,\ 0)$을 대입하면

$-4a+12=0,\ \therefore\ a=3$

$ax+by+12=0$에 점 $(0,\ 3)$을 대입하면

$3b+12=0,\ \therefore\ b=-4$

$\therefore\ a+b=-1$

04

일차방정식을 만족하는 두 점을 대입한다.

$4x-ay=1$에 점 $(1,\ 3)$을 대입

$4-3a=1,\ \therefore\ a=1$

따라서 일차방정식은 $4x-y=1\ \cdots$ ①

①에 점 $(-2,\ b)$를 대입

$-8-b=1,\ \therefore\ b=-9$

05

x축에 평행한 직선이므로 두 점의 y좌표가 같다. 따라서 $n+2=-2n+8,\ \therefore\ n=2$

06

4개의 직선으로 둘러싸인 도형은 다음과 같다.

가로 길이 : $2-(-3)=5$

세로 길이 : $5-1=4$

이므로 넓이는 $5\times4=20$

07

4개의 직선으로 둘러싸인 도형은 다음과 같다.

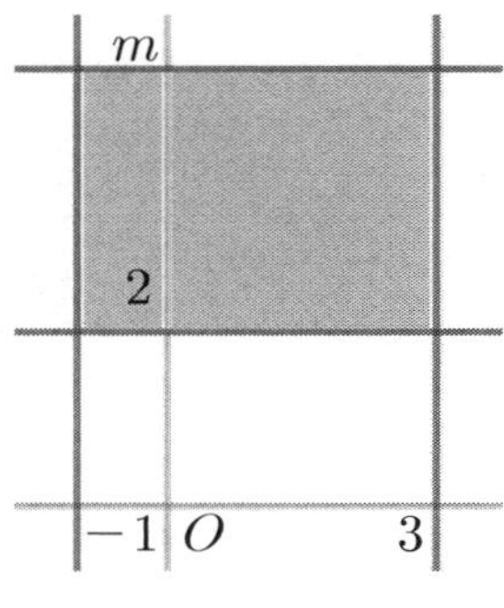

가로 길이 : $3-(-1)=4$

세로 길이 : $|m-2|$

넓이 : 12 이므로

$4|m-2|=12,\ |m-2|=3$

$\therefore\ m-2=3$ 또는 $m-2=-3$

따라서 $m=5$ 또는 $m=-1$

m은 양수이므로 $m=5$

08

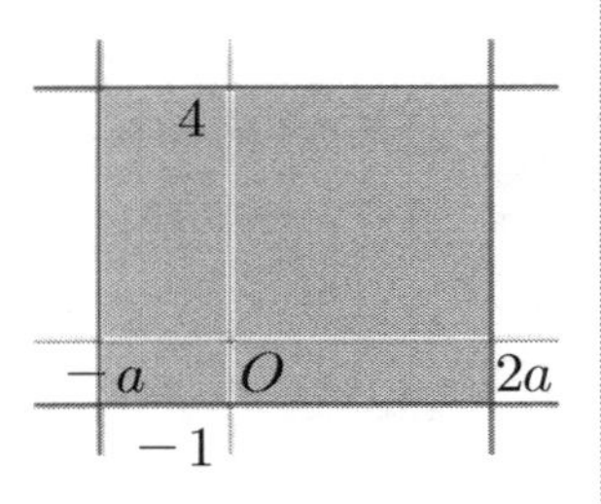

4개의 직선으로 둘러싸인 도형은 다음과 같다.

가로 길이 :

$2a-(-a)=3a$

세로 길이 : $4-(-1)=5$ 이므로

넓이는 $3a \times 5=30$

$\therefore\ a=2$

09

그래프의 기울기는 $-\frac{4}{3}$, y절편은 4이므로

$y=-\frac{4}{3}x+4$ ⋯ ①

(1) 일차함수의 식을 일차방정식으로 고쳐 풀기

①의 양변에 3을 곱하여 정리

$3y=-4x+12$

$-4x-3y+12=0$ ⋯ ②

②를 ①과 비교하면

$\therefore\ a=-4,\ b=-3$

따라서 $a-2b=2$

(2) 일차방정식을 일차함수의 식으로 고쳐 풀기

$ax+by+12=0$ 을 일차함수 모양으로 변형

$by=-ax-12$

$\therefore\ y=-\frac{a}{b}x-\frac{12}{b}$ ⋯ ③

③을 ①과 비교하면

$-\frac{a}{b}=-\frac{4}{3}$ ⋯ Ⓐ, $4=-\frac{12}{b}$ ⋯ ④

④에서 $b=-3$, Ⓐ에서 $a=-4$

따라서 $a-2b=2$

※ (1)의 풀이가 (2)의 풀이보다 간단하다.

<u>한 식에서 다른 식으로 변형해야 하는 경우, 알고 있는 식(①)에서 미지수가 포함된 식으로 변형 ($ax+by+12=0$)</u>하는 것이 좋다.

※ Ⓐ에서 $a=4,\ b=3$ 또는 $a=-4,\ b=-3$ 이라고 하면 안 된다. a, b가 서로소가 아니면 이 둘 값 이외에 배수도 가능하기 때문이다. 예를 들어 $a=8,\ b=6$ 등

10

그래프의 기울기는 양수, y절편은 음수이다.

$ax+by+c=0$ 에서 $y=-\frac{a}{b}x-\frac{c}{b}$

$-\frac{a}{b}>0$이므로 $\frac{a}{b}<0$ → a, b의 부호는 다름

$-\frac{c}{b}<0$이므로 $\frac{c}{b}>0$ → b, c의 부호는 같음

따라서 a, c의 부호는 다르다.

$cx-ay+b=0$에서 $y=\frac{c}{a}x+\frac{b}{a}$

기울기 $\frac{c}{a}<0$,

y절편 $\frac{b}{a}<0$

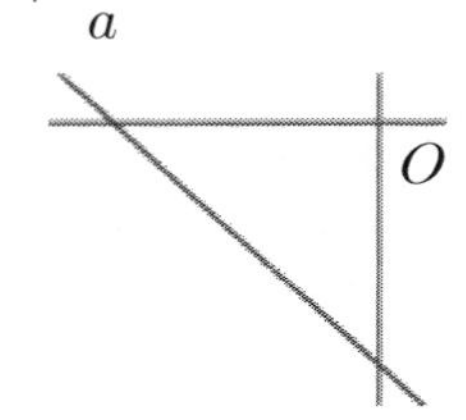

11

x절편과 y절편이 정수임을 이용

x절편 : -5, y절편 : 2

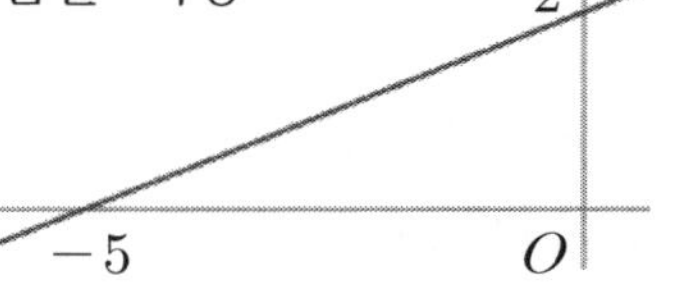

※ 기울기와 y절편을 이용할 수도 있다.

$2x-5y+10=0$ **에서** $y=\frac{2}{5}x+2$

기울기 $\frac{2}{5}$, y절편 2이므로 $y=\frac{2}{5}x+2$

12

점 $(2,\ b)$를 $y=3x+2$에 대입, $b=6+2=8$

점 $(2,\ 8)$을 지나고 x축에 평행한 직선은 $y=8$

13

연립방정식 $\begin{cases} x+y+1=0 \\ 2x+3y=0 \end{cases}$ 을 풀면 $x=-3$, $y=2$이므로 교점의 좌표는 $(-3,\ 2)$

점 $(-3,\ 2)$를 지나고 y축에 평행한 직선의 방정식은 $x=-3$

14

x축에 수직(y축에 평행)이므로 두 점의 x좌표가 같다. 따라서

$2a+1=-a+4$, $3a=3$, $\therefore\ a=1$

15

(1) 일차방정식 $2x+my+n=0$에 두 점 $(2,3)$, $(5,\ -6)$을 각각 대입하면

$4+3m+n=0$, $10-6m+n=0$

두 식을 연립하면 $m=\frac{2}{3}$, $n=-6$

따라서 일차방정식은 $2x+\frac{2}{3}y-6=0$

$\frac{2}{3}y=-2x+6$, $\therefore\ y=-3x+9$

위 식에 $y=0$을 대입, $0=-3x+9$, $\therefore\ x=3$

기울기 : -3, x절편 : 3, y절편 : 9

(2) 두 점 $(2,3)$, $(5,\ -6)$을 지나는 직선의 기울기는 -3이므로 $y=-3x+b$ ⋯ ①

①에 점 $(2,3)$을 대입하면 $3=-6+b$

$\therefore\ b=9$ 이므로 ①은 $y=-3x+9$ ⋯ ②

②의 양변에 $\frac{2}{3}$를 곱하고 우변의 모든 항을 좌변으로 이항하면 $2x+\frac{2}{3}y-6=0$

따라서 $m=\frac{2}{3}$, $n=-6$

16

일차방정식 $-2x+3y-a=0$에 점 $(-1,\ 3)$을 대입하면

$2+9-a=0$, $\therefore\ a=11$

17

일차방정식 $5x+ay-6=0$에 점 $(3,\ -3)$을 대입하면

$15-3a-6=0$, $\therefore\ a=3$

일차방정식 $5x+3y-6=0$에서 $y=-\frac{5}{3}x+2$

따라서 기울기는 $-\frac{5}{3}$, y절편은 2이다.

18

(1) $3x+4y-5=0$에서 $y=-\frac{3}{4}x+\frac{5}{4}$

기울기가 $-\frac{3}{4}$이므로 $y=-\frac{3}{4}x+b$ ⋯ ① 로 두자. ①이 점 $(-3,\ 3)$을 지나므로 대입하면

$3=\frac{9}{4}+b$, $\therefore\ b=\frac{3}{4}$

따라서 $y=-\frac{3}{4}x+\frac{3}{4}$ 또는 양변에 4를 곱하고 정리하면 $3x+4y-3=0$

(2) 일차방정식 $3x+4y-5=0$의 그래프와 평행하므로 $3x+4y+c=0$ ⋯ Ⓐ 로 놓자.

Ⓐ가 점 $(-3,\ 3)$을 지나므로 대입하면

$-9+12+c=0$, $\therefore\ c=-3$

따라서 $3x+4y-3=0$ 또는 $y=-\frac{3}{4}x+\frac{3}{4}$

연습문제

p. 143

01

일차방정식의 그래프가 제 1, 3, 4사분면만을 지나는 경우는 오른쪽 그림과 같다.

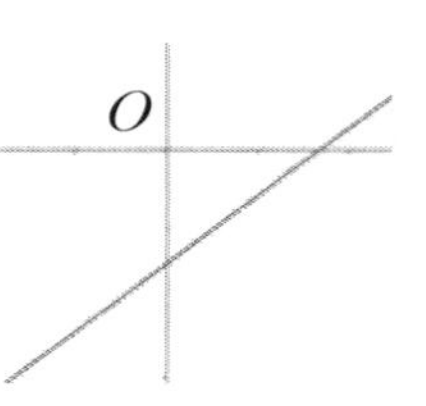

기울기는 양수, y절편은 음수다.

$ax+by+c=0$을 y를 x에 대한 식으로 정리

$by=-ax-c$, $\therefore\ y=-\dfrac{a}{b}x-\dfrac{c}{b}$

$-\dfrac{a}{b}>0$이므로 $\dfrac{a}{b}<0$, a와 b의 부호는 다름

$-\dfrac{c}{b}<0$이므로 $\dfrac{c}{b}>0$, b와 c의 부호는 같다.

따라서 a와 c의 부호는 다르다.

$bx-cy+a=0$을 y를 x에 대한 식으로 정리한다.

$cy=bx+a$,

$\therefore\ y=\dfrac{b}{c}x+\dfrac{a}{c}$

$\dfrac{b}{c}>0$, $\dfrac{a}{c}<0$이므로

따라서 기울기는 양수, y절편은 음수다.

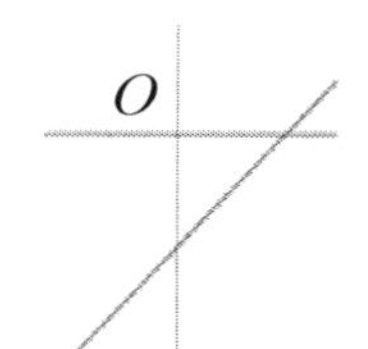

02

연립방정식 $\begin{cases}2x+y+4=0\\3x+4y+1=0\end{cases}$의 해가 $x=-3$, $y=2$이므로 두 일차방정식의 그래프의 교점의 좌표는 $(-3,\ 2)$

03

연립방정식 $\begin{cases}2x+y=7\\3x-5y=4\end{cases}$를 풀면

$x=3$, $y=1$이므로 두 점 $(3,\ 1)$, $(-1,\ -1)$을 지나는 직선의 방정식을 구한다.

기울기가 $\dfrac{1}{2}$이므로 $y=\dfrac{1}{2}x+b$로 두고 점 $(3,\ 1)$을 대입하면 $1=\dfrac{3}{2}+b$, $\therefore\ b=-\dfrac{1}{2}$

따라서 직선의 방정식은 $y=\dfrac{1}{2}x-\dfrac{1}{2}$

04

두 일차방정식의 그래프의 교점의 좌표가 $(1,\ -2)$이므로 연립방정식의 해는

$x=1$, $y=-2$

05

x의 값이 2증가할 때 y의 값은 3만큼 감소하므로 기울기 $2a=-\dfrac{3}{2}$, $\therefore\ a=-\dfrac{3}{4}$

일차함수의 식은 $y=-\dfrac{3}{2}x-3$ ⋯ ①

①에 점 $(2,\ b)$를 대입하면

$b=-3-3=-6$

06

그림의 방정식은 $x=3$이므로 $b=0$이다.

$ax-6=0$에서 $ax=6$, $\therefore\ x=\dfrac{6}{a}=3$

$\therefore\ a=2$

07

두 일차방정식의 그래프의 교점이 무수히 많으므로 $\frac{a}{2} = \frac{6}{-b} = \frac{-2}{1}$

$\frac{a}{2} = \frac{-2}{1}$에서 $a = -4$,

$\frac{6}{-b} = \frac{-2}{1}$에서 $b = 3$

08

x절편이 4, y절편이 2이므로 기울기는 $-\frac{1}{2}$,

제1사분면을 지나지 않으므로 y절편은 0이하다.

$(a-2)x - y + a - b = 0$에서

$y = (a-2)x + a - b$이므로

기울기 $a - 2 = -\frac{1}{2}$, $\therefore\ a = \frac{3}{2}$

y절편 $a - b = \frac{3}{2} - b \le 0$, $\therefore\ b \ge \frac{3}{2}$

09

두 점을 지나는 직선이 x축과 평행하므로 두 점의 y좌표가 같다. 따라서

$a+3 = -2a+5$, $3a = 2$, $\therefore\ a = \frac{2}{3}$

따라서 직선의 방정식은 $y = \frac{11}{3}$

10

일차방정식의 그래프의 교점의 y좌표가 2이므로 $3x - 2y - 5 = 0$에 대입하면

$3x = 9$, $\therefore\ x = 3$

따라서 교점의 좌표는 (3, 2)이다.

위 좌표를 $2x - y - a = 0$에 대입하면

$a = 4$

11

두 일차방정식을 연립하면

$x = 5$, $y = -1$이고, y절편이 2이므로

두 점 (5, −1), (0, 2)를 지나는 직선의 기울기는 $-\frac{3}{5}$

따라서 직선의 방정식은 $y = -\frac{3}{5}x + 2$

12

직선 $3x - y + 2 = 0$의 기울기는 3, 연립방정식 $\begin{cases} 2x+3y+1=0 \\ x+4y-2=0 \end{cases}$을 풀면 $x = -2$, $y = 1$이므로

점 (−2, 1)을 지나는 직선의 방정식을 구한다.

$y = 3x + b$라 두고, 점 (−2, 1)을 대입하면

$1 = -6 + b$, $\therefore\ b = 7$

따라서 직선의 방정식은 $y = 3x + 7$

13

두 점 (−2, 5), (1, −1)을 지나는 직선의 방정식에 점 (7, k)를 대입하여 k를 구한다.

두 점 (−2, 5), (1, −1)을 지나는 직선의 기울기가 −2이므로

$y = -2x + b$라 두고, 점 (1, −1)을 대입한다.

$-2 + b = -1$, $\therefore\ b = 1$

따라서 $y = -2x + 1$ ⋯ ①

①에 점 (7, k)를 대입하면

$k = -13$

※ **두 점 (−2, 5), (1, −1)을 지나는 직선의 기울기와 두 점 (1, −1), (7, k)를 지나는 직선의 기울기가 같다. (두 점 (−2, 5), (−2, 5)를 지나는 직선의 기울기를 이용해도 된다.)**

두 점 $(-2, 5)$, $(1, -1)$을 지나는 직선의 기울기는 -2,

두 점 $(1, -1)$, $(7, k)$를 지나는 직선의 기울기는 $\frac{k+1}{6}$

두 기울기가 같으므로 $\frac{k+1}{6} = -2$

따라서 $k = -13$

14

두 일차방정식의 그래프의 교점이 없으므로

$\frac{a}{3} = \frac{3}{-2} \neq \frac{-2}{2}$에서 $\frac{a}{3} = \frac{3}{-2}$

따라서 $a = -\frac{9}{2}$

15

두 일차방정식의 교점의 좌표 $(b, 1)$을 각각의 일차방정식에 대입하면 만족한다.

먼저 $2x - 3y = 5$에 대입한다.

$2b - 3 = 5$, $\therefore\ b = 4$

점 $(4, 1)$을 $ax + 2y = 3$에 대입하면

$4a + 2 = 3$, $\therefore\ a = \frac{1}{4}$

따라서 $ab = 1$

16

교점의 x좌표가 5이므로 $3x - 4y = 3$에 대입하면

$15 - 4y = 3$, $\therefore\ y = 3$

따라서 교점의 좌표는 $(5, 3)$이고 $ax - 3y = 1$에 대입하면

$5a - 9 = 1$, $\therefore\ a = 2$

17

두 일차방정식의 그래프의 교점의 좌표가 $(-2, 3)$이므로 두 일차방정식에 $x = -2$, $y = 3$을 대입한다.

$-2a - 3 = -7$, $\therefore\ a = 2$

$-2 + 3b = 1$, $\therefore\ b = 1$

18

일차방정식의 그래프의 교점의 x좌표가 3이므로 $x - 2y = 5$에 대입하여 교점의 좌표를 구한다.

$3 - 2y = 5$에서 $y = -1$

따라서 교점의 좌표는 $(3, -1)$

교점의 좌표를 $3x + by = 4$에 대입하면

$9 - b = 4$, $\therefore\ b = 5$

19

두 일차방정식의 그래프의 교점의 좌표가 $(3, -2)$이므로 연립방정식의 해는 $x = 3$, $y = -2$이다. 이를 각 일차방정식에 대입하면

$3a - 8 = 1$에서 $a = 3$

$12 - 2b = 6$에서 $b = 3$

따라서 $2a + b = 9$

20

두 일차방정식의 그래프의 교점의 좌표는 연립방정식의 해를 이용하여 구할 수 있다.

연립방정식 $\begin{cases} 4x - 3y = -1 \\ 3x + 2y = 12 \end{cases}$의 해를 구하면

$x = 2$, $y = 3$이므로 교점의 좌표는 $(2, 3)$

21

연립방정식 $\begin{cases} x+3y=7 \\ 2x+y=4 \end{cases}$ 의 해를 구하면

$x=1$, $y=2$이므로 두 일차방정식의 그래프의 교점의 좌표는 $(1, 2)$이다.

이 점을 일차함수 $y=3x+b$에 대입하면

$3+b=2$, $\therefore b=-1$

22

연립방정식 $\begin{cases} x+3y=2 \\ 2x+7y=3 \end{cases}$ 의 해를 구하면

$x=5$, $y=-1$이므로 교점의 좌표는 $(5, -1)$이다.

기울기가 3인 직선의 방정식을 $y=3x+b$ 라고 두고 점 $(5, -1)$을 대입하면

$15+b=-1$, $\therefore b=-16$

따라서 직선의 방정식은 $y=3x-16$

23

연립방정식 $\begin{cases} 3x-2y=5 \\ 2x+y=8 \end{cases}$ 의 해를 구하면

$x=3$, $y=2$이므로 교점의 좌표는 $(3, 2)$이다.

두 점 $(3, 2)$, $(-1, 1)$을 지나는 직선의 기울기가 $\frac{1}{4}$이므로 직선의 방정식을 $y=\frac{1}{4}x+b$라고 두고 점 $(-1, 1)$을 대입하면

$-\frac{1}{4}+b=1$, $\therefore b=\frac{5}{4}$

따라서 직선의 방정식은 $y=\frac{1}{4}x+\frac{5}{4}$

24

연립방정식 $\begin{cases} x+y-5=0 \\ 2x-3y+5=0 \end{cases}$ 의 해를 구하면

$x=2$, $y=3$이므로 교점의 좌표는 $(2, 3)$이다.

직선 $2x+y=3$과 평행하므로 기울기는 -2. 따라서 직선의 방정식을 $y=-2x+b$로 두고 점 $(2, 3)$을 대입한다.

$-4+b=3$, $\therefore b=7$

따라서 직선의 방정식은 $y=-2x+7$

25

두 직선의 교점이 2개 이상이라는 것은 해가 무수히 많은 것으로 두 직선이 일치한다는 것이다. 따라서

$\frac{2a}{5}=\frac{-4}{6}=\frac{b}{3}$

$\frac{2a}{5}=\frac{-4}{6}=-\frac{2}{3}$ 에서 $a=-\frac{5}{3}$

$\frac{-4}{6}=-\frac{2}{3}=\frac{b}{3}$ 에서 $b=-2$

따라서 $3ab=10$

26

※ 직선 $3x+2y=-5$ 가 두 직선 $4x+5y=-2$, $x+ay=3$의 교점을 지나면 세 직선은 한 점에서 만난다. 그리고 그 점은 두 직선 $3x+2y=-5$, $4x+5y=-2$의 교점과 같다. 따라서 그 교점을 $x+ay=3$에 대입하여 a의 값을 구한다.

연립방정식 $\begin{cases} 3x+2y=-5 \\ 4x+5y=-2 \end{cases}$ 의 해를 구하면

$x=-3$, $y=2$이므로 교점의 좌표는 $(-3, 2)$

교점의 좌표를 $x+ay=3$에 대입하면

$-3+2a=3$, $\therefore a=3$

※ 문제를 다음과 같이 나타낼 수도 있다.

「세 직선 $3x+2y=-5$, $4x+5y=-2$, $x+ay=3$이 한 점에서 만날 때, 상수 a의 값을 구하시오.」

27

연립방정식 $\begin{cases} 4x-y=3 \\ 7x-2y=4 \end{cases}$ 의 해를 구하면

$x=2$, $y=5$이므로 교점의 좌표는 $(2, 5)$이다.

점 $(2, 5)$를 $ax+y=1$에 대입하면

$2a+5=1$, $\therefore a=-2$

28

연립방정식의 해가 무수히 많으므로

$\frac{3}{b}=\frac{5}{-10}=\frac{a}{8}$, $\frac{3}{b}=\frac{5}{-10}$ 에서 $b=-6$

$\frac{a}{8}=\frac{5}{-10}$ 에서 $a=-4$

29

연립방정식의 해가 없으므로

$\frac{a}{3}=\frac{-4}{6}\neq\frac{b-2}{-2b+1}$, $\frac{a}{3}=\frac{-4}{6}$ 에서 $a=-2$

$\frac{-4}{6}\neq\frac{b-2}{-2b+1}$ 에서 $b\neq-4$

30

두 직선 $ax+4y-5=0$, $bx+6y+3=0$ 의 교점이 존재하지 않으므로

$\frac{b}{a}=\frac{6}{4}\neq\frac{3}{-5}$, $\frac{b}{a}=\frac{6}{4}=\frac{3}{2}$ 에서 $3a=2b$

이 식을 만족하는 가장 작은 양의 정수 a, b는

$a=2$, $b=3$

따라서 $a+b=5$

31

$y=-2x+3$의 x절편은 $\frac{3}{2}$, $y=\frac{3}{2}x+3$의 x절편은 -2이고, y절편은 모두 3이므로 아래 그림과 같다.

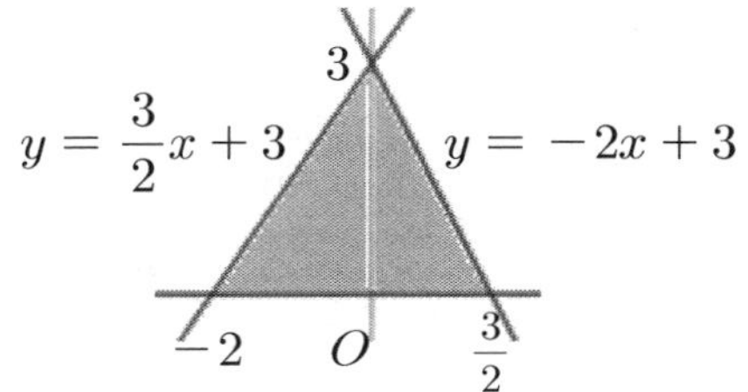

삼각형의 밑변의 길이는 $\frac{3}{2}-(-2)=\frac{7}{2}$, 높이는 3이므로 도형의 넓이는

$\frac{1}{2}\times\frac{7}{2}\times3=\frac{21}{4}$

32

$y=\frac{1}{2}x+3$의 x절편은 -6, $y=-x+6$의 x절편은 6이다. 또 두 직선의 교점의 좌표는 $(2, 4)$이다.

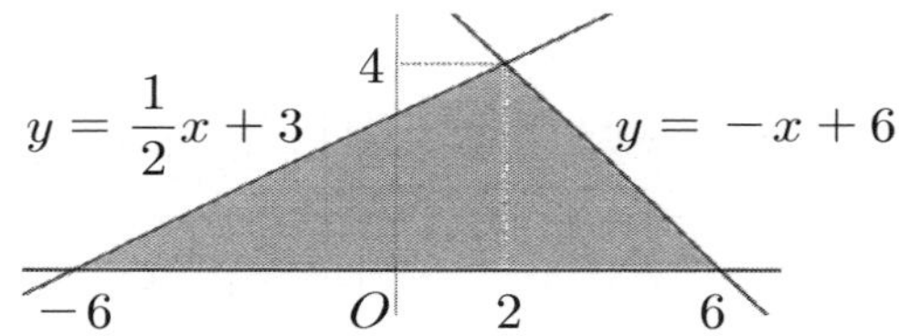

삼각형의 밑변의 길이는 $6-(-6)=12$, 높이는 4이므로 도형의 넓이는 $\frac{1}{2}\times12\times4=24$

33

점 A는 두 직선 $y=\frac{4}{3}x$, $y=-2x+10$의 교점, 점 B는 두 직선 $y=\frac{4}{3}x$, $y=-3$의 교점, 점 C는 두 직선 $y=-2x+10$, $y=-3$의 교점. $A(3, 4)$, $B\left(-\frac{9}{4}, -3\right)$, $C\left(\frac{13}{2}, -3\right)$

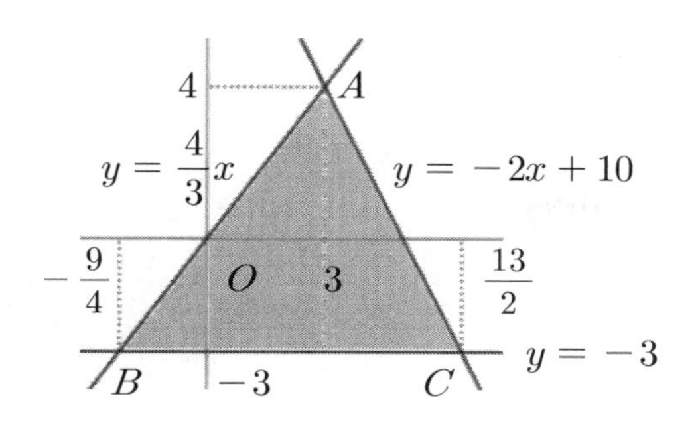

삼각형 ABC의 밑변 $\overline{BC}$의 길이는

$\frac{13}{2}-\left(-\frac{9}{4}\right)=\frac{35}{4}$, 높이는 $4-(-3)=7$이므로 $\triangle ABC=\frac{1}{2}\times\frac{35}{4}\times7=\frac{245}{8}$

34

두 직선과 y축으로 둘러싸인 도형은 오른쪽 그림과 같이 $\triangle ABC$이다.

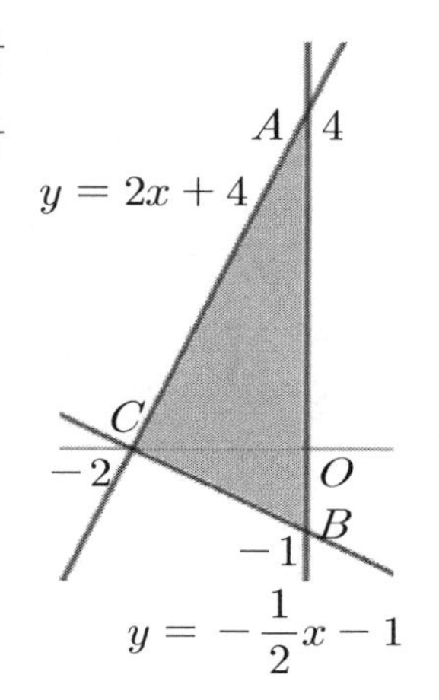

두 직선은 $(-2,\ 0)$에서 만나고,

y절편은 각각 4, -1이다.

$\overline{AB}$를 밑변으로 두면

$\overline{AB}=4-(-1)=5$

높이는 $\overline{OC}$의 길이 2이다.

따라서 $\triangle ABC$의 넓이는 $\frac{1}{2}\times5\times2=5$

35

두 직선과 y축으로 둘러싸인 도형은 오른쪽 그림과 같이 $\triangle ABC$이다.

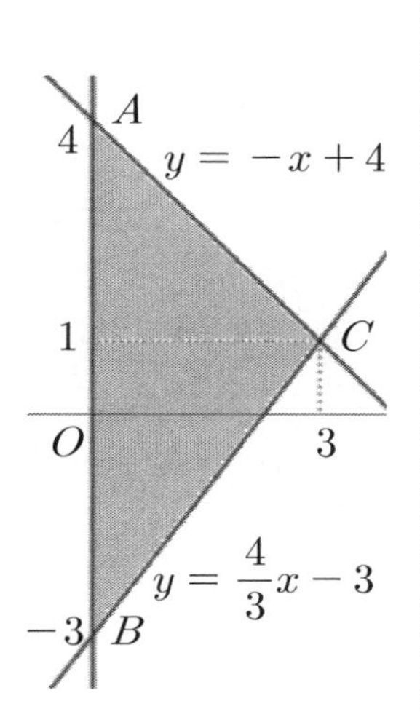

두 직선은 $C(3,\ 1)$에서 만나고,

y절편은 각각 4, -3이다.

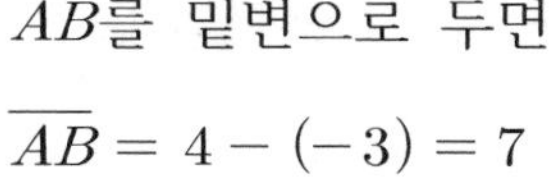

$\overline{AB}$를 밑변으로 두면

$\overline{AB}=4-(-3)=7$

높이는 꼭짓점 C의 x좌표 3이다.

따라서 $\triangle ABC$의 넓이는

$\frac{1}{2}\times7\times3=\frac{21}{2}$

36

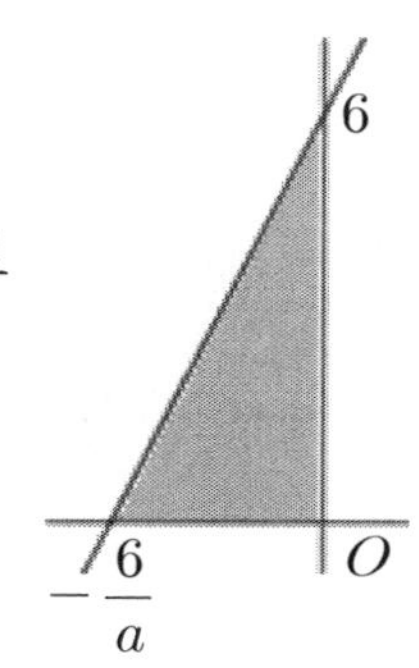

삼각형의 밑변의 길이는

$\left|-\frac{6}{a}\right|=\frac{6}{a}$, 높이는 6이므로

넓이 $9=\frac{1}{2}\times\frac{6}{a}\times6$ 에서

$a=2$

37

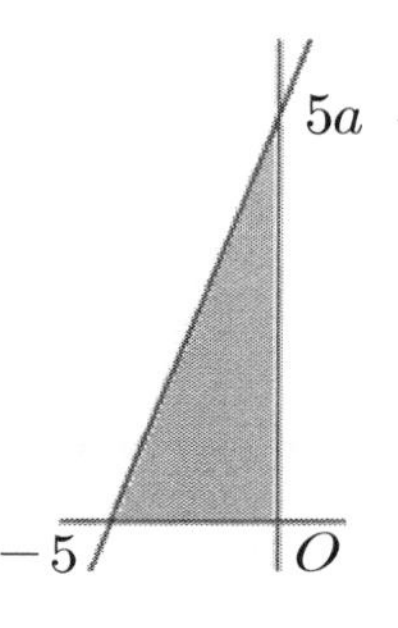

x절편이 -5, y절편이 $5a$이므로 삼각형의 밑변의 길이는 5, 높이는 $5a$다. 따라서 넓이

$10=\frac{1}{2}\times5\times5a$ 에서 $a=\frac{4}{5}$

38

세 직선으로 둘러싸인 도형은 오른쪽 그림과 같이 $\triangle ABC$이다.

세 꼭짓점의 좌표는 각각 $A(-1,\ 8)$, $B(-1,\ -1)$ $C(3,\ 2)$ 이다.

밑변을 $\overline{AB}$라고 하면

밑변의 길이는 두 꼭짓점 A, B의 y좌표의 차이므로 $8-(-1)=9$

높이는 꼭짓점 C에서 $\overline{AB}$까지의 거리이므로

$3-(-1)=4$

따라서 $\triangle ABC$의 넓이는

$\frac{1}{2}\times 9\times 4=18$

39

세 직선에 의해 삼각형이 만들어지지 않는 경우는 다음과 같다.

① 세 직선이 평행

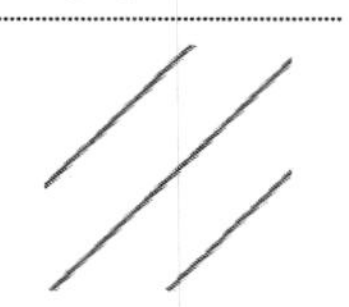

② 두 직선이 평행

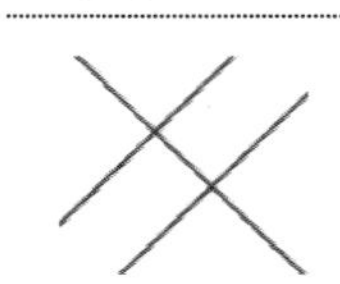

③ 세 직선이 한 점에서 만남

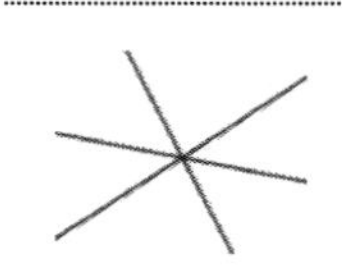

두 직선 $2x+3y=0$, $x-2y=7$의 기울기가 다르므로 ① 세 직선이 평행한 경우는 없다.

② 두 직선이 평행한 경우 (기울기가 같음)

$2x+3y=0$과 $ax+2y=3$이 평행할 때

$-\frac{2}{3}=-\frac{a}{2}$ 에서 $a=\frac{4}{3}$

$x-2y=7$과 $ax+2y=3$이 평행할 때

$\frac{1}{2}=-\frac{a}{2}$ 에서 $a=-1$

③ 세 직선이 한 점에서 만나는 경우

두 직선 $2x+3y=0$, $x-2y=7$ 의 교점을 직선 $ax+2y=3$이 지난다.

연립방정식 $\begin{cases}2x+3y=0\\x-2y=7\end{cases}$ 을 풀면

$x=3$, $y=-2$이므로 $ax+2y=3$에 대입하면

$3a-4=3$, $\therefore\ a=\frac{7}{3}$

①, ②, ③에서 a의 값은 $\frac{4}{3}$, -1, $\frac{7}{3}$

40

세 직선으로 둘러싸인 도형은 $\triangle ABC$이다.

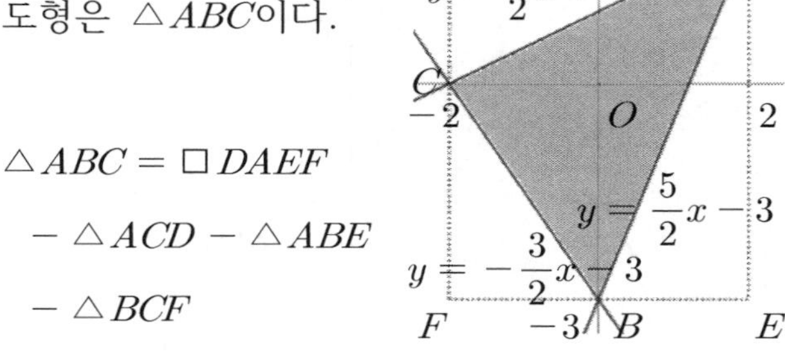

$\triangle ABC=\square DAEF$

$-\triangle ACD-\triangle ABE$

$-\triangle BCF$

$=4\times 5-\frac{1}{2}\times 4\times 2-\frac{1}{2}\times 2\times 5-\frac{1}{2}\times 2\times 3$

$=8$

※점 B를 지나고 y축에 평행한 직선이 $\overline{AC}$와 만나는 점을 D라고 하면

$\triangle ABC=\triangle ABD+\triangle BCD$

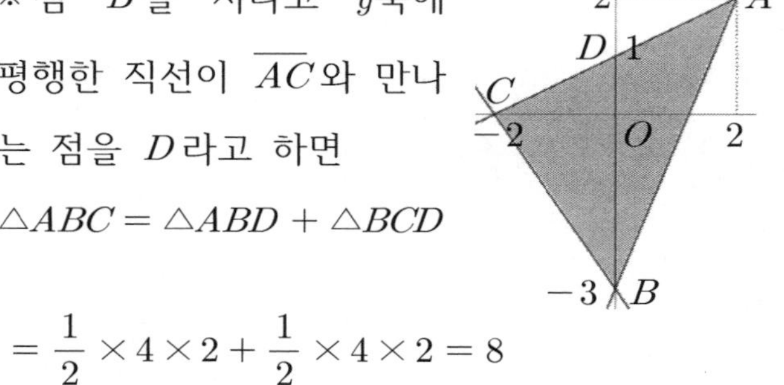

$=\frac{1}{2}\times 4\times 2+\frac{1}{2}\times 4\times 2=8$

※점 C를 지나고 x축에 평행한 직선이 $\overline{AB}$와 만나는 점을 E라고 하면

$\triangle ABC=\triangle ACE+\triangle BCE$

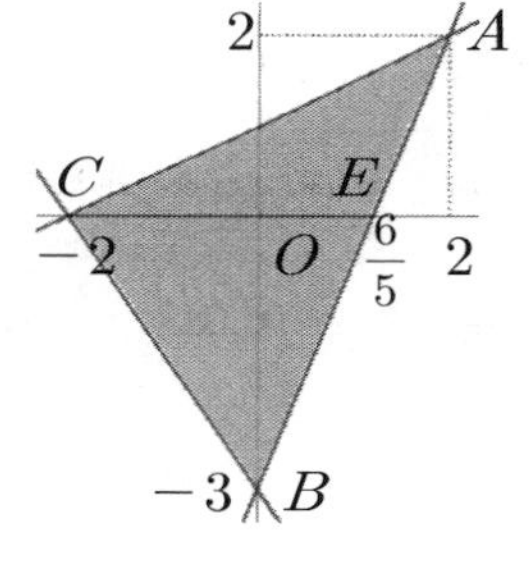

$=\frac{1}{2}\times\frac{16}{5}\times 2+\frac{1}{2}\times\frac{16}{5}\times 3=8$

41

직각삼각형의 넓이를 직각인 꼭짓점을 지나는 직선에 의해 넓이가 이등분되므로 $a=-\frac{3}{2}$

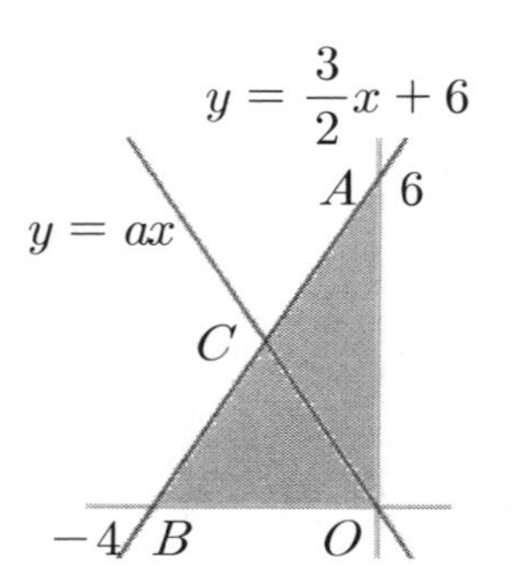

※ 그림에서 $\triangle OAB$와 $\triangle OBC$의 밑변이 $\overline{OB}$로 같으므로 $\triangle OBC$의 높이가 $\triangle OAB$의 높이의 $\frac{1}{2}$이면 넓이가 이등분된다. $\overline{OA}=6$ 이므로 꼭짓점 C의 y좌표가 3이다. 이를 $y=\frac{3}{2}x+6$에 대입하여 점 C의 좌표를 구한다.

$\frac{3}{2}x+6=3$, $\therefore x=-2$

$C(-2, 3)$을 $y=ax$가 지나므로 대입하면

$-2a=3$, $\therefore a=-\frac{3}{2}$

42

넓이를 이등분하는 직선의 방정식을 $y=ax$라 하자.

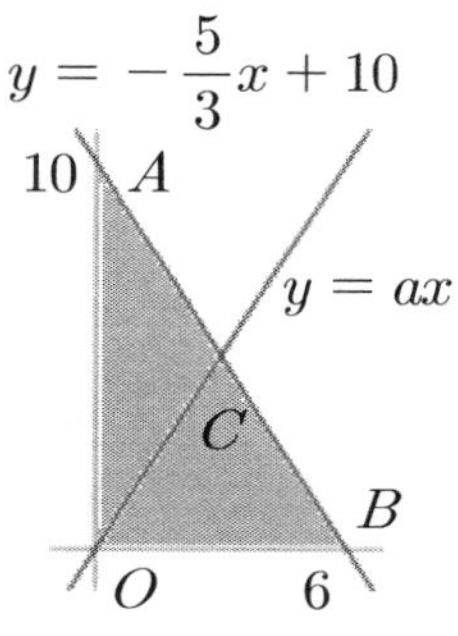

직각삼각형의 넓이를 직각인 꼭짓점을 지나는 직선에 의해 넓이가 이등분되므로

$a=\frac{5}{3}$

※ 그림에서 $\triangle OAB$와 $\triangle OBC$의 밑변이 $\overline{OB}$로 같으므로 $\triangle OBC$의 높이가 $\triangle OAB$의 높이의 $\frac{1}{2}$이면 넓이가 이등분된다.

$\overline{OA}=10$이므로 꼭짓점 C의 y좌표는 5.

이를 $y=-\frac{5}{3}x+10$에 대입하여 점 C의 좌표를 구한다. $-\frac{5}{3}x+10=5$, $\therefore x=3$

(※ 점 C의 x좌표는 6의 $\frac{1}{2}$인 3이다.)

$C(3, 5)$를 $y=ax$가 지나므로 대입하면

$3a=5$, $\therefore a=\frac{5}{3}$

43

넓이를 이등분하는 직선의 방정식을 $y=ax+b$라고 하자.

직각삼각형의 넓이가 점 A를 지나는 직선에 의해 넓이가 이등분되므로

$a=\frac{3}{8}$, $b=3$

따라서

$y=\frac{3}{8}x+3$

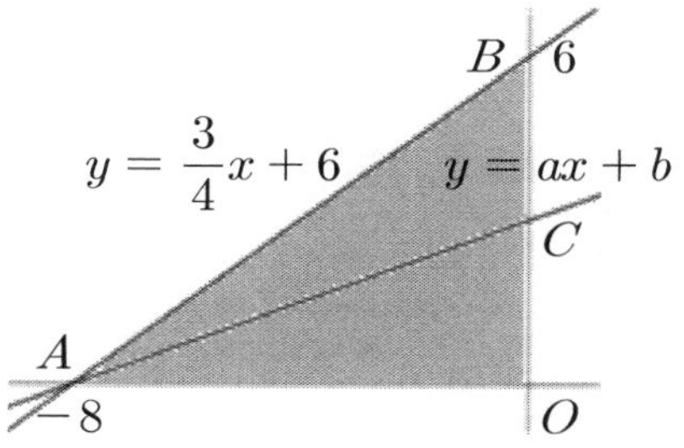

※ 그림의 $\triangle OAB$와 $\triangle OAC$의 밑변이 $\overline{OA}$로 같으므로 $\triangle OAC$의 높이가 $\triangle OAB$의 높이의 $\frac{1}{2}$이 되면 넓이가 이등분된다. $\overline{OB}$의 길이가 6이므로 꼭짓점 C의 좌표는 $(0, 3)$이고 기울기 $a=\frac{3}{8}$, $b=3$ 이다. 따라서 $y=\frac{3}{8}x+3$

44

$y=\frac{2}{3}x+4$에 $y=0$을 대입하면 $x=-6$

따라서 두 직선은 $(-6, 0)$에서 만난다.

밑변 $\overline{BC}=k$라고 하면 높이 $\overline{OA}=6$이므로

$\triangle ABC=\frac{1}{2}\times 6\times k=15$, $\therefore k=5$

따라서 $\overline{OC}=1$이므로 $C(0, -1)$

따라서 직선 AC가 $y=ax+b$의 그래프이므로

$a=-\frac{1}{6}$,

$b=-1$

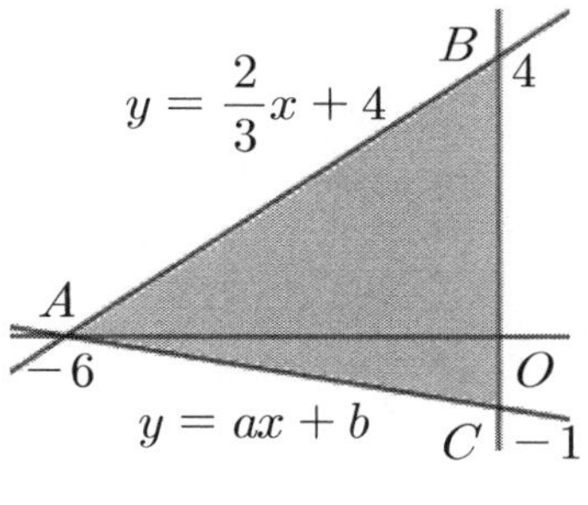

45

(1) 민서

두 점 $(0,\ 0)$, $(20,\ 2)$를 지나므로

기울기는 $\frac{2}{20}=\frac{1}{10}$

따라서 $y=\frac{1}{10}x$ ⋯ ①

(2) 태훈

두 점 $(10,\ 0)$, $\left(20,\ \frac{3}{2}\right)$을 지나므로

기울기는 $\frac{\frac{3}{2}}{10}=\frac{3}{20}$

$y=\frac{3}{20}x+b$ 로 두고 점 $(10,\ 0)$을 대입하면

$b=-\frac{3}{2}$, 따라서 $y=\frac{3}{20}x-\frac{3}{2}$ ⋯ ②

①, ②에서 y를 소거하면

$\frac{1}{10}x=\frac{3}{20}x-\frac{3}{2}$, $\therefore\ x=30$

따라서 30분 후

46

$\triangle OAC$와 $\triangle OBC$의 넓이의 비가 $1:2$이므로 $\triangle OAC$의 넓이는 $\triangle OAB$의 넓이의 $\frac{1}{3}$이다.

따라서 꼭짓점 C의 y좌표는 꼭짓점 B의 y좌표의 $\frac{1}{3}$이므로 3이다.

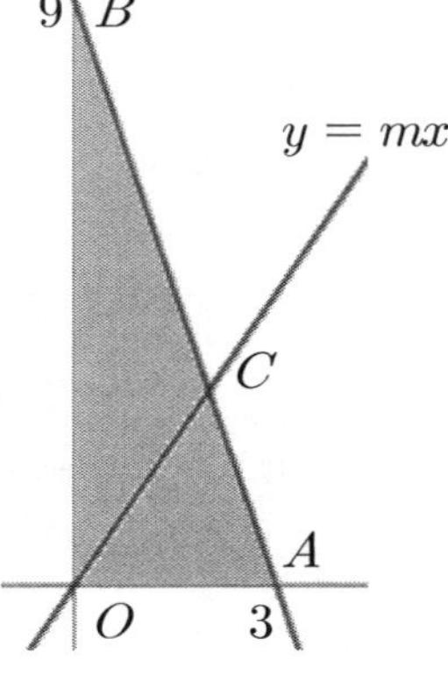

이를 $y=-3x+9$에 대입하여 점 C의 x좌표를 구한다.

$-3x+9=3$, $\therefore\ x=2$,

점 $C(2,\ 3)$을 $y=mx$가 지나므로 $2m=3$

$\therefore\ m=\frac{3}{2}$

47

직선 $y=-\frac{3}{2}x$의 그래프가 $(2m,\ -4m-2)$를 지나므로 $-4m-2=-\frac{3}{2}\times 2m$, $\therefore\ m=-2$

따라서 교점의 좌표는 $(-4,\ 6)$

직선 $y=-\frac{3}{2}x$가 도형의 넓이를 이등분하므로 두 직선의 기울기는 절댓값이 같고, 부호가 반대다. 따라서 $a=\frac{3}{2}$, $y=\frac{3}{2}x+b$ 에 교점의 좌표 $(-4,\ 6)$을 대입하면 $6=-6+b$,

$\therefore\ b=12$

※ 넓이를 이등분할 때, $y=ax+b$의 x절편과 y절편은 각각 교점의 x좌표와 y좌표의 2배이므로 x절편은 -8, y절편은 12이다.

수학 매뉴얼 * 중2 일차함수

발　행 | 2024년 07월 30일
저　자 | 강명수
펴낸이 | 한건희
펴낸곳 | 주식회사 부크크
출판사등록 | 2014.07.15.(제2014-16호)
주　소 | 서울특별시 금천구 가산디지털1로 119 SK트윈타워 A동 305호
전　화 | 1670-8316
이메일 | info@bookk.co.kr

ISBN | 979-11-410-9831-5

www.bookk.co.kr